GUIDEX
Word 2000

GUIDEXPRESS

MICROSOFT® Word 2000

RAPIDE FACILE EN COULEUR

Edition Juillet 1999

Auteur Bretschneider

Traduction LEONHARD Christophe

Avertissement aux utilisateurs Les informations contenues dans cet ouvrage sont données à titre indicatif et n'ont aucun caractère exhaustif.
Elles ne sauraient engager la responsabilité de l'éditeur.
La société MICRO APPLICATION ne pourra être tenue pour responsable de toute omission, erreur ou lacune qui aurait pu se glisser dans cet ouvrage ainsi que des conséquences, quelles qu'elles soient, qui résulteraient de l'utilisation des informations et indications fournies.

ISBN : 2-7429-1472-2
Réf DB : 441353

FRANCE - MICRO APPLICATION
20,22 rue des Petits-Hôtels
75010 PARIS
Tél : (01) 53 34 20 20 - Fax : (01) 53 34 20 00
http://www.microapp.com
Support Technique :
Tél : (01) 53 34 20 46 - Fax : (01) 53 34 20 00
E-mail : info-ma@microapp.com

BELGIQUE - EASY COMPUTING
Chaussée d'Alsemberg, 610
1180 BRUXELLES
Tél. : (02) 346 52 52 - Fax : (02) 346 01 20
http://www.easycomputing.com

CANADA - MICRO APPLICATION Inc.
1650 Boulevard Lionel-Bertrand
BOISBRIAND (QUÉBEC) - J7H 1N7
Tél. : (450) 434-4350 - Fax : (450) 434-5634
http://www.microapplication.ca

SUISSE - HELVEDIF SA
19, Chemin du Champ des Filles
CH-1228 PLAN LES OUATES
Tél. : (022) 884 18 08 - Fax : (022) 884 18 04
http://www.helvedif.ch

MAROC - CONCORDE DISTRIBUTION
8, rue Jalal Eddine Essayouti - Rés. "Le Nil"
Quartier Racine - CASABLANCA
Tél. : 239 36 65 - Fax : 239 28 45

ALGÉRIE - AL-YOUMN (Media Sud)
Bât. 23, N° 25 cité des 1 200 Logements
El khroub W/CONSTANTINE
Tél. - Fax : (04) 96 18 69
e-mail : al-youmn@aristote-centre.com

ILE DE LA RÉUNION -
ISYCOM SA SAUVEUR CACOUB
130 Ruelle Virapin
97440 SAINT ANDRE - ILE DE LA RÉUNION
Tél. : 02 62 58 41 00 - Fax : 02 62 58 42 00
Tél. : 01 48 78 12 47 - Fax : 01 40 82 92 34

AVANT-PROPOS

La collection *GUIDEXPRESS* propose une formation directe sur un thème précis, matériel ou logiciel. Elle s'articule autour d'exemples concrets, accompagnés d'un minimum de lecture. Les ouvrages de la collection sont basés sur une structure identique :

- Chaque chapitre est repéré par une couleur distincte, signalée dans le sommaire.
- Les étapes pratiques, numérotées, figurent dans un encadré de la couleur du chapitre. Elles sont ainsi immédiatement repérables.
- Les étapes essentielles sont accompagnées par une image. Pour un accès rapide à l'information, le texte est relié à l'illustration par une ligne en pointillés.
- Les informations complémentaires sont présentées dans un encadré indépendant.

Conventions typographiques

Afin de faciliter la compréhension des techniques décrites, nous avons adopté les conventions typographiques suivantes :

- **Gras** : menu, commande, onglet, bouton.
- *Italique* : rubrique, zone de texte, liste déroulante, case à cocher.
- `Courrier` : texte à saisir, adresses Internet.

Sommaire

Rédiger une lettre à l'aide de l'Assistant

Vous êtes néophyte, mais vous souhaitez vous mettre au travail sans délai parce que les longues séances théoriques vous ennuient ? C'est exactement ce que nous préconisons ! Suivez les étapes successives proposées dans ce chapitre pour réussir rapidement un document finalisé et de qualité satisfaisante. La gestion du courrier étant souvent une tâche prépondérante (du moins avec Word), ce premier chapitre est consacré à la rédaction d'une lettre.

Le deuxième chapitre détaille les principes fondamentaux et vous en apprend davantage sur les méthodes d'utilisation.

Démarrer Word

Vous avez peut-être rêvé d'ouvrir Word en appuyant simplement sur un bouton...

En réalité, trois ou quatre opérations, ponctuées de pauses de réflexion du programme, sont nécessaires, avant de pouvoir commencer la saisie proprement dite de vos premiers mots dans Word.

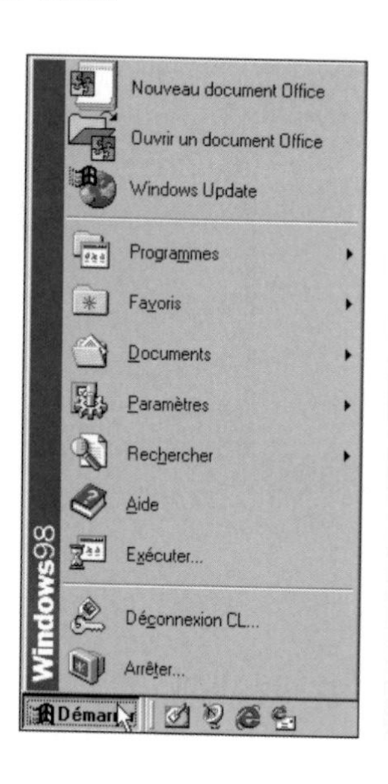

1 Allumez votre ordinateur et votre moniteur, puis patientez pendant la phase de démarrage. Une attente supplémentaire s'impose pour permettre à Windows 98 de s'exécuter. Cliquez ensuite sur le bouton **Démarrer** situé dans l'angle inférieur gauche du bureau.

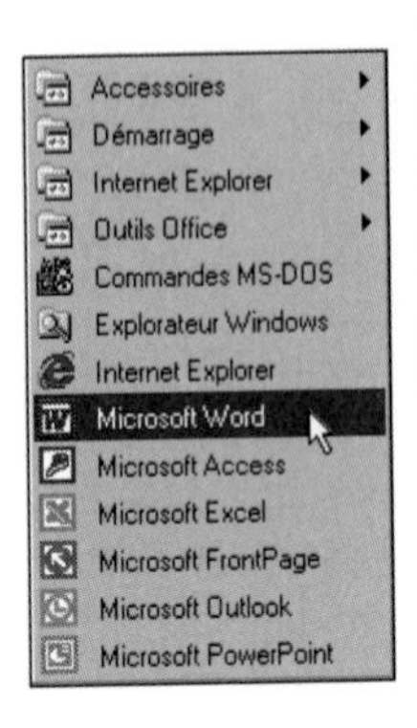

2 Dans le menu **Démarrer**, placez le pointeur de la souris sur l'entrée **Programmes**. Un sous-menu s'ouvre automatiquement (sans nécessiter de clic). Faites alors glisser le pointeur sur l'entrée **Microsoft Word**.

3 Cliquez dessus pour procéder au démarrage de Word.

Premier contact avec l'écran de Word

Une fois Word lancé (et l'Astuce du jour désactivée), une page vierge s'affiche. Vous pouvez l'utiliser à votre gré. D'autres éléments, dont la fonction n'est pas évidente au premier abord, sont disponibles.

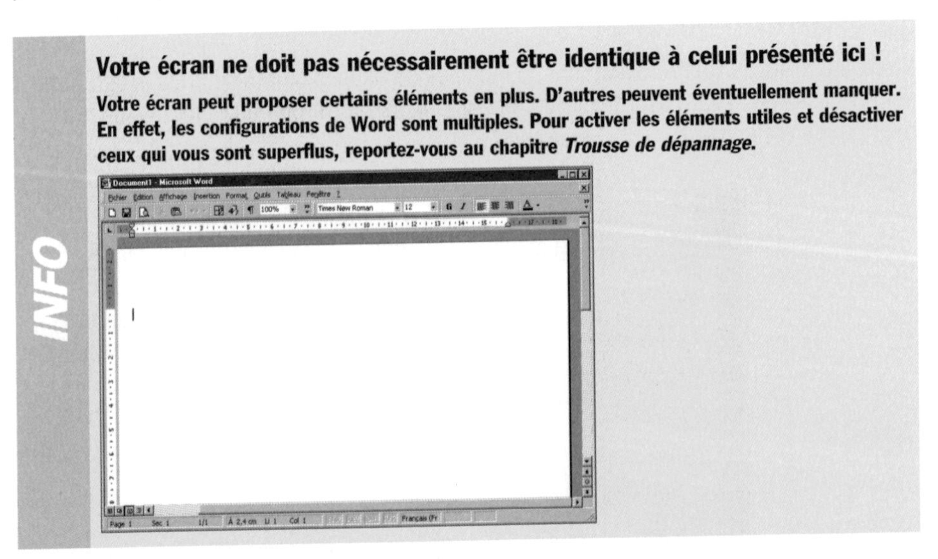

Votre écran ne doit pas nécessairement être identique à celui présenté ici !

Votre écran peut proposer certains éléments en plus. D'autres peuvent éventuellement manquer. En effet, les configurations de Word sont multiples. Pour activer les éléments utiles et désactiver ceux qui vous sont superflus, reportez-vous au chapitre *Trousse de dépannage*.

Voici les principaux éléments de l'écran Word :

Barre de titre

La barre de titre affiche, entre autres, le nom du document actif.

Barre de menus

Lorsque vous désirez effectuer une opération pour laquelle il n'y a pas de bouton disponible, les menus se révèlent utiles. Ils recèlent toutes les fonctions en rapport avec l'objet évoqué par leur nom. Ainsi, le menu **Tableau** regroupe toutes les fonctions de manipulation des tableaux.

Barres d'outils

Dans la partie supérieure de l'écran se trouvent deux barres d'outils. Les outils sont accessibles par un bouton orné d'un symbole évocateur. Derrière chacun d'eux se cache une commande, qu'il est également possible d'exécuter par l'intermédiaire de la barre de menus, mais au prix de plusieurs manipulations. Si vous examinez attentivement l'apparence graphique du symbole apparaissant sur le bouton, vous pouvez souvent en déduire la commande qu'il représente. Les icônes que vous apercevez appartiennent aux barres d'outils *Standard* et *Mise en forme*, affichées par défaut sur une même ligne dans Word 2000.

En cas de doute, une brève description de l'action d'un bouton apparaît dans une petite bulle lorsque vous placez le pointeur dessus.

Barres de défilement

Les barres de défilement permettent le déplacement horizontal et vertical dans le texte.

Barre d'état

Dans la partie gauche se trouve notamment le numéro de la page active (par exemple, "Page 9"). Plus à droite est indiqué l'éloignement en centimètres du point d'insertion par rapport à la marge supérieure (par exemple, "À 2,5 cm").

INFO

Que faire en cas de manipulation erronée ?

En vous exerçant avec les différents éléments de l'écran (en particulier, lorsque vous cliquez précipitamment sur des boutons très rapprochés), il peut arriver que vous déclenchiez involontairement une action non désirée. Dans ce cas, appuyez sur la touche *Échap* pour, par exemple, refermer une boîte de dialogue ouverte par mégarde. Si vous avez apporté des modifications indues à votre document, la fonction *Annuler* pourra y remédier dans presque tous les cas.

Pour en savoir plus à ce sujet, reportez-vous au chapitre 2.

Le Compagnon Office

Si vous souhaitez rédiger une lettre de manière simple et agréable, laissez-vous guider par un Assistant spécial. Word offre ce type d'aide pour les documents les plus courants (télécopies, curriculum vitæ, lettres, etc.). Cela présente un avantage considérable : vous êtes secondé dans les étapes successives de la création du document, et aucune connaissance préalable n'est requise. Indiquez à Word ce que vous voulez, et il se charge de vous proposer une mise en forme adéquate.

Démarrer l'Assistant Courrier

1 Dans la partie supérieure de votre écran, à l'extrémité gauche de la barre de menus de Word, vous apercevez la commande **Fichier**. Cliquez dessus avec le bouton gauche de la souris.

Le principe des barres de menus est le même dans toutes les applications Windows. Vous trouvez toujours une série de possibilités en haut de l'écran : lorsque vous cliquez sur l'une d'elles, une sélection de commandes se déploie. C'est d'ailleurs la raison pour laquelle on appelle également ces objets des menus déroulants. La barre de menus de Word offre cependant une variante : si vous placez la souris sur une commande dotée d'une flèche, un sous-menu supplémentaire s'ouvre.

Pour fermer un menu sans sélectionner de commande, cliquez hors du menu.

Sachez que Word personnalise les commandes contenues dans les menus déroulants en affichant dans un premier temps uniquement les commandes que vous utilisez le plus fréquemment. Pour voir l'ensemble des commandes d'un menu, cliquez sur la double-flèche située à l'extrémité inférieure du menu.

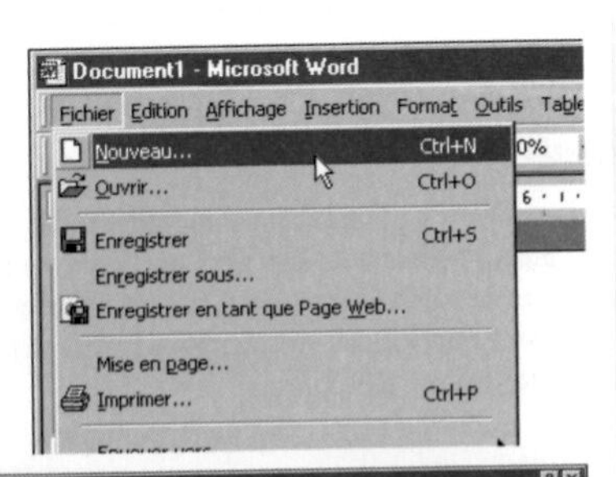

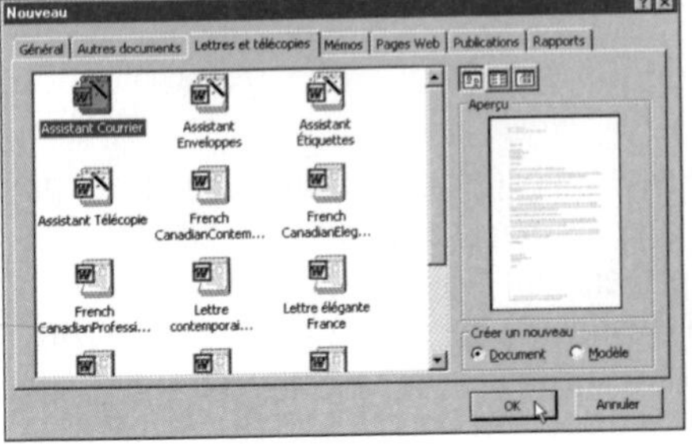

2 Dans le menu, cliquez sur la commande **Nouveau**.

3 Vous avez maintenant accès à une série d'Assistants et de documents prêts à l'emploi. Ces petites aides sont regroupées par catégories en fonction de leur sujet. Pour accéder à une catégorie, cliquez sur l'onglet correspondant dans la boîte de dialogue. Si vous avez besoin de la catégorie **Lettres et télécopies**, cliquez sur ce nom pour avoir accès aux éléments correspondants.

4 Recherchez l'*Assistant Courrier*. Cliquez dessus et confirmez votre choix en cliquant sur OK.

INFO

Word propose également des Assistants pour d'autres objectifs

Ils fonctionnent tous de manière analogue à l'Assistant chargé de la rédaction du courrier. Ainsi, ce type d'aide existe, par exemple, pour les télécopies, les étiquettes et les enveloppes. Les Assistants sont reconnaissables à l'extension de fichier *.wiz.*

Le Compagnon devient actif

1 Le Compagnon Office s'affiche pour s'enquérir de vos intentions. Étant donné que le publipostage ne vous intéresse pas pour l'instant, cliquez sur l'option *Envoyer une lettre.*

Patientez un moment, jusqu'à ce que la boîte de commande de l'Assistant Courrier s'affiche.

En quatre étapes, vous pouvez maintenant choisir les éléments à inclure dans votre lettre. Il peut s'agir du nom et de l'adresse du destinataire ou de la formule de salutation, selon vos besoins. Si vous désirez, par exemple, n'indiquer que l'adresse du destinataire, il vous suffit de laisser les autres cases vides.

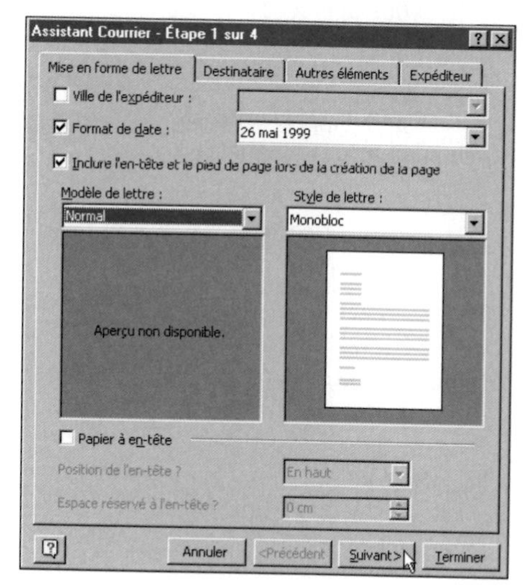

Pour basculer entre les différentes étapes, utilisez les boutons **Suivant** et **Précédent** de la boîte de dialogue ou cliquez sur l'onglet correspondant.

Étape 1 sur 4 : mise en forme de lettre

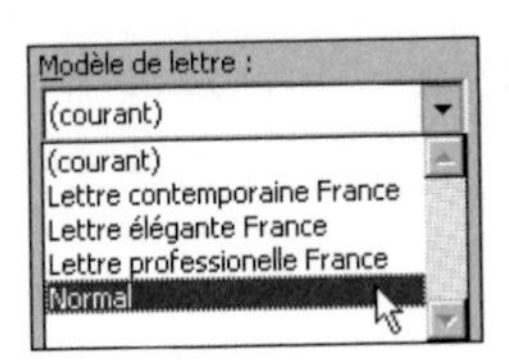

1 Sous cet onglet, vous pouvez déterminer l'aspect extérieur de votre lettre. Pour visualiser les possibilités de mise en forme offertes par Word, cliquez sur la petite flèche de la liste déroulante. Faites votre choix dans la sélection qui vous est alors présentée (*Normal* dans notre exemple). Vous obtenez un aperçu de l'effet du modèle que vous venez de choisir dans la fenêtre d'aperçu, située en dessous de la liste déroulante.

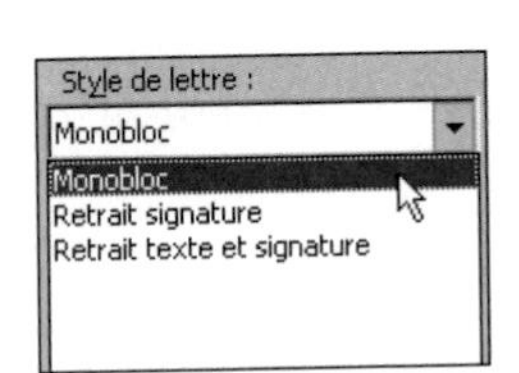

2 La liste déroulante *Style de lettre*, qui s'ouvre de la même manière, propose quelques variantes supplémentaires de mise en forme (*Monobloc* dans notre exemple).

3 Vous aimeriez peut-être que la date soit insérée automatiquement dans votre lettre ? Activez la case à cocher *Format de date*. Dans la zone située à droite, vous apercevez la date dans sa forme actuelle. Cliquez sur la flèche de la liste déroulante afin d'y sélectionner éventuellement une autre forme de présentation.

Pour rédiger une lettre normale, ne modifiez pas les autres zones et cliquez sur **Suivant**.

Étape 2 sur 4 : destinataire

Sous cet onglet, vous pouvez taper des informations concernant le destinataire et définir la formule de salutation.

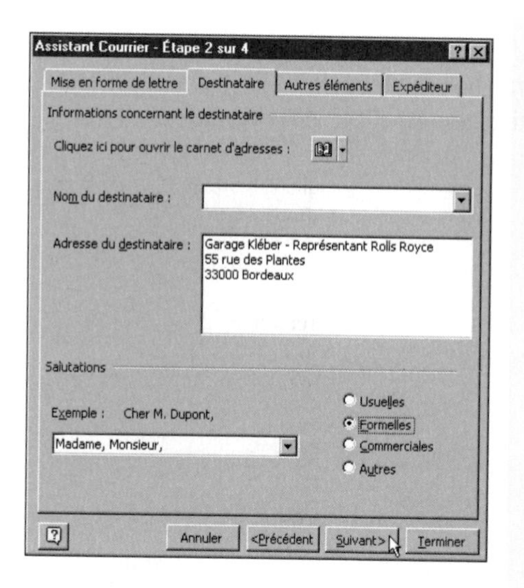

1 Tapez l'adresse du destinataire dans la zone prévue à cet effet. Après avoir saisi le nom du destinataire, appuyez sur **Entrée** et tapez le nom de la rue, la ville, etc. La touche **Entrée** vous permet d'aller à la ligne.

2 Vous pouvez par la même occasion choisir la formule de salutation. Ouvrez la liste déroulante située tout en bas et recherchez-en une qui vous convient (*Madame, Monsieur,* dans notre exemple). Si vous le souhaitez, vous pouvez simplement spécifier le degré de politesse de vos salutations (par exemple, *Commerciales* ou *Formelles*) et laisser Word proposer sa formulation.

3 Pour continuer, cliquez sur **Suivant**.

Étape 3 sur 4 : autres éléments

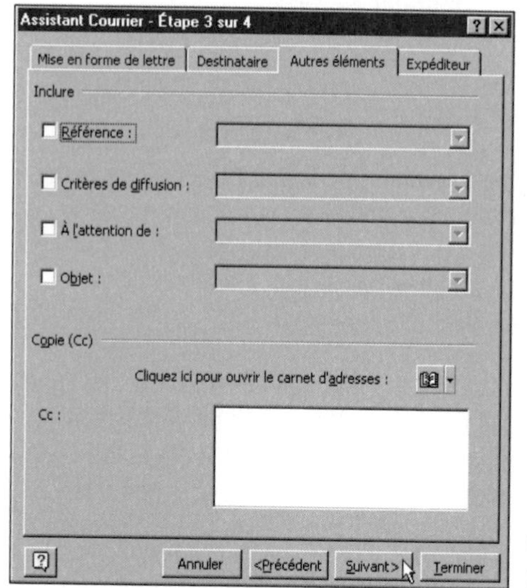

À l'aide de cet onglet, définissez l'objet et les références de votre lettre (*Référence*, *À l'attention de*, *Objet*, etc.). En outre, vous pouvez spécifier les différents correspondants auxquels vous souhaitez expédier une copie de la lettre.

Pour une lettre ordinaire, vous n'aurez probablement pas à modifier un paramètre dans cette étape.

Comme précédemment, cliquez sur **Suivant** pour accéder à la dernière étape :

Étape 4 sur 4 : expéditeur

Sous cet onglet, vous pouvez taper les informations concernant l'expéditeur, mettre en forme votre lettre à l'aide de formules de salutation, spécifier les pièces jointes, etc.

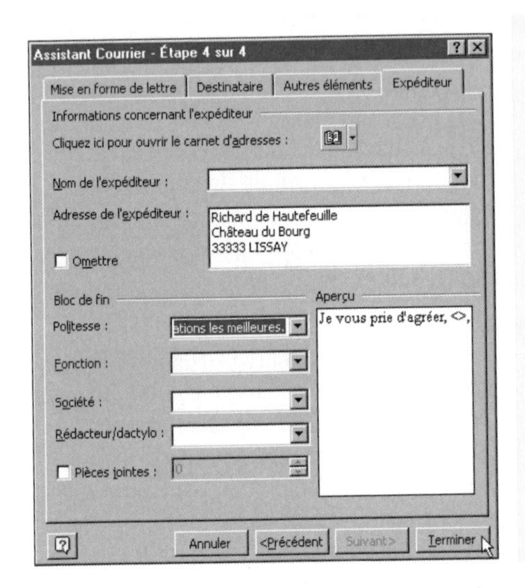

1 Si vous désirez faire figurer votre nom et votre adresse dans la lettre, ce qui est généralement le cas, tapez le texte correspondant dans la zone *Adresse de l'expéditeur*. Appuyez sur la touche **Entrée** chaque fois que vous entamez une nouvelle ligne.

2 Cliquez sur la flèche de la liste déroulante *Politesse* pour afficher un choix de formules destinées à terminer la lettre.

À ce stade, vous avez réalisé tous les paramétrages nécessaires. Vous pouvez toujours revenir en arrière pour vérifier votre mise en forme et y apporter des modifications. Lorsque vous êtes sûr de vos choix, cliquez sur **Terminer**.

Saisir le texte

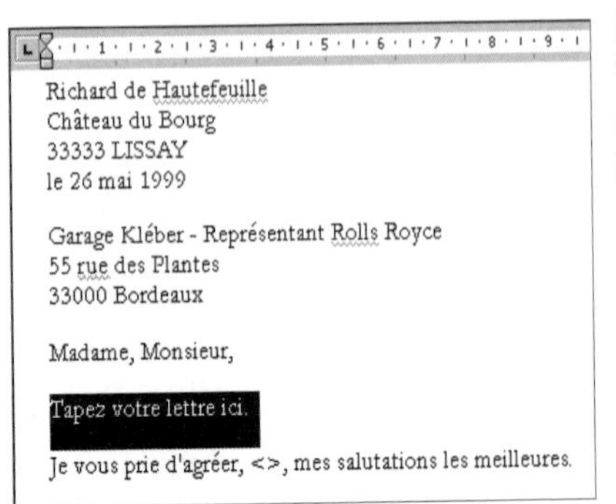
Richard de Hautefeuille
Château du Bourg
33333 LISSAY
le 26 mai 1999

Garage Kléber - Représentant Rolls Royce
55 rue des Plantes
33000 Bordeaux

Madame, Monsieur,

Tapez votre lettre ici.

Je vous prie d'agréer, <>, mes salutations les meilleures.

L'aspect extérieur de la lettre vient d'être défini. Vous pouvez maintenant commencer à saisir un contenu. Si vous avez conservé jusqu'à présent les paramètres par défaut, votre lettre doit ressembler à la figure suivante.

Ne vous laissez pas décontenancer par les lignes rouges ou vertes : la fonction de vérification orthographique et grammaticale est activée. Pour les faire disparaître, ouvrez la boîte de dialogue **Options** (commande **Outils/Options**) et cochez les cases *Masquer les fautes d'orthographe* et/ou *Masquer les fautes de grammaire dans le document*.

Pour en savoir plus, consultez la section *Activer et masquer la vérification orthographique*, au chapitre 4.

¶ Vous pouvez également afficher les caractères propres au programme de traitement de texte, comme les espaces ou les marques de paragraphe, en cliquant sur le bouton **Afficher/Masquer ¶**.

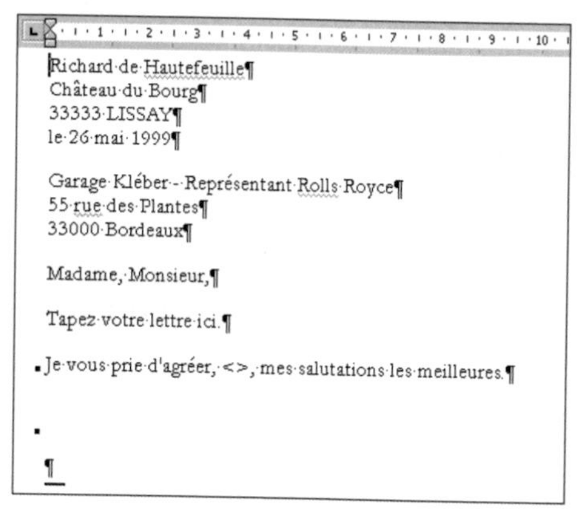

Richard·de·Hautefeuille¶
Château·du·Bourg¶
33333·LISSAY¶
le·26·mai·1999¶

Garage·Kléber·-·Représentant·Rolls·Royce¶
55·rue·des·Plantes¶
33000·Bordeaux¶

Madame,·Monsieur,¶

Tapez·votre·lettre·ici.¶

Je·vous·prie·d'agréer,·<>,·mes·salutations·les·meilleures.¶

¶

Par défaut, les barres d'outils *Standard* et *Mise en forme* sont affichées sur une même ligne. Dans ce cas, Word personnalise les boutons, et il peut arriver que le bouton **Afficher/Masquer ¶** ne soit pas visible. Cliquez alors sur le bouton **Autres boutons** situé à l'extrémité de la barre d'outils correspondante pour accéder aux boutons masqués de la barre d'outils.

Après ces modifications, votre lettre a l'aspect ci-contre.

Comme nous n'allons pas encore créer d'enveloppes ou d'étiquettes, vous pouvez masquer la bulle du Compagnon Office en cliquant sur **Annuler**.

1 Si le message "Tapez votre lettre ici" est encore mis en surbrillance, vous pouvez tout simplement procéder à la rédaction de votre lettre. Le texte sélectionné dans l'espace réservé sera alors écrasé.

2 Si le texte de l'espace réservé n'est pas sélectionné (cela peut se produire si vous cliquez ailleurs avec la souris), placez le point d'insertion au début du texte et supprimez-le.

Le point d'insertion

Si vous n'avez encore tapé aucun texte, vous apercevez, en mode Normal, un tiret horizontal, un signe qui ressemble à un petit marteau (il s'agit de la marque de paragraphe) et un trait vertical clignotant. Ce dernier est appelé "curseur". Lorsque vous tapez un caractère, il apparaît à l'écran exactement au point d'insertion. Lors de la saisie d'un texte en continu, le curseur se déplace progressivement vers l'avant. Il est possible de le placer à n'importe quel emplacement au moyen des touches de direction du clavier ou avec la souris. Cela peut être nécessaire pour ajouter un élément de phrase à un endroit particulier du texte.

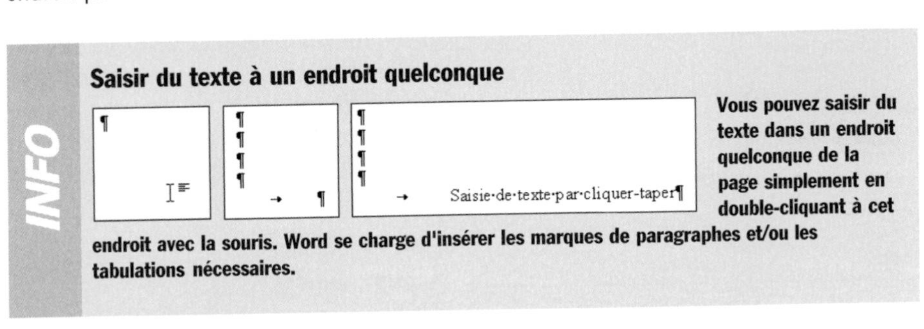

Saisir du texte à un endroit quelconque

Vous pouvez saisir du texte dans un endroit quelconque de la page simplement en double-cliquant à cet endroit avec la souris. Word se charge d'insérer les marques de paragraphes et/ou les tabulations nécessaires.

Activer les majuscules volontairement ou involontairement

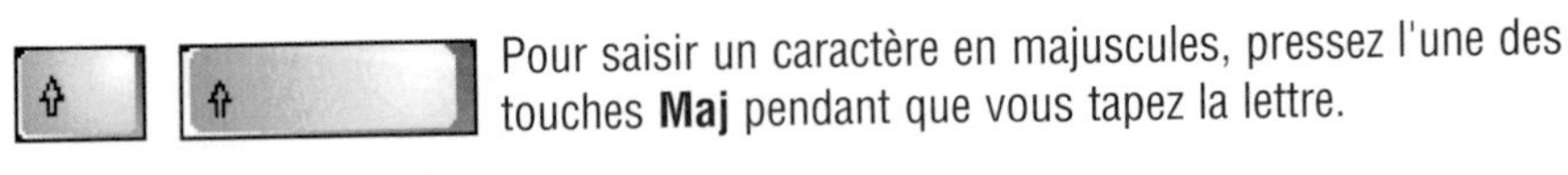

Pour saisir un caractère en majuscules, pressez l'une des touches **Maj** pendant que vous tapez la lettre.

Au-dessus de la touche **Maj**, à gauche du clavier, se trouve une touche qui active les majuscules de manière permanente. Bien que cette touche soit rarement utilisée, il est néanmoins utile de connaître sa fonction. Vous sauriez ainsi d'où provient l'erreur s'il advenait que le texte que vous tapez apparaisse subitement en majuscules. Lorsque cette touche est activée, le voyant vert Caps Lock, situé dans l'angle supérieur droit de votre clavier, est allumé (attention, ce voyant n'est pas présent sur tous les claviers). Pour désactiver les majuscules, il suffit d'appuyer sur l'une des touches **Maj** normales.

Déplacer le curseur dans le texte

Lorsque vous tapez un texte ou que vous en supprimez un, l'effet se manifeste toujours au point d'insertion. Pour localiser ce point, recherchez le trait vertical clignotant sur votre écran.

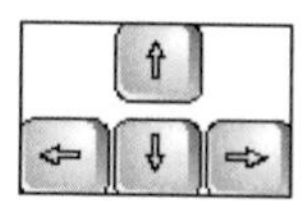

Il existe plusieurs possibilités pour déplacer le curseur vers l'emplacement souhaité. Commençons par les touches de direction. Il suffit d'appuyer sur la touche appropriée (la direction est indiquée par la flèche sur la touche) jusqu'à ce que le curseur atteigne l'emplacement souhaité.

Les touches de direction vous permettent d'atteindre n'importe quel point du texte. Bien sûr, en fonction de la distance à parcourir, cette méthode est plus ou moins rapide. Si elle ne vous paraît pas commode (par exemple, pour joindre un point éloigné), Word propose de nombreuses autres possibilités, souvent bien plus efficaces.

En voici quelques-unes.

Quelques touches et combinaisons de touches permettant de déplacer le curseur

Touches	Position du curseur
Origine	Début de la ligne
Fin	Fin de la ligne
Ctrl+Origine	Début du document
Ctrl+Fin	Fin du document
PgPréc	Déplacement d'une page d'écran vers le haut
PgSuiv	Déplacement d'une page d'écran vers le bas
Ctrl+Flèche Droite	Début du mot suivant
Ctrl+Flèche Gauche	Début du mot précédent ou début du mot contenant le curseur

Déplacement à l'aide de la souris

Pour parcourir des grandes distances à l'écran, le recours à la souris s'impose.

Cliquez avec la souris à l'endroit où vous désirez effectuer une modification. Le curseur se place alors à l'emplacement du pointeur. Vous pouvez ensuite continuer à le déplacer avec la souris ou par le moyen qui vous paraît le plus approprié.

Même si votre texte est trop long, et s'il dépasse la dimension d'une page d'écran, vous pouvez toujours le consulter facilement. Les barres de défilement situées au bas de l'écran et sur le côté droit sont prévues à cet effet.

En cliquant sur les différents boutons fléchés (haut, bas et droite, gauche) dans les barres de défilement, vous pouvez vous déplacer au sein du document dans la direction voulue.

Alors que la barre de défilement verticale est fréquemment utilisée, la barre de défilement horizontal n'est pratique que pour visualiser la partie droite de votre texte, quand celui-ci déborde l'écran sur le côté droit. Dans ce cas, il est cependant préférable de modifier l'affichage pour rendre visible le texte dans son intégralité.

Pour savoir comment procéder pour modifier l'affichage, reportez-vous au chapitre 2.

Si vous appuyez suffisamment longtemps sur le bouton de la souris, vous faites appel au défilement en continu. Après trois à quatre secondes, Windows bascule en mode rapide, et le défilement s'accélère.

INFO

N'oubliez pas de cliquer !

Si vous parcourez votre document à l'aide de la barre de défilement, le point d'insertion demeure à l'emplacement où il se trouvait. Pour amener le point d'insertion à la nouvelle position, cliquez avec la souris dans la partie du texte souhaitée.

En plus de permettre l'exploration du texte, le petit carré mobile indique l'emplacement où vous vous trouvez dans le document. Par exemple, dans un texte d'une vingtaine de pages, s'il se trouve au milieu de la barre de défilement, cela ne signifie pas que vous vous trouvez au milieu de la page courante, mais approximativement au milieu du document, c'est-à-dire aux alentours de la page 10.

INFO

Les outils de navigation de la zone inférieure de la barre de défilement vertical

Les trois éléments du bas (les flèches doubles et le cercle) font partie des outils de navigation qui permettent d'explorer le texte à la recherche d'éléments précis (tableaux, graphiques, etc.

Supprimer un texte erroné

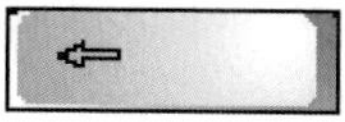

Vous venez de commettre une erreur de frappe ? Appuyez simplement sur la touche **Retour arrière** : la lettre erronée est supprimée, et vous pouvez taper la lettre appropriée.

Suppr

Comme vous venez de le constater, en appuyant sur la touche **Retour arrière**, vous effacez le caractère précédant le curseur. Que faire alors si ce dernier se trouve à gauche du texte à supprimer ? Dans ce cas, utilisez la touche **Suppr**, qui efface le caractère qui le suit.

Ces deux touches permettent d'effacer plusieurs caractères, à condition de faire preuve de beaucoup de patience. Il suffit en effet de maintenir les touches enfoncées suffisamment longtemps.

Pour supprimer des passages de texte plus longs, il est néanmoins préférable de les sélectionner d'abord, puis de les supprimer en appuyant une seule fois sur les touches **Suppr** ou **Retour arrière**.

Marque de paragraphe

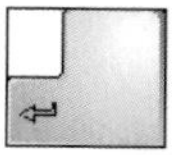

Le signe en forme de marteau est une marque de paragraphe. Au cours de votre travail, vous serez amené à créer vous-même ces caractères en grande quantité, en particulier chaque fois que vous voudrez commencer un nouveau paragraphe. Pour cela, appuyez sur la touche **Entrée**.

N'appuyez pas sur Entrée à chaque fin de ligne

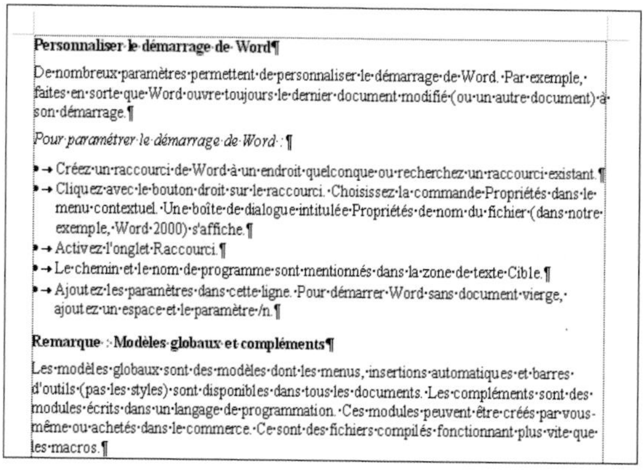

Personnaliser·le·démarrage·de·Word¶

De·nombreux·paramètres·permettent·de·personnaliser·le·démarrage·de·Word.·Par·exemple,·faites·en·sorte·que·Word·ouvre·toujours·le·dernier·document·modifié·(ou·un·autre·document)·à·son·démarrage.¶

Pour·paramétrer·le·démarrage·de·Word·:¶

- → Créez·un·raccourci·de·Word·à·un·endroit·quelconque·ou·recherchez·un·raccourci·existant.¶
- → Cliquez·avec·le·bouton·droit·sur·le·raccourci.·Choisissez·la·commande·Propriétés·dans·le·menu·contextuel.·Une·boîte·de·dialogue·intitulée·Propriétés·de·nom·du·fichier·(dans·notre·exemple,·Word·2000)·s'affiche.¶
- → Activez·l'onglet·Raccourci.¶
- → Le·chemin·et·le·nom·de·programme·sont·mentionnés·dans·la·zone·de·texte·Cible.¶
- → Ajoutez·les·paramètres·dans·cette·ligne.·Pour·démarrer·Word·sans·document·vierge,·ajoutez·un·espace·et·le·paramètre·/n.¶

Remarque·:·Modèles·globaux·et·compléments¶

Les·modèles·globaux·sont·des·modèles·dont·les·menus,·insertions·automatiques·et·barres·d'outils·(pas·les·styles)·sont·disponibles·dans·tous·les·documents.·Les·compléments·sont·des·modules·écrits·dans·un·langage·de·programmation.·Ces·modules·peuvent·être·créés·par·vous-même·ou·achetés·dans·le·commerce.·Ce·sont·des·fichiers·compilés·fonctionnant·plus·vite·que·les·macros.¶

Word exécute un retour à la ligne automatique : lorsqu'une ligne est pleine, il en commence spontanément une autre.

Dans tous les cas, évitez d'appuyer sur la touche **Entrée** à chaque fin de ligne. Vous vous priveriez de nombreuses possibilités, sans compter qu'en cas de modifications ultérieures, vous auriez à effectuer un travail de réajustement inutile et laborieux.

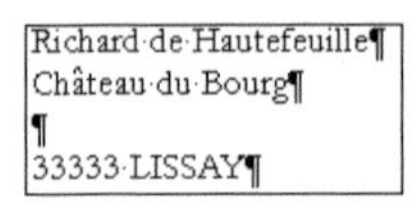

Il est donc recommandé de n'appuyer sur la touche **Entrée** que lorsque vous souhaitez réellement commencer un nouveau paragraphe.

Enregistrer et imprimer

Jusqu'à présent, votre texte n'existe que dans la mémoire volatile de votre système. Si une panne de courant survient, ou si vos enfants appuient sur le bouton d'arrêt de votre ordinateur, votre texte est définitivement perdu. Signalons dès à présent qu'il ne faut jamais arrêter l'ordinateur tant qu'un programme est en cours de fonctionnement : cela pourrait avoir des conséquences fâcheuses.

Pour conserver le résultat de votre travail, vous devez l'enregistrer sur le disque dur de votre ordinateur. Il y reste alors tant que vous ne le supprimez pas volontairement ou que vous ne l'écrasez pas par un autre texte. Vous pouvez ouvrir ultérieurement des documents sauvegardés et y effectuer des modifications autant de fois que vous le souhaiterez.

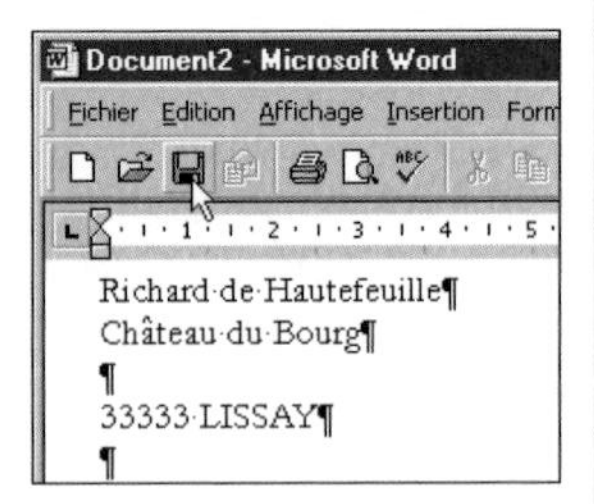

1 Parmi les boutons situés dans l'angle supérieur gauche de votre écran Word, cherchez celui représentant l'image d'une disquette. Ce bouton correspond à la fonction d'enregistrement. Cliquez dessus.

2 Word ouvre une boîte de dialogue. Ignorez son contenu et cliquez simplement sur le bouton **Enregistrer**.

INFO

L'enregistrement rapide est un jeu d'enfant

Bien sûr, si vous travaillez plus fréquemment avec Word, vous devez gérer un plus grand nombre de documents ; par conséquent, il serait préférable de mettre en œuvre des fonctions spéciales d'enregistrement et d'ouverture des documents avec le système. Vous obtiendrez de plus amples informations à ce sujet au chapitre suivant.

Imprimer la première lettre

L'impression de votre texte peut être réellement très facile :

1 Mettez votre imprimante sous tension et attendez que la période de préchauffage se termine et que le voyant En ligne s'allume. Cette phase d'attente varie selon le type de votre matériel. Vous devrez peut-être appuyer sur un bouton pour mettre l'imprimante en ligne et la rendre prête à l'emploi.

2 Cliquez sur le bouton **Imprimer**.

3 Vous pouvez alors vous reposer pendant que s'effectue l'impression de votre document. Dans le meilleur des cas, son apparence sur le papier sera la même qu'à l'écran.

Imprimer des parties de texte

Si vous désirez n'imprimer qu'une partie de votre texte, l'opération se complique légèrement, mais reste tout à fait possible :

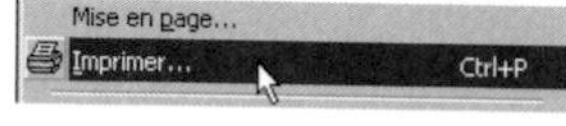

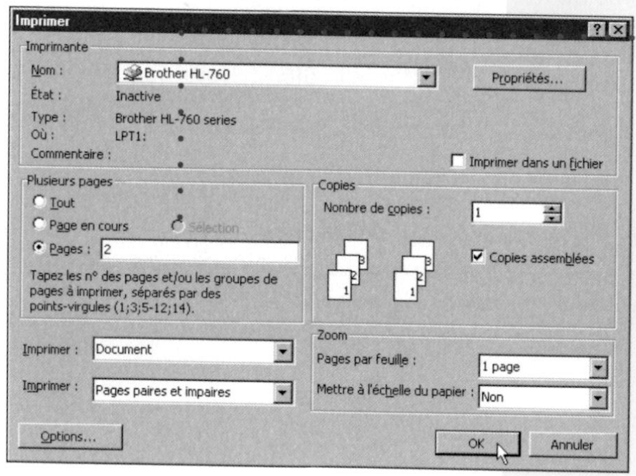

1 Ouvrez le document à imprimer, si ce n'est déjà fait.

2 Ouvrez le menu **Fichier** et cliquez sur la commande **Imprimer.**

3 Dans la boîte de dialogue **Imprimer**, définissez l'étendue de l'impression.

4 Cliquez sur OK.

Sous la rubrique *Plusieurs pages* de la boîte de dialogue **Imprimer**, vous pouvez spécifier précisément ce que vous désirez imprimer.

- Option *Tout* : imprime toutes les pages du document courant.
- Option *Page en cours* : imprime la page qui contient actuellement le point d'insertion.
- Option *Sélection* : vous pouvez également sélectionner un passage de texte (par exemple, deux paragraphes) et n'imprimer que cette partie-là.
- Option *Pages* : définissez les pages à imprimer ; indiquez 2-10 pour imprimer toutes les pages situées entre la deuxième et la dixième page et 3;6;10 pour imprimer les pages 3, 6 et 10.

Quitter Word

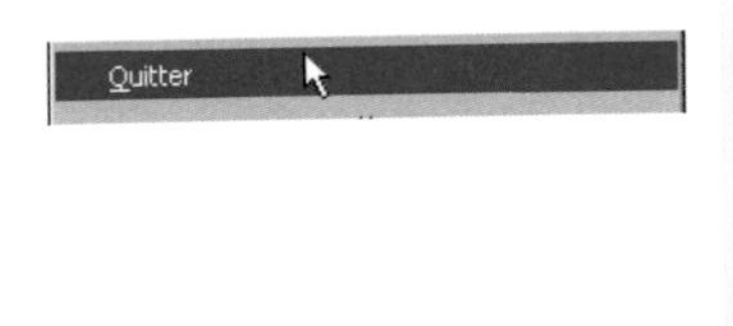

1 Dans l'angle supérieur gauche de votre écran se trouve la commande **Fichier**. Cliquez dessus avec la souris pour ouvrir le menu correspondant.

2 La dernière commande, tout en bas de la liste, s'intitule **Quitter** : cliquez dessus.

Si vous avez tapé, corrigé, supprimé ou mis en forme des parties de texte avant cette commande d'arrêt, ou si vous avez effectué une modification quelconque sans l'enregistrer, Word vous le rappelle.

Pour en savoir plus sur l'enregistrement planifié, reportez-vous au chapitre suivant.

INFO

Fermeture rapide à l'aide d'une combinaison de touches

La méthode la plus rapide pour fermer toutes les applications Windows actives (de manière tout à fait convenable) consiste à utiliser la combinaison de touches *Alt+F4*.

Pourquoi faire compliqué quand on peut faire simple ?

Après cette courte introduction, sans doute voulez-vous sans tarder vous mettre au travail. Les quelques principes de base qui suivent sont destinés aux novices, vous pouvez donc les ignorer si vous le souhaitez et passer directement au chapitre suivant. Si vous désirez revoir un point particulier, il vous sera toujours possible de revenir à ce chapitre.

Pour parer à toutes les difficultés, il est préférable de connaître parfaitement les principes de base du traitement de texte. Autrement, certaines manipulations (accéder à un texte rédigé la veille, par exemple) risquent fort de s'apparenter à un jeu de hasard, alors que d'autres vous amèneront à effectuer davantage de travail que nécessaire.

Le menu contextuel : trouver rapidement la fonction recherchée

Vous savez certainement déjà comment sélectionner une commande dans un menu. Mais peut-être ignorez-vous qu'il existe souvent des méthodes plus rapides.

Vous êtes-vous déjà demandé à quoi servait le bouton droit de la souris ? Dans Word, il permet d'accélérer certaines opérations. Lorsque vous cliquez avec ce bouton droit, vous voyez apparaître un menu dit contextuel. Le contenu de ce menu est variable : il dépend de l'objet sur lequel vous avez cliqué. Un ensemble de commandes, parmi lesquelles les plus utiles pour cet objet particulier, est alors mis à votre disposition.

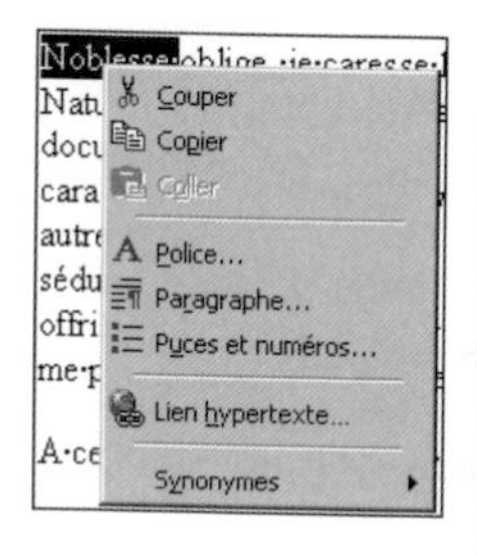

1 Les menus contextuels sont utilisés fréquemment dans les textes. Sélectionnez, par exemple, un mot et cliquez avec le bouton droit de la souris.

2 Dans le menu contextuel qui s'ouvre, vous disposez de commandes pour couper, copier et coller du texte et de commandes permettant la mise en forme du mot : **Police**, **Paragraphe**, **Puces et numéros**. En outre, vous pouvez accéder à une liste de synonymes ou encore transformer le mot en lien hypertexte.

Si vous exécutez la même action pour un paragraphe numéroté, le menu contextuel est légèrement différent : il propose des commandes supplémentaires en rapport avec la numérotation.

Les menus contextuels accélèrent le déroulement de votre travail et le simplifient. Ils vous évitent par ailleurs de partir chaque fois à la recherche de la fonction adéquate parmi les longues listes disponibles, Word ayant déjà sélectionné celles dont vous aurez probablement le plus besoin.

Vous obtiendrez des menus contextuels spéciaux en cliquant avec le bouton droit de la souris sur des tableaux, des graphiques, des textes et des barres d'outils.

INFO

Masquer un menu contextuel

Pour refermer un menu contextuel sans exécuter d'action, appuyez sur la touche *Échap* ou cliquez sur un emplacement vide de l'écran.

Sélectionner aisément des passages de texte

Pour toutes les actions concernant des passages de textes, qu'il s'agisse d'opérations de mise en forme, de correction d'erreurs ou de déplacements, le principe essentiel est le suivant : le passage concerné doit préalablement être sélectionné pour indiquer à Word la zone à laquelle la modification doit s'appliquer. Après tout, Word ne possède pas de don de divination !

Certes, il est parfois possible d'atteindre son objectif sans passer par la sélection, mais c'est alors plus compliqué. Vous pouvez, par exemple, supprimer de longs passages de texte sans les sélectionner, mais vous devrez alors appuyer pendant longtemps sur la touche **Suppr** (pour supprimer la moitié d'une page, cela peut durer un bon moment).

Vous pouvez donc sélectionner à votre gré de longs passages de texte, mais également une lettre, un mot, une phrase ou un document entier.

Sélection à l'aide de la souris

l'idée·d'acquérir·une·une·Rolls·Royce

1 Cliquez avec la souris au début du passage de texte à sélectionner et maintenez le bouton de la souris enfoncé.

l'idée·d'acquérir·une·une·Rolls·Royce

2 Faites glisser la souris pour sélectionner le texte. La sélection se matérialise par un cadre noir qui enrobe le texte désigné.

3 Relâchez le bouton de la souris.

Pour cette méthode de sélection, comme pour beaucoup d'autres d'ailleurs, la direction de déplacement de la souris n'est pas irréversible : vous pouvez étendre la sélection dans les quatre directions.

Annuler la mise en surbrillance

D'une manière générale, pour annuler une mise en surbrillance à l'écran, il suffit de cliquer à un endroit quelconque de l'écran ou d'appuyer sur l'une des touches de direction.

Sélection par un clic de souris

Pour sélectionner un seul mot, la méthode la plus rapide consiste à double-cliquer dessus. Un simple clic de souris effectué sur un mot, en maintenant la touche **Ctrl** appuyée, sélectionne toute la phrase. Un triple clic sélectionne le paragraphe entier.

Sélection à l'aide de la colonne de sélection

D'autres possibilités s'offrent à vous. Elles mettent en œuvre la colonne de sélection. Il s'agit d'une zone invisible de l'écran Word située directement à gauche du texte. Lorsque vous déplacez le pointeur dans cette zone, il se transforme en une flèche orientée vers le haut, identique à celle que vous avez rencontrée pour la sélection des commandes de menus.

- Un simple clic dans cette colonne sélectionne la ligne située à la même hauteur.

Noblesse· oblige,· je· caresse· l'idée· d'acquérir· une· Rolls· Royce· depuis· un· certain· temps.·
Naturellement,·je·veux·pas·acheter·les·yeux·fermés·;·pour·cette·raison,·je·suis·à·la·recherche·de·
documentation.·Alors·que·l'on·peut·se·procurer·sans·aucun·problème·des·informations·sur·les·
caractéristiques·des·autres·voitures,·il·semble·qu'il·n'en·soit·pas·de·même·pour·Rolls·Royce.·Les·

- Un double clic sélectionne un paragraphe entier.
- Vous pouvez également sélectionner plusieurs lignes ou paragraphes en déplaçant la souris vers le haut ou vers le bas tout en maintenant le bouton gauche de la souris enfoncé.
- Un triple clic permet de sélectionner le document entier.

Sélection à l'aide du clavier

Comme pour vous déplacer dans le texte, vous avez également le choix entre la souris et le clavier pour effectuer une sélection.

1 Déplacez le point d'insertion au début du passage de texte à sélectionner.

2 Maintenez la touche **Maj** enfoncée et étendez la sélection à l'aide de l'une des touches de direction (**PgPréc**, **PgSuiv**, **Origine** ou **Fin**), en fonction de vos besoins. Pour notre exemple, il convient de choisir la touche **Flèche Droite**.

3 Relâchez la touche **Maj**, le passage est sélectionné.

Il faut savoir que la sélection est annulée dès que vous déplacez le point d'insertion.

INFO

Sélectionner le document entier à l'aide du clavier

Pour sélectionner le document entier, la méthode la plus rapide consiste à utiliser la combinaison de touches *Ctrl+A*.

Très utile, la fonction Annuler

Si vous travaillez avec la crainte de provoquer une erreur fatale ou de supprimer des documents importants, vous risquez de ne jamais progresser dans votre apprentissage.

Vous ne parviendrez à avoir confiance en travaillant sur votre ordinateur que si vous osez, de temps à autre, quelques expériences nouvelles.

À cet effet, la possibilité offerte par Word d'annuler des actions antérieures est d'une grande utilité. Word garde vos actions successives en mémoire, si bien qu'en cas d'erreur, vous pouvez toujours revenir assez loin en arrière et annuler l'une des commandes précédentes.

Un clic sur le bouton **Annuler** dans la barre d'outils *Standard* annule la toute dernière action effectuée.

Revenir loin en arrière

Il existe deux possibilités : annuler successivement plusieurs actions ou annuler une commande bien particulière.

- Cliquez sur le bouton **Annuler** autant de fois que nécessaire pour annuler les commandes précédentes.
- Choisissez précisément la commande dans la liste de toutes les actions effectuées au cours de votre dernier travail et mémorisées par Word :

1 Cliquez sur la flèche située à côté de l'icône pour dérouler la liste des commandes mémorisées par Word.

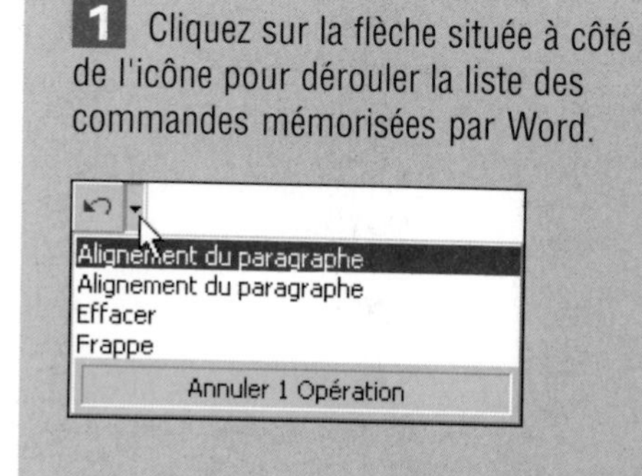

2 Si nécessaire, faites défiler la liste à l'aide de la barre de défilement jusqu'à ce que vous trouviez la commande désirée. Cliquez dessus. Cette commande peut être, par exemple, la suppression indue d'un paragraphe 15 minutes auparavant, même si vous avez effectué une vingtaine d'autres actions après cela. Attention ! Cette méthode n'annule pas uniquement cette seule action, mais également toutes celles qui l'ont suivie.

Annuler une annulation

Vous voulez rétablir une action annulée précédemment ? Vous vous êtes trompé dans la commande à annuler ? La commande était-elle en réalité correcte ?

Exemple : vous avez mis un mot en gras puis inséré quelques paragraphes supplémentaires. La mise en gras ne vous convenant plus, vous revenez au passage correspondant et vous cliquez sur le bouton **Annuler** pour rétablir la mise en forme antérieure.

Cependant, comme la dernière action était l'insertion de texte, vous constatez que vous l'avez fait disparaître par erreur.

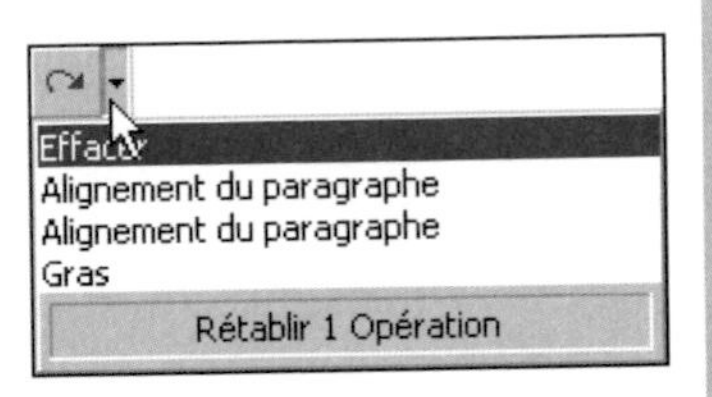

1 Cliquez sur le bouton **Rétablir** pour annuler l'opération d'annulation.

2 Là aussi, une liste s'ouvre lorsque vous cliquez sur la flèche située à côté du bouton, pour vous permettre d'exécuter de nouveau l'avant-avant-dernière action, par exemple, après avoir annulé successivement plusieurs actions.

La fonction Zoom

Les lettres apparaissent-elles tellement grosses sur votre écran que vous devez reculer de 2 mètres pour parvenir à les lire ? Ou bien sont-elles si petites que vous ne pouvez même pas les déchiffrer ? Vous voulez peut-être agrandir à l'extrême une partie bien précise d'un document ? Il existe maintes situations pour lesquelles il est nécessaire de modifier la taille de représentation du texte à l'écran.

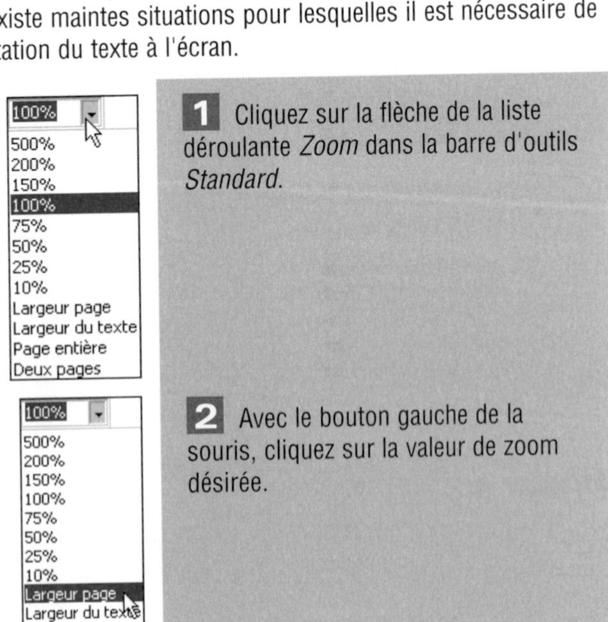

1 Cliquez sur la flèche de la liste déroulante *Zoom* dans la barre d'outils *Standard*.

2 Avec le bouton gauche de la souris, cliquez sur la valeur de zoom désirée.

Dans la figure suivante, vous apercevez un document réduit à 50 % et un autre agrandi à 200 %.

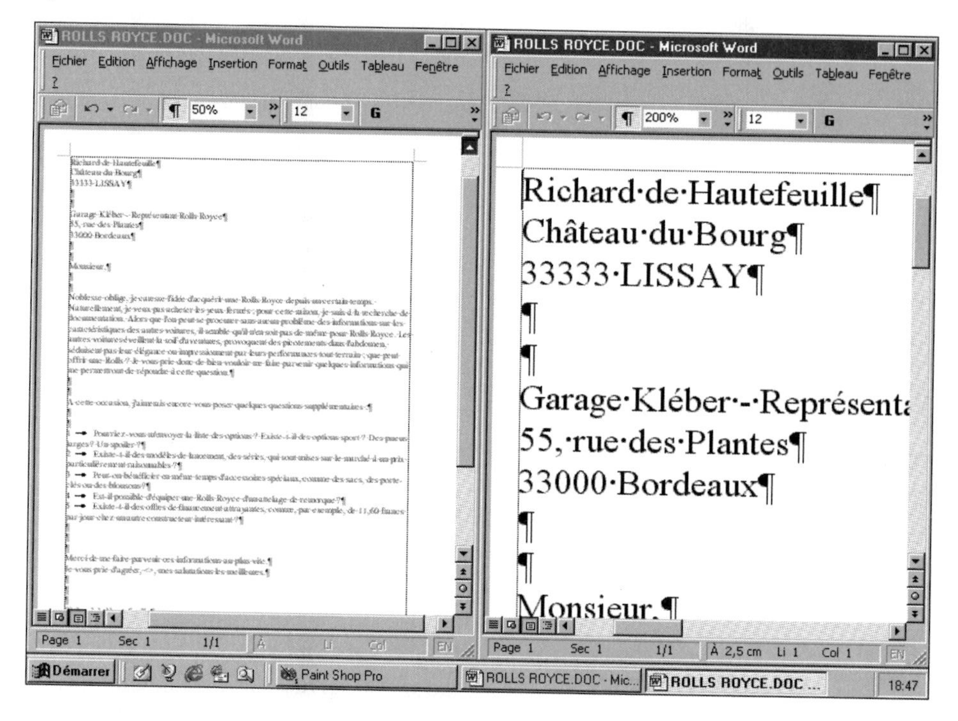

INFO

De quoi dépend réellement la valeur de zoom idéale ?

La valeur de zoom idéale pour visualiser votre document dépend de la taille de votre écran et de la résolution avec laquelle vous exploitez votre carte graphique. Sur un petit écran (14 pouces), avec une résolution de 640 x 480, les caractères affichés à 100 % sont déjà tellement gros que le texte déborde de l'écran. Le même texte occupe à peine la moitié de l'écran sur un moniteur 20 pouces avec une résolution de 1 024 x 768 et la même valeur de zoom.

Lors du paramétrage du zoom, vous n'êtes pas obligé de choisir parmi les valeurs proposées dans la liste. Pour imposer un agrandissement intermédiaire ou une réduction de votre choix, cliquez dans la zone de saisie contenant la valeur en pourcentage et remplacez-la par la valeur désirée (par exemple, 49 % ou 123 %).

Ajuster la largeur du texte à l'écran

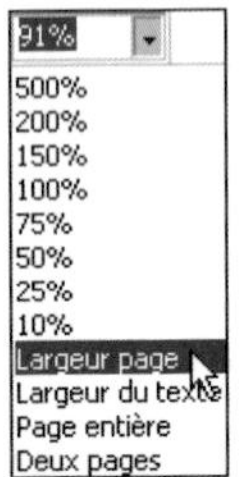

D'un clic, et sans tâtonnement préalable, vous pouvez faire en sorte que Word utilise de manière optimale la largeur de la page d'écran.

Dans la liste déroulante *Zoom*, cliquez sur l'option *Largeur page*.

Bien sûr, ce paramètre n'est pratique qu'avec les écrans de petite taille (14 ou 15 pouces et écrans de portables) et de faibles résolutions, comme 640 x 480 pixels. Avec les moniteurs de plus grande dimension et des résolutions plus élevées, ce paramètre rendrait la taille des caractères telle que vous seriez obligé de prendre du recul pour parvenir à déchiffrer le texte.

Le mode d'affichage Page

Parmi les fonctionnalités très utiles de Word figure la possibilité d'ajuster en grande partie le texte à l'écran au résultat d'impression. Dans le mode d'affichage Normal, avec lequel vous avez probablement travaillé jusqu'à présent, vous pouviez déjà profiter de cet avantage, par exemple, par la représentation assez réaliste des styles et des tailles de police. Cependant, en mode Page, la réalité est encore plus proche :

1 À gauche de la barre de défilement horizontal, vous apercevez quatre boutons. Chacun correspond à un mode d'affichage différent. Cliquez sur le troisième bouton à partir de la gauche pour activer le mode Page.

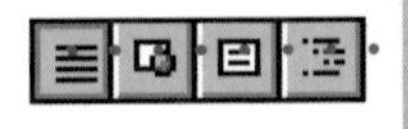

2 Pour revenir au mode d'affichage Normal, cliquez sur le bouton situé à l'extrémité gauche.

Propriétés du mode Page

En mode Page, certains détails de mise en forme sont mieux représentés qu'en mode Normal.

- Les pieds de page, les en-têtes et les notes de bas de page s'affichent dans leur véritable position.
- Les colonnes sont visibles.

- Le texte ou les graphiques peuvent être déplacés au besoin.
- Le mode Page offre en plus une règle verticale sur le côté gauche. Cette fonction s'active sous l'onglet **Affichage** de la boîte de dialogue **Options** (commande **Outils/ Options**), en cochant la case *Règle verticale (mode Page uniquement)* sous la rubrique *Options de mode Page et de mode Web.*
- Alors que la zone blanche matérialise une feuille A4 (vous pouvez estimer très facilement les marges), la zone grise représente en quelque sorte le bureau sur lequel repose votre feuille.
- Lors d'un saut de page, au lieu de la ligne en pointillé séparatrice, on voit apparaître une toute nouvelle page.

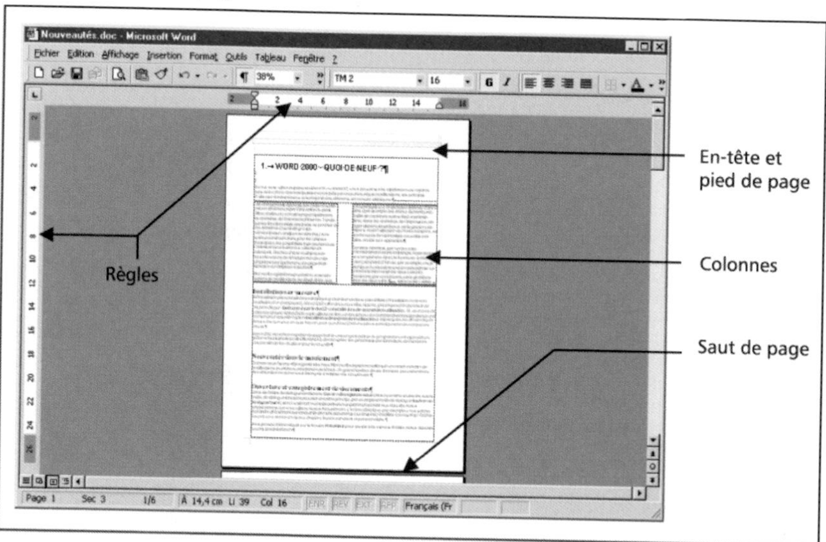

L'aperçu avant impression

INFO

Avant de lancer une impression, vous pouvez également vérifier l'apparence de votre document à l'aide du mode d'affichage Aperçu avant impression. Ce mode est encore mieux adapté, même si ses avantages ne sont pas vraiment spectaculaires : il ressemble au mode Page doté de quelques fonctions supplémentaires.

Cliquez sur le bouton *Aperçu avant impression* dans la barre d'outils *Standard.* Pour désactiver le mode Aperçu avant impression, cliquez sur le bouton *Fermer* ou appuyez sur la touche *Échap.*

Définir la fin de la page : le saut de page

En réalité, Word insère les sauts de page automatiquement. Lorsque la page est pleine, Word en crée immédiatement une nouvelle. Ainsi, si vous insérez du texte supplémentaire en plein milieu d'un document, Word remplit normalement la page courante et décale l'ensemble du texte qui déborde de celle-ci vers la suivante, et ainsi de suite jusqu'à la fin du document. Sachant que cela fonctionne à merveille, pourquoi seriez-vous amené à intervenir ?

Dans certaines circonstances, il est préférable que Word ne remplisse pas la page complètement. Cela peut se produire par exemple lorsque seule une partie du dernier paragraphe peut encore tenir sur la page, le reste apparaissant sur la page suivante. Vous pourriez alors décider de renvoyer l'intégralité de ce paragraphe dans la dernière page.

1 Déplacez le curseur à l'endroit où la nouvelle page doit commencer. Surtout, placez-le toujours au début d'une ligne, sinon vous obtiendrez un résultat surprenant.

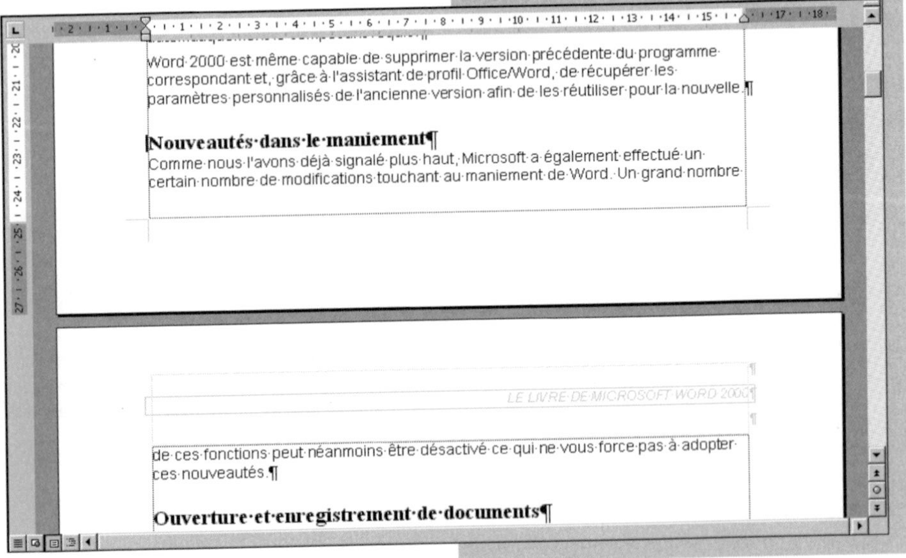

2 Appuyez sur la combinaison de touches **Ctrl+Entrée**. Si le mode d'affichage Normal est activé, le saut de page créé manuellement est symbolisé par un trait en pointillé serré. À titre indicatif, la mention "Saut de page" figure sur le trait.

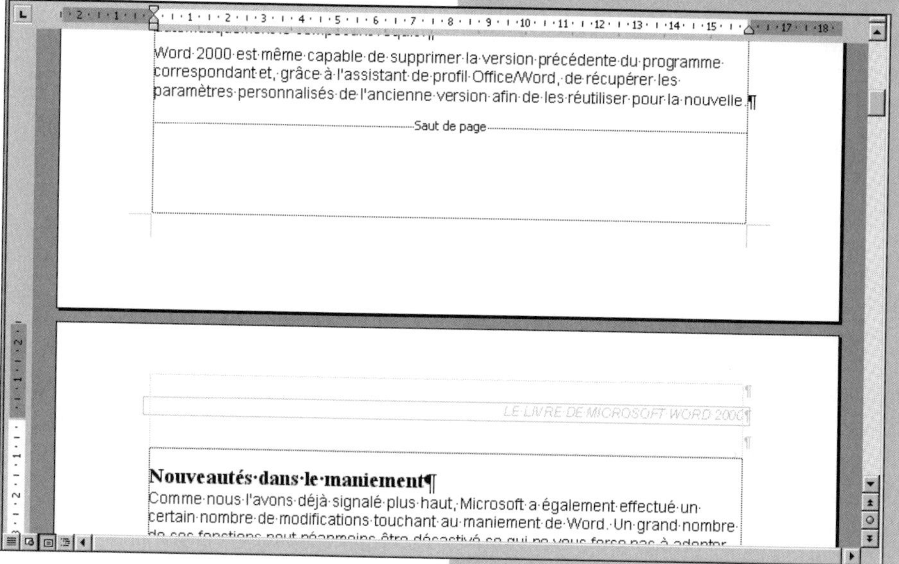

Dans les modes d'affichage Page et Web, cette indication est également visible, à condition que, pour chaque mode d'affichage, vous ayez activé la case à cocher *Tous* sous l'onglet **Affichage** de la boîte de dialogue **Options** (commande **Outils/Options**).

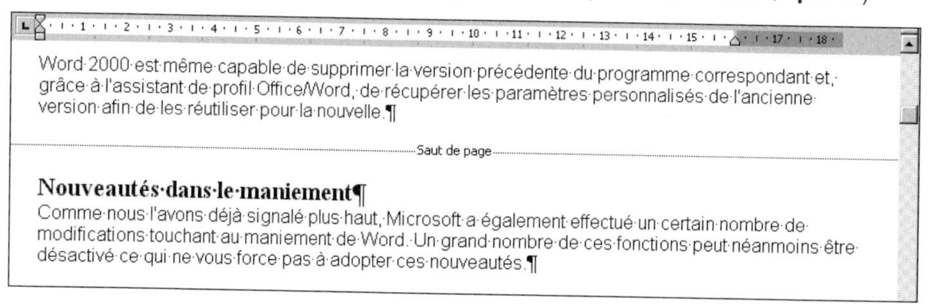

INFO

Supprimer un saut de page manuel

Il est possible de supprimer un saut de page manuel de la même manière qu'une simple lettre : placez le curseur devant et appuyez sur la touche *Suppr.*

Enregistrer ses textes pour les retrouver

Vous avez peut-être déjà été victime de la mésaventure suivante : vous avez écrit un texte et vous éteignez votre ordinateur. Vous constatez alors que votre travail est irrémédiablement perdu. Pour conserver un texte de façon permanente (c'est-à-dire sur le disque dur), vous devez donc l'enregistrer.

Premier enregistrement d'un texte

Comme nous l'avons précisé dans le premier chapitre, si vous cliquez simplement sur le bouton **Enregistrer**, sans vous préoccuper des éléments de la boîte de dialogue qui s'affiche ensuite, l'enregistrement est rapide.

Néanmoins, vous rencontrerez peut-être des problèmes lorsque vous souhaiterez rouvrir votre document ultérieurement (par exemple, pour effectuer des modifications), car vous ne savez pas où il se trouve et dans quel dossier il a été conservé. Par ailleurs, vous ignorez sous quel nom il a été enregistré. Il est vrai que Word attribue automatiquement un nom de document sur la base des premiers mots du texte, mais "Madame, Monsieur" ou votre propre nom (extrait de l'en-tête) ne vous seront pas d'une grande aide pour le retrouver.

Par conséquent, il est préférable que vous appreniez à enregistrer vos documents de manière ciblée. En d'autres termes, il s'agit de connaître précisément le nom attribué au texte et le dossier dans lequel il a été stocké lors de son enregistrement.

Lancer la procédure d'enregistrement

1 Cliquez avec le bouton gauche de la souris sur le bouton **Enregistrer**.

2 Word vous propose alors une boîte de dialogue dans laquelle il vous demande d'indiquer le nom que vous voulez attribuer au fichier et de définir l'emplacement où il sera enregistré. Si vous manipulez déjà aisément l'Explorateur de Windows, cette opération ne vous posera aucun problème, la procédure étant similaire.

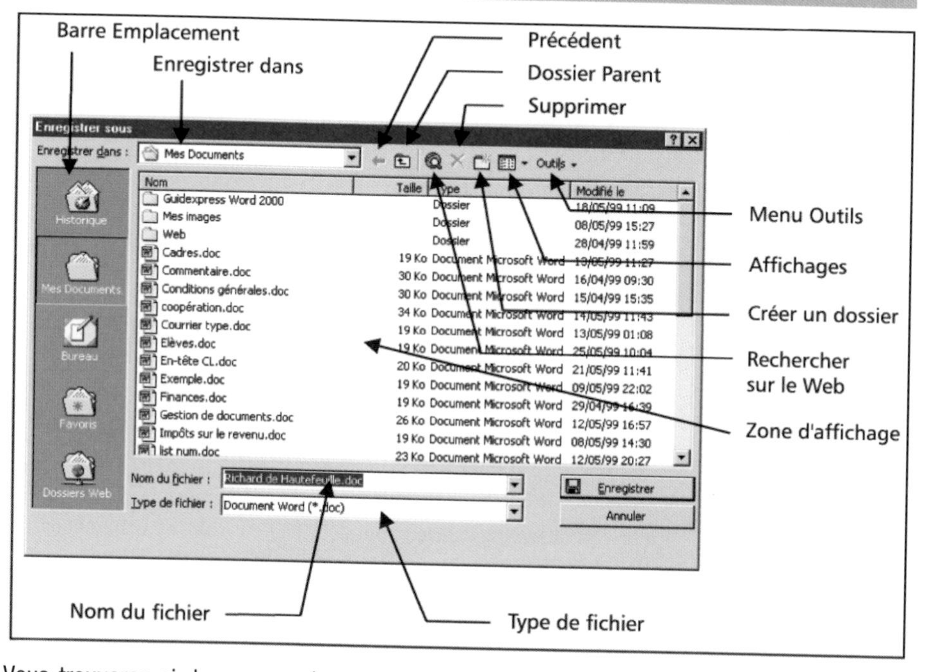

Vous trouverez ci-dessous quelques-uns des principaux éléments de la boîte de dialogue **Enregistrer sous** et leur signification.

Principaux éléments de la boîte de dialogue Enregistrer sous et leur signification	
Élément	**Signification**
Barre Emplacement	Accédez directement à certains dossiers, par exemple le dossier Mes Documents, par un simple clic de souris

Principaux éléments de la boîte de dialogue Enregistrer sous et leur signification	
Élément	**Signification**
Liste déroulante Enregistrer dans	Affiche le dossier en cours
Bouton Précédent	Retourne au dossier affiché précédemment
Bouton Dossier parent	Bascule vers le niveau de dossier supérieur
Bouton Rechercher sur le Web	Lance Internet Explorer pour la recherche d'un fichier sur le World Wide Web
Bouton Supprimer	Supprime le ou les fichiers ou dossiers sélectionnés
Bouton Créer un dossier	Crée un nouveau dossier
Bouton Affichages	Les commandes de ce menu (**Liste**, **Détails**, **Propriétés** et **Aperçu**) permettent d'agir sur la présentation de la zone d'affichage
Menu Outils	Le menu **Outils** propose des commandes comme **Supprimer**, **Renommer**, **Ajouter aux Favoris**, **Connecter un lecteur réseau**, etc.
Zone d'affichage du dossier courant	Le contenu du dossier actif est affiché, vous pouvez également ouvrir l'un des dossiers présentés ici par un double clic
Liste déroulante Nom de fichier	Remplacez ici l'ancien nom de fichier par celui de votre choix
Liste déroulante Type de fichier	Indiquez le type de fichier que vous souhaitez utiliser

3 Vous constatez que Word a automatiquement attribué un nom au fichier. Comme nous l'avons déjà mentionné précédemment, il est préférable que vous le nommiez vous-même. Le nom peut comporter un nombre maximal de 256 caractères. Si vous le souhaitez, vous pouvez parfaitement y inclure des espaces. Un nom tel que "Demande d'informations sur les Rolls Royce" est tout à fait valide. Même si cela est autorisé, il est recommandé de ne pas attribuer des noms de fichier trop longs. Dans certaines situations, ils peuvent être peu commodes (comme pour l'affichage des fichiers dans l'Explorateur). En outre, veillez à ce que les caractères spéciaux suivants n'apparaissent pas dans les noms de fichiers : ? * " , ; : |.

4 Comme le nom de fichier est déjà sélectionné à l'ouverture de la boîte de dialogue, vous pouvez commencer la saisie directement. Le nom attribué par défaut est alors écrasé. En principe, vous pouvez vous déplacer dans ces zones de saisie comme dans le texte normal (à l'aide des touches de direction et de la souris), et les opérations de suppression et de saisie fonctionnent de la même manière. Il n'est pas nécessaire de taper l'extension *.doc* attribuée aux documents, car elle est ajoutée automatiquement par le programme.

5 Les possibilités pour indiquer à Word l'emplacement où vous souhaitez enregistrer votre document sont nombreuses. Vous pouvez rechercher un dossier à l'aide des boutons **Précédent** et **Dossier parent**, utiliser la barre *Emplacement* ou encore la liste déroulante *Enregistrer dans*.

6 Précisez l'emplacement sur votre disque dur, c'est-à-dire le dossier où le fichier doit être enregistré.

Rechercher un dossier à l'aide des boutons Précédent et Dossier parent

Par défaut, Word enregistre tous les fichiers dans le dossier Mes documents. Tant que vous disposez d'un nombre réduit de documents, vous pouvez poursuivre l'enregistrement dans ce dossier.

Néanmoins, le nombre de documents créés va augmenter avec le temps. Vous voudrez donc certainement mettre un peu d'ordre dans vos dossiers. Vous pourriez, par exemple, stocker toutes vos lettres dans un dossier unique et tout ce qui se rapporte à votre thèse dans un autre. Si le dossier recherché est contenu dans le dossier courant, c'est très simple : double-cliquez sur le nom du dossier. Si vous suivez l'exemple de la figure et si vous vous trouvez dans le dossier Mes documents, basculez par un double clic vers le sous-dossier Lettres.

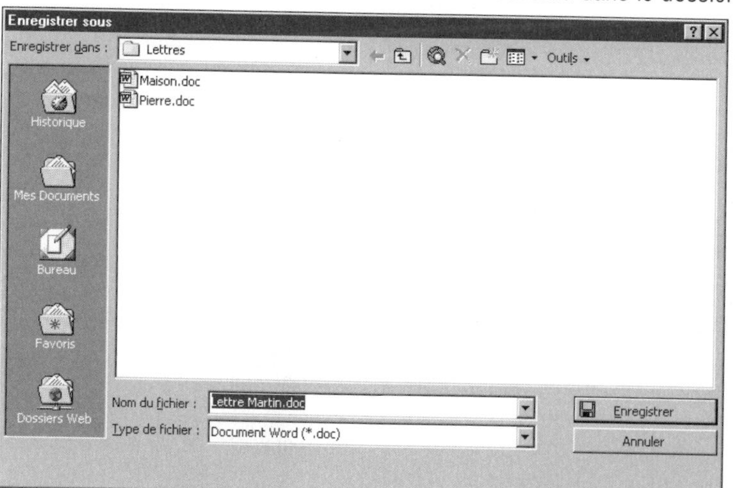

En revanche, si vous désirez basculer vers le niveau de dossier supérieur, cliquez sur le bouton **Dossier parent**. Le bouton **Précédent** vous permet de revenir en arrière, dossier par dossier.

Rechercher un dossier au moyen de la barre Emplacement

Le tableau ci-dessous récapitule la fonction des différents boutons de la barre *Emplacement*.

Les boutons de la barre Emplacement	
Historique	Affiche une liste de raccourcis vers les derniers fichiers ouverts dans Word ; ces raccourcis sont stockés dans le dossier C:\Windows\Application Data\Microsoft\Office\Recent
Mes Documents	Affiche le contenu du dossier Mes Documents
Bureau	Affiche le contenu du dossier Bureau
Favoris	Affiche la liste de vos favoris, stockée dans le dossier C:\Windows\Favoris
Dossiers Web	Affiche la liste des adresses Web (URL) prédéfinies

Rechercher un dossier avec la zone de liste Enregistrer dans

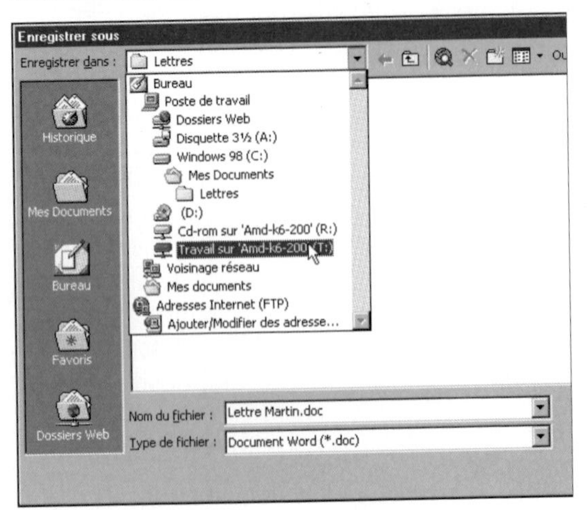

Si vous souhaitez obtenir un meilleur aperçu, car vous désirez enregistrer votre fichier dans un dossier plus éloigné ou sur un tout autre disque dur, procédez comme suit : cliquez sur la flèche de la zone *Enregistrer dans* pour ouvrir une liste. Choisissez le dossier par lequel vous voulez commencer et dont vous voulez d'abord afficher le contenu. De là, vous pouvez basculer vers des niveaux de dossier inférieurs en double-cliquant.

Finaliser la procédure d'enregistrement

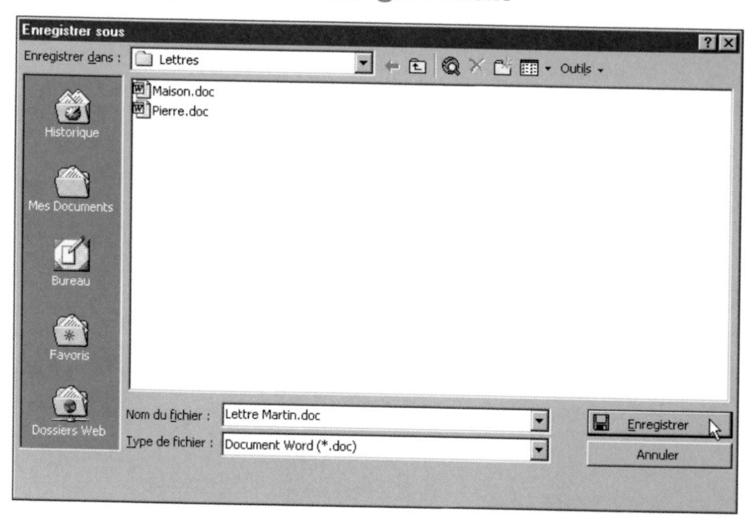

Lorsque vous avez défini le dossier de destination et le nom du document, validez vos entrées en cliquant sur **Enregistrer**.

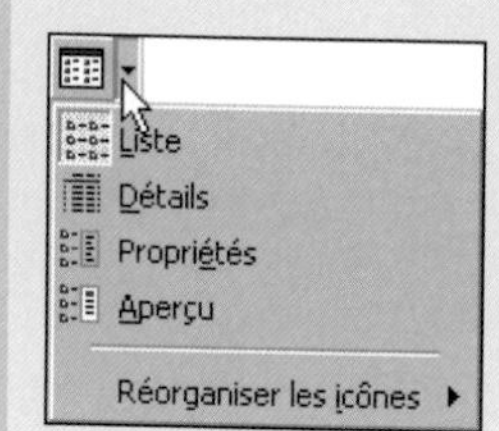

Les fichiers et les dossiers sont affichés différemment dans votre zone d'affichage

Il peut arriver que le contenu de la zone d'affichage ne soit pas présenté de la même manière sur votre écran que sur les illustrations de cet ouvrage. Déroulez le menu du bouton *Affichages* situé dans la boîte de dialogue *Enregistrer sous* et passez à un mode d'affichage différent (voir le tableau ci-après).

Les commandes du menu déroulant du bouton Affichages

Commande de menu	Description
Liste	Revient à l'affichage par défaut des fichiers et des dossiers dans la zone d'affichage
Détails	Donne des informations détaillées (Nom, Taille, Type, Modifié le) sur les fichiers du dossier actif
Propriétés	Active l'affichage des propriétés du fichier sélectionné (Auteur, Modèle, Enregistré par, Modifié le, Application)

Les commandes du menu déroulant du bouton Affichages	
Commande de menu	**Description**
Aperçu	Affiche un aperçu du fichier sélectionné
Réorganiser les icônes	Permet de réorganiser les fichiers et les dossiers affichés par nom, par type, par taille ou par date

Attribuer un autre nom à un document

Supposez maintenant que vous vouliez ouvrir le document créé la veille, le modifier et enregistrer la version modifiée tout en conservant l'ancienne. Il suffit de sauvegarder la nouvelle version sous un autre nom.

1 Choisissez la commande **Enregistrer sous** dans le menu **Fichier**.

2 La boîte de dialogue **Enregistrer sous**, décrite précédemment, s'ouvre. Remplacez-y l'ancien nom de fichier par le nouveau, définissez un autre dossier si nécessaire et cliquez sur **Enregistrer**.

Vous venez d'enregistrer sous un autre nom une version modifiée du fichier original.

Rédiger une autre lettre

Puisque vous êtes dans le sujet, pourquoi ne pas rédiger directement une nouvelle lettre ? Lorsque vous démarrez Word, vous obtenez systématiquement un document vierge. Si vous avez déjà saisi un texte, vous devez indiquer au programme que vous souhaitez ouvrir un nouveau fichier.

1 Cliquez sur le bouton **Nouveau document**.

2 Un document vierge s'affiche. Word numérote les nouveaux textes en continu par session de travail dans la barre de titre ; le second document s'intitule donc Document2.

Refermer un document

Si, après avoir écrit une lettre, vous avez créé un autre fichier (ou ouvert un texte existant), vous n'apercevez au premier plan que le nouveau texte. Mais l'ancien se trouve toujours à l'arrière-plan, prêt à être rappelé.

En principe, l'ouverture simultanée de plusieurs documents ne pose aucun problème. La limite n'est fixée que par la taille des fichiers et par la capacité mémoire de votre ordinateur. À l'aide du menu **Fenêtre** et/ou des boutons affichés dans la barre des tâches de Windows 98, vous pouvez afficher au premier plan n'importe quel document ouvert afin de copier des éléments d'un texte pour les faire passer dans un autre. Cette possibilité peut être fort utile.

Cependant, si vous n'avez plus besoin de l'ancien document, il est préférable de le fermer. En effet, il sollicite la mémoire de l'ordinateur et, selon les circonstances, il peut affecter la vitesse de traitement des données.

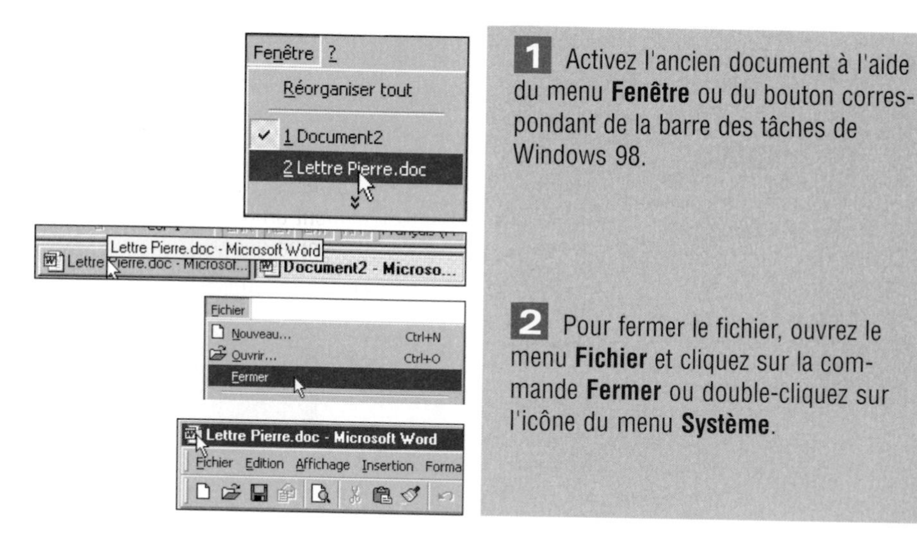

1 Activez l'ancien document à l'aide du menu **Fenêtre** ou du bouton correspondant de la barre des tâches de Windows 98.

2 Pour fermer le fichier, ouvrez le menu **Fichier** et cliquez sur la commande **Fermer** ou double-cliquez sur l'icône du menu **Système**.

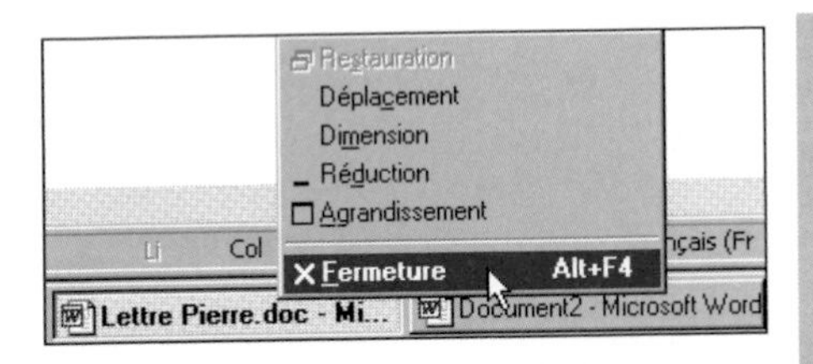

3 Une dernière possibilité, pour fermer un fichier, est la sélection de la commande **Fermeture** dans le menu contextuel du bouton correspondant au document dans la barre des tâches de Windows 98.

INFO

Que se passe-t-il lors de la fermeture de fichiers ?

Lors de la fermeture de fichiers, les documents déjà enregistrés sont automatiquement fermés. Quant aux documents non sauvegardés, Word vous demande s'il doit enregistrer les modifications.

Modifier la lettre rédigée la veille

Vous désirez maintenant accéder de nouveau à un texte que vous avez rédigé il y a quelque temps pour le modifier ou l'imprimer.

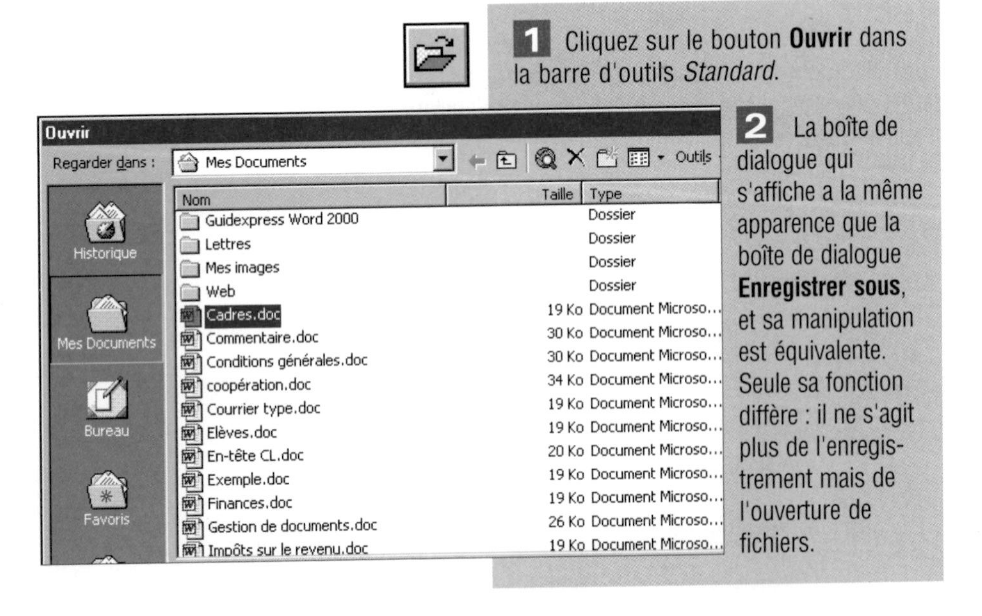

1 Cliquez sur le bouton **Ouvrir** dans la barre d'outils *Standard*.

2 La boîte de dialogue qui s'affiche a la même apparence que la boîte de dialogue **Enregistrer sous**, et sa manipulation est équivalente. Seule sa fonction diffère : il ne s'agit plus de l'enregistrement mais de l'ouverture de fichiers.

3 Si vous ne trouvez pas le fichier recherché dans la zone d'affichage, cela peut être dû à l'une de ces deux raisons :

- La fenêtre contient un si grand nombre de fichiers qu'il n'est pas possible de les afficher tous en même temps. Dans ce cas, servez-vous de la barre de défilement pour le trouver.
- Le fichier que vous recherchez se trouve dans un autre dossier que celui affiché. Si le dossier approprié se trouve dans le dossier actuel, ouvrez-le par un double clic sur son icône. S'il est placé ailleurs, vous devez d'abord parcourir l'arborescence des dossiers en cliquant sur les boutons **Précédent** ou **Dossier parent**, en utilisant la barre *Emplacement* ou encore en vous aidant de la liste déroulante *Regarder dans*.

4 Une fois que vous avez trouvé le fichier désiré dans la liste, double-cliquez dessus.

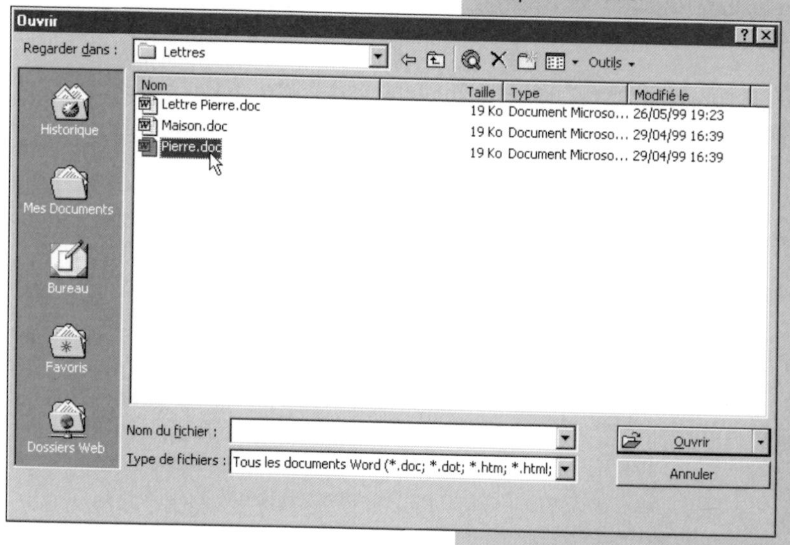

Définir le mode d'ouverture

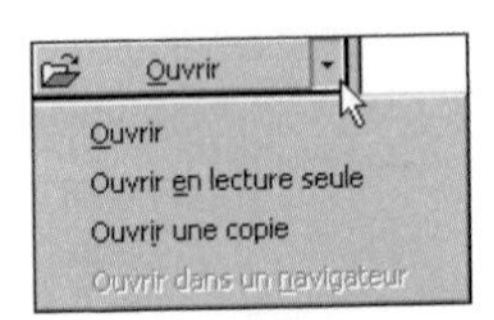

Au lieu de double-cliquer sur le fichier à ouvrir, vous pouvez également sélectionner le fichier et cliquer sur le bouton **Ouvrir** ou choisir l'une des commandes qu'il propose.

Les commandes accessibles via le bouton Ouvrir

Commande	Description
Ouvrir	Ouverture normale de l'original du document (sans protection en écriture) ; équivaut à un clic sur le bouton **Ouvrir**
Ouvrir en lecture seule	L'original du document est ouvert en mode protégé contre l'écriture
Ouvrir une copie	Ouverture d'une copie de l'original
Ouvrir dans un navigateur	Ouverture de l'original dans Internet Explorer

Sachez également que la boîte de dialogue **Rechercher** (commande **Outils/Rechercher** de la boîte de dialogue **Ouvrir**) vous permet de lancer des opérations de recherche approfondie de dossiers ou de fichiers.

Les fichiers de la zone d'affichage peuvent, en outre, faire l'objet de toutes sortes de manipulations (copie, suppression, etc.).

Accélérer l'accès aux documents

Commandes 1, 2, 3 et 4 du menu Fichier

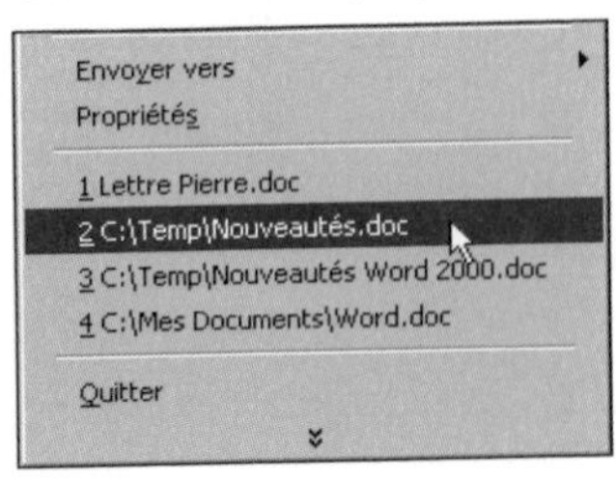

Vous désirez ouvrir le fichier sur lequel vous avez travaillé tout récemment ? Il existe un raccourci : ouvrez le menu **Fichier** et examinez sa partie inférieure. Word y mémorise les quatre derniers documents modifiés. Il suffit de cliquer sur l'un d'eux pour l'ouvrir, ce qui vous épargne une recherche fastidieuse.

Bouton Favoris

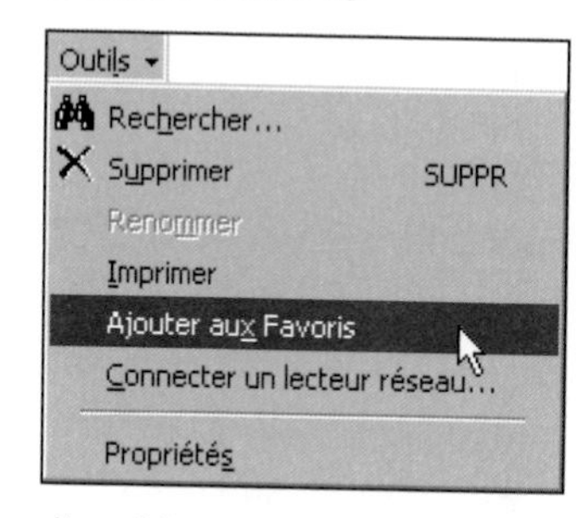

Voici une autre astuce : les fichiers et les dossiers que vous manipulez fréquemment peuvent être accessibles par l'intermédiaire de la commande **Ajouter aux Favoris** du bouton **Outils**. Les fichiers et dossiers favoris sont des raccourcis vers des fichiers ou des dossiers placés dans le dossier Windows\Favoris. Ces raccourcis peuvent renvoyer aussi bien à l'unité de disque en cours, à d'autres disques du PC, ou à des éléments d'un intranet ou d'Internet. Les favoris vous permettent d'accéder rapidement aux fichiers et aux dossiers fréquemment utilisés par les opérations d'ouverture et d'enregistrement.

Un clic sur le bouton **Favoris** de la barre *Emplacement* affiche la liste de vos favoris. Dans la boîte de dialogue **Ouvrir**, vous accédez ainsi rapidement aux dossiers fréquemment consultés et aux fichiers souvent utilisés.

Bouton Historique

Un clic sur le bouton **Historique** de la barre *Emplacement* ouvre une liste de raccourcis vers les derniers fichiers ouverts dans Word. Les raccourcis sont des fichiers pointant vers des fichiers ou des dossiers précis. Ainsi, un double clic sur le raccourci Exemple.doc ouvre le document Exemple.doc correspondant. L'avantage du bouton **Historique** est qu'il vous évite la recherche de vos fichiers dans leurs dossiers respectifs. Un double clic sur le raccourci correspondant suffit pour ouvrir le fichier de votre choix.

Mettre en valeur le texte et alléger la structure

Richard de Hautefeuille
Château du Bourg
33333 LISSAY

Garage Kléber - Représentant Rolls Royce
55, rue des Plantes
33000 Bordeaux

Mesdames, Messieurs,

Noblesse oblige, je caresse l'idée d'acquérir une Rolls Royce depuis un certain temps. Naturellement, je ne veux pas acheter les yeux fermés ; pour cette raison, je suis à la recherche de documentation. Alors que l'on peut se procurer sans aucun problème des informations sur les caractéristiques des autres voitures, il semble qu'il n'en soit pas de même pour Rolls Royce. Les autres voitures éveillent la soif d'aventures, provoquent des picotements dans l'abdomen, séduisent par leur élégance ou impressionnent par leurs performances tout terrain ; que peut offrir une Rolls ? Je vous prie donc de bien vouloir me faire parvenir quelques informations qui me permettront de répondre à cette question.

A cette occasion, j'aimerais encore vous poser quelques questions supplémentaires :

1 Pourriez-vous m'envoyer la liste des options ? Existe-t-il des options sport ? Des pneus larges ? Un spoiler ?
2 Existe-t-il des modèles de lancement, des séries, qui sont mises sur le marché à un prix particulièrement raisonnable ?
3 Peut-on bénéficier en même temps d'accessoires spéciaux, comme des sacs, des porte-clés ou des blousons ?
4 Est-il possible d'équiper une Rolls Royce d'un attelage de remorque ?
5 Existe-t-il des offres de financement attrayantes, comme, par exemple, de 11,60 francs par jour chez un autre constructeur intéressant ?

En plus d'un financement intéressant, une condition supplémentaire à l'acquisition d'une Rolls serait un bon prix pour la reprise de mon véhicule actuel. Voici les informations nécessaires :

* Peugeot 205
* Année 1987
* 150000 km
* Contrôle technique remontant à 6 mois
* Excellent état
* Autoradio

Merci de me faire parvenir ces informations au plus vite.

Cordialement,

Lorsque vous travaillez avec Word, votre activité essentielle consiste à saisir, corriger, enregistrer ou imprimer un texte.

Si vous vous contentez de cela, vous n'exploitez votre programme qu'à son strict minimum. Word permet très facilement de créer des mises en forme originales. Pourquoi ne pas profiter de ces nombreuses possibilités ?
En outre, un texte bien présenté (pour autant que la mise en forme soit le fruit d'une bonne réflexion et non du simple hasard) offre des avantages : vous pouvez mettre
en relief des passages
importants et structurer votre document pour
en faciliter la compréhension. Le lecteur vous en saura gré !

Mettre en valeur les principaux éléments

La méthode la plus commune pour mettre en valeur des passages de texte consiste à leur appliquer un style gras, italique ou souligné.

Ces trois attributs peuvent être appliqués de manière simple et rapide à l'aide des boutons adéquats de la barre d'outils *Mise en forme*.

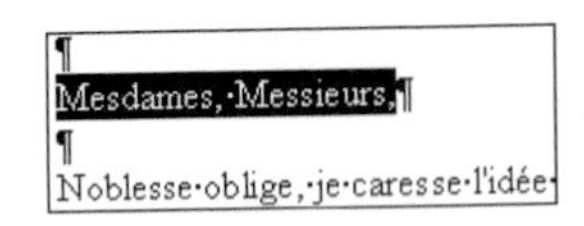
¶
Mesdames,·Messieurs,¶
¶
Noblesse·oblige,·je·caresse·l'idée·

1 Sélectionnez le texte que vous désirez mettre en valeur.

2 Cliquez avec le bouton gauche de la souris sur le bouton correspondant dans la barre d'outils.

Les trois attributs les plus courants	
Bouton	**Style correspondant**
G	**Gras**
I	*Italique*
S	Souligné

L'illustration ci-dessous montre l'effet obtenu après un clic sur le bouton **Gras**.

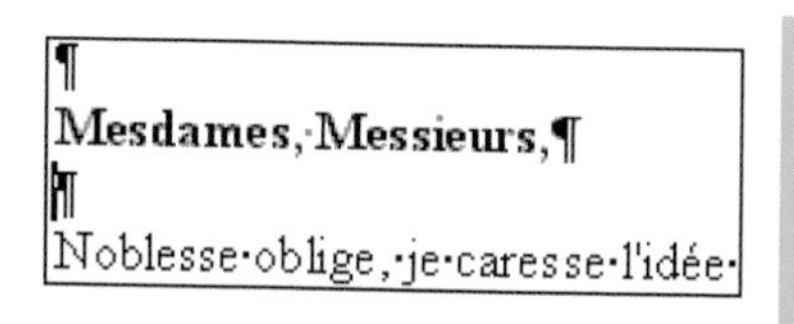

3 Pour apprécier le résultat de votre mise en forme, cliquez sur un autre emplacement dans le texte ou déplacez le point d'insertion à l'aide des touches de direction.

Dans l'exemple, l'intitulé "Mesdames, Messieurs," a été mis en gras et le style *italique* a été appliqué aux adresses du destinataire et de l'expéditeur dans l'en-tête.

Fonctionnement des boutons

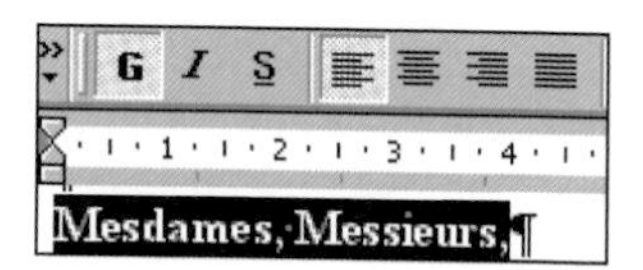

Lorsque le texte mis en forme est encore sélectionné ou lorsque le point d'insertion passe sur le texte, le bouton correspondant dans la barre d'outils prend un aspect différent des autres : il est mis en relief.

Si vous désirez maintenant annuler la mise en forme d'un passage de texte, sélectionnez-le, puis cliquez sur ce bouton mis en relief. Le texte reprend ainsi son apparence antérieure.

Ce comportement de bouton poussoir est valable pour tous les boutons relatifs à la mise en forme.

Mettre en forme au cours de la frappe

Vous n'êtes pas obligé d'attendre d'avoir tapé un texte pour procéder à sa mise en forme. Si, en cours de saisie, il vous vient à l'idée de mettre en gras le prochain passage, procédez comme suit .

1 Appuyez sur la combinaison de touches **Ctrl+Maj+G** ou cliquez sur le bouton **G** et continuez votre saisie.

2 Pour désactiver le style *Gras*, appuyez une nouvelle fois sur la même combinaison de touches ou cliquez encore sur le bouton **G**.

INFO

Il est possible de combiner les attributs

Vous pouvez très bien combiner les attributs de style. Ainsi, un mot en gras peut être mis en italique, puis souligné. Si vous désirez ensuite annuler les styles pour le passage sélectionné, il suffit de cliquer successivement sur chacun des boutons correspondant aux styles.

Marquer à l'aide du surligneur

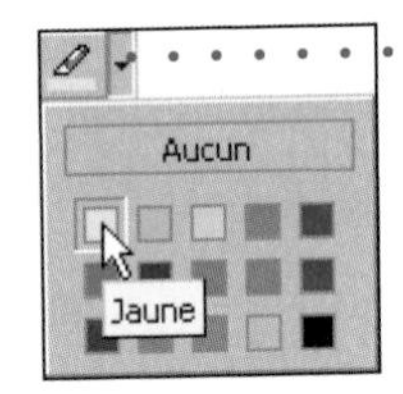

1 Word met à votre disposition une autre variante, plus originale, de mise en valeur. Cliquez sur la flèche située à côté du bouton **Surlignage** pour ouvrir la liste correspondante. Choisissez la couleur avec laquelle vous voulez surligner le passage de texte. Si ce bouton est absent de la barre d'outils, cliquez sur le bouton **Autres boutons** pour y accéder.

1→Pourriez-vous·m'envoyer·la·liste·des·options·?·
larges·?·Un·spoiler·?¶
2→Existe-t-il·des·modèles·de·lancement,·des·séries
particulièrement·raisonnable·?¶

2 En maintenant le bouton gauche de la souris enfoncé, vous pouvez utiliser le pointeur (dont la forme a changé) de la même manière qu'un surligneur, afin de marquer le texte désiré. Appuyez sur la touche **Échap** pour désactiver cette fonction.

Modifier la police

Vous pouvez écrire votre texte au moyen de diverses polices de caractères. La police détermine l'aspect des lettres et, par conséquent, l'impression globale qui se dégage du document. Bien sûr, vous pouvez employer plusieurs polices dans un même document. Toutefois, utilisées en très grand nombre, elles risquent de nuire à la présentation d'un texte.

Times New Roman
Arial
Courier New
(WingDings)
ALGERIAN
Braggadoccio
Britanic
Colonna
DESDEMONA
Matura MT Script
Footlight
Impact

Il existe une multitude de polices différentes, certaines convenant pour le corps du texte, d'autres pour les titres, d'autres droites ou plus courbées ou même proches de l'écriture manuscrite.

Vous disposez certainement de plusieurs polices sur votre ordinateur : leur nombre et leur style dépendent bien sûr de certains facteurs, que nous traiterons plus avant dans ce chapitre.

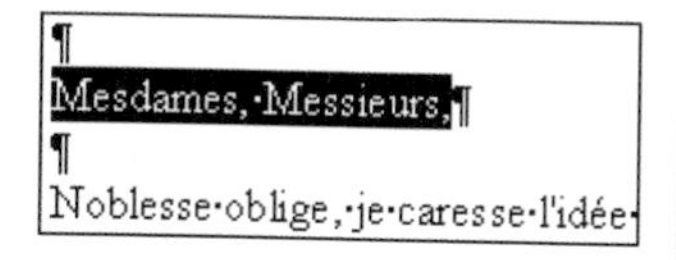

1 Sélectionnez le passage de texte auquel vous désirez affecter une police particulière.

2 Dans la barre d'outils *Mise en forme*, cliquez sur la flèche située à côté de la liste déroulante *Police*.

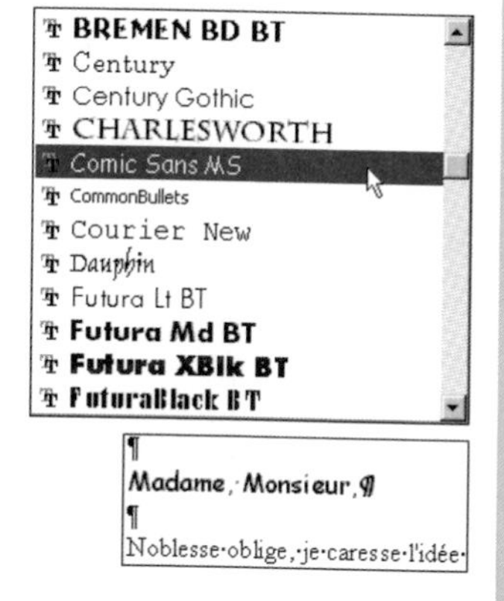

3 Une liste contenant les polices disponibles s'ouvre. Choisissez-en une et cliquez dessus. Pour faciliter votre choix, les noms des différentes polices sont directement mis en forme avec la police correspondante.

Madame, Monsieur,
Noblesse oblige, je caresse l'idée

4 Pour visualiser votre texte sans le cadre noir de sélection, cliquez sur un autre emplacement dans le document ou déplacez le point d'insertion à l'aide d'une touche de direction.

Si vous ne pouvez pas visualiser toutes les polices installées sur votre machine, servez-vous de la barre de défilement pour faire défiler la liste vers le bas.

Dans l'exemple de ce chapitre, la police *Times New Roman* est appliquée à l'ensemble du texte.

Quelle est la police actuelle ?

La police du texte actuellement sélectionné est indiquée dans la liste déroulante *Police* où elle apparaît en surbrillance lorsque vous l'ouvrez.

Appliquer ultérieurement d'autres polices

Vous pouvez appliquer ultérieurement d'autres polices à un passage de texte. Il suffit pour cela de sélectionner le texte concerné, d'ouvrir la liste des polices et de choisir celle qui convient.

Pour revenir à la police initiale à la suite d'une modification, sélectionnez de même le passage en question et appuyez sur la combinaison de touches **Ctrl+Barre d'espace**.

INFO

Polices TrueType

La mention TT, qui figure devant la plupart des polices de la liste déroulante *Police*, est l'abréviation de TrueType. Il s'agit d'un type de police spécial, auquel appartiennent certaines polices fournies avec Windows et Word, et qui sont enregistrées sur votre disque dur. Si vous ne disposez pas d'un nombre suffisant de polices TrueType, vous pouvez vous en procurer à bon marché et les copier sur votre disque dur. Dans la liste, vous trouverez également des noms sans la mention TT : il s'agit souvent de polices fournies par votre imprimante.

Augmenter la taille des passages de texte importants

Avec Word, vous pouvez modifier la taille de la police à votre guise : cela va du texte minuscule et presque illisible, au texte agrandi au maximum, pour l'impression d'affiches par exemple.

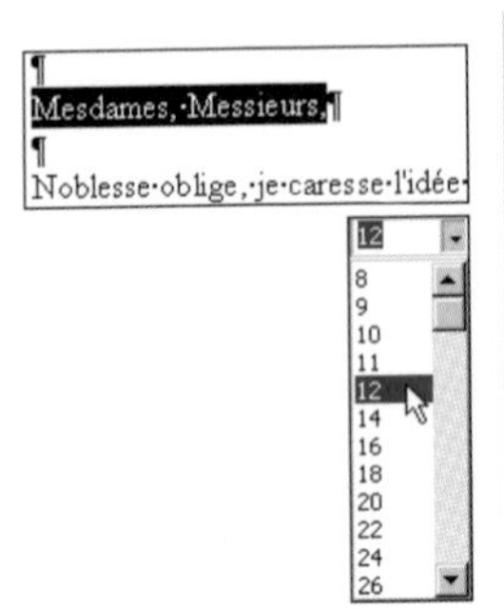

1 Sélectionnez le passage de texte dont vous désirez modifier la taille.

2 Dans la barre d'outils *Mise en forme*, cliquez sur la flèche située à côté de la liste déroulante *Taille de la police.*

3 Dans la liste, choisissez une taille en cliquant dessus.

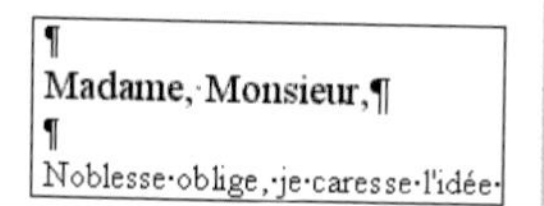
¶
Madame,·Monsieur,¶
¶
Noblesse·oblige,·je·caresse·l'idée·

4 Comme d'habitude, cliquez ailleurs pour annuler la sélection.

Dans notre exemple, nous avons agrandi la formule "Madame, Monsieur," à 12 pt ; le corps du reste du texte est resté à 10 pt. L'adresse de l'expéditeur, placée en petits caractères au-dessus de l'adresse du destinataire afin d'être visible dans une enveloppe à fenêtre, a été réduite à 8 pt.

INFO

Les polices TrueType sont disponibles dans toutes les tailles comprises entre 1 et 1 638 pt

Ces valeurs sont bien sûr peu réalistes, car une police dont la taille est inférieure à 5 pt n'est pas lisible ; une police de 1 638 points est tout au plus utile dans le domaine de l'impression d'affiches. Le texte normal se situe habituellement entre 9 et 12 pt. Du reste, le point (pt) est un système de mesure bien défini, utilisé par les professionnels.

Vous n'êtes pas astreint aux tailles de polices figurant dans la liste. Comme vous l'avez certainement constaté, cette liste n'est pas linéaire (26, 28, 36...). À la place, vous pouvez indiquer directement une valeur de votre choix dans la zone de saisie. N'hésitez pas à vous exercer, de manière à vous faire une idée de l'effet induit par les différentes manipulations.

Aligner les paragraphes : à gauche, à droite et au centre

Lorsque vous commencez à rédiger un nouveau document, le texte est aligné à gauche. En d'autres termes, sur le côté gauche, le bord est régulier alors que du côté droit, il est découpé de façon irrégulière.

Mais l'alignement peut être modifié. Voici les autres variantes disponibles.

- L'alignement justifié a un aspect professionnel ; le paragraphe est alors régulier tant sur le bord gauche que droit.

En· plus· d'un· financement· intéressant,· une· condition· supplémentaire· à· l'acquisition· d'une· Rolls· serait· un· bon· prix· pour· la· reprise· de· mon· véhicule· actuel.· Voici·les·informations·nécessaires·:¶

- L'alignement centré est souvent utilisé pour les citations et les titres.

En·plus·d'un·financement·intéressant,·une·condition·
supplémentaire·à·l'acquisition·d'une·Rolls·serait·un·
bon·prix·pour·la·reprise·de·mon·véhicule·actuel.·
Voici·les·informations·nécessaires·:¶

- L'alignement à droite, assez original, est parfois utilisé pour les adresses et la date dans les en-têtes de courrier.

En·plus·d'un·financement·intéressant,·une·condition·
supplémentaire·à·l'acquisition·d'une·Rolls·serait·un·
bon·prix·pour·la·reprise·de·mon·véhicule·actuel.·
Voici·les·informations·nécessaires·:¶

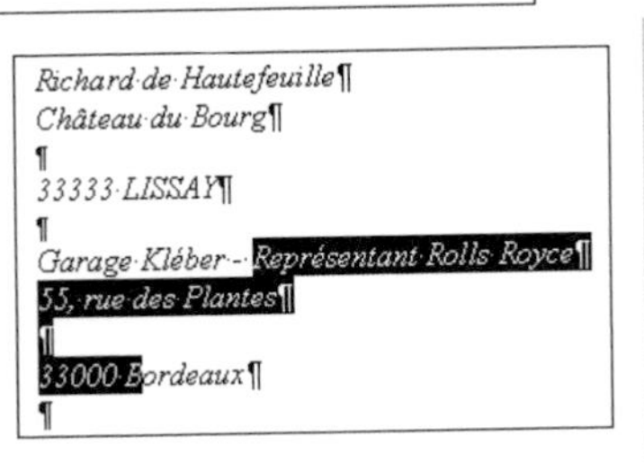

Richard·de·Hautefeuille¶
Château·du·Bourg¶
¶
33333·LISSAY¶
¶
Garage·Kléber·-·Représentant·Rolls·Royce¶
55,·rue·des·Plantes¶
¶
33000·Bordeaux¶
¶

1 Placez le point d'insertion à un endroit quelconque du paragraphe que vous voulez aligner différemment. Si vous souhaitez appliquer simultanément un alignement particulier à plusieurs paragraphes, vous pouvez les sélectionner en même temps pour n'avoir à cliquer qu'une fois sur la commande. Bien sûr, ce n'est possible qu'à la condition que les paragraphes soient consécutifs.

Dans notre exemple, les lignes de l'en-tête réservées au destinataire ont été alignées à droite. Le reste du texte a été justifié.

Les différents alignements de paragraphe disponibles

Bouton	Alignement
	Aligné à gauche
	Centré
	Aligné à droite
	Justifié

2 Dans la barre d'outils *Mise en forme*, cliquez sur le bouton d'alignement de votre choix.

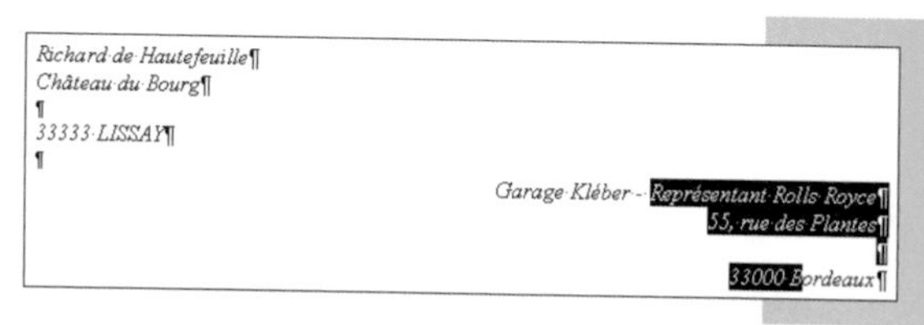
Richard de Hautefeuille¶
Château du Bourg¶
¶
33333 LISSAY¶
¶
Garage Kléber - Représentant Rolls Royce¶
55, rue des Plantes¶
¶
33000 Bordeaux¶

3 Après un clic sur le bouton **Aligné à droite**, voici le résultat dans notre exemple.

INFO

L'alignement est une mise en forme qui s'applique aux paragraphes

Lorsque vous choisissez un alignement, la mise en forme s'applique à l'intégralité du paragraphe. Ainsi, la caractéristique ne peut pas concerner un seul mot, mais le paragraphe entier. Il n'est par conséquent pas nécessaire de sélectionner tout le paragraphe pour procéder à cette mise en forme. Il suffit de placer le curseur à l'intérieur du paragraphe concerné.

Insérer des puces au début des paragraphes

Les puces sont généralement appliquées aux paragraphes qui énumèrent une succession de points importants.

Penser à la clarté dès la saisie

1 L'une des possibilités pour créer ces listes à puces consiste à employer la mise en forme automatique. Pour cela, tapez votre phrase en la faisant précéder, par exemple, d'un astérisque suivi d'un espace. Une fois la saisie de la phrase terminée, appuyez sur **Entrée**. Word se charge du reste à votre place.

- Cliquez avec le bouton droit sur le raccourci. Choisissez la commande Propriétés dans le menu contextuel.
- Ajoutez les paramètres dans la ligne Cible. Pour démarrer Word sans document vierge, ajoutez un espace et le paramètre /n.

2 Si vous commencez le paragraphe par un tiret suivi d'un espace, ce tiret se transforme automatiquement en un gros symbole de liste dès que vous appuyez sur la touche **Entrée**. Si vous poursuivez simplement votre saisie et appuyez une nouvelle fois sur **Entrée** à la fin du paragraphe suivant, le même symbole apparaîtra de nouveau. Word met en œuvre la fonction **Puces**, qu'il est par ailleurs possible d'activer dans la barre d'outils. Si vous ne souhaitez plus précéder de puces les paragraphes suivants, appuyez deux fois sur **Entrée**.

Saisir d'abord, mettre en forme ensuite

En revanche, comment procéder si vous désirez appliquer des puces à des paragraphes dont le texte est déjà intégralement tapé ?

Word propose un bouton spécial dans la barre d'outils *Mise en forme* pour cet usage particulier.

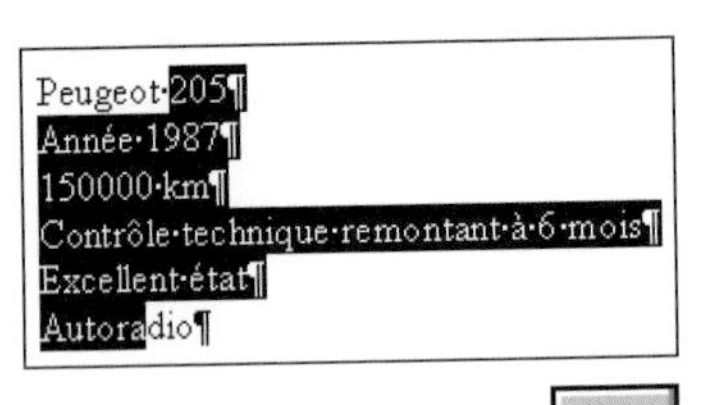

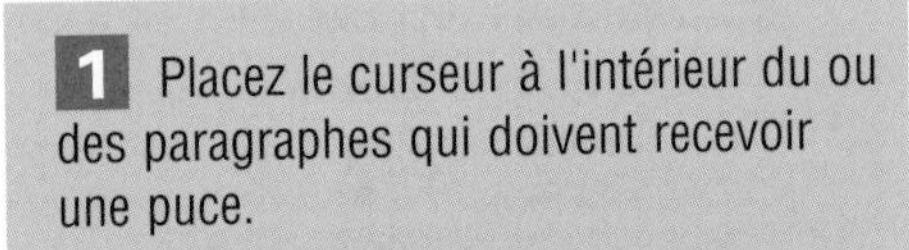

1 Placez le curseur à l'intérieur du ou des paragraphes qui doivent recevoir une puce.

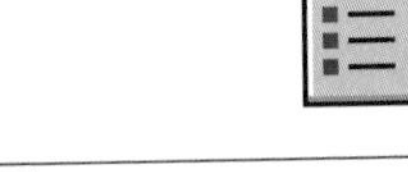

2 Dans la barre d'outils *Mise en forme*, cliquez sur le bouton **Puces**.

3 L'opération est terminée.

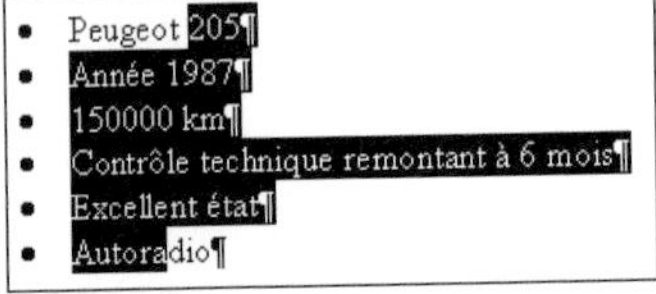

Pour transformer un passage doté d'une puce en un paragraphe normal, il suffit de cliquer une nouvelle fois sur le même bouton. Veillez surtout à ce que le curseur se trouve à l'intérieur du paragraphe concerné !

Personnaliser les puces

Vous pouvez effectivement disposer d'un très grand choix de puces, à condition de connaître l'endroit où elles se trouvent.

1 Cliquez avec le bouton droit de la souris dans un paragraphe commençant par une puce pour activer son menu contextuel.

2 Cliquez sur la commande **Puces et numéros...**

3 Dans la boîte de dialogue qui s'ouvre, vous avez le choix entre six types de puces différents. Si ces variantes ne vous suffisent pas, cliquez sur **Personnaliser.**

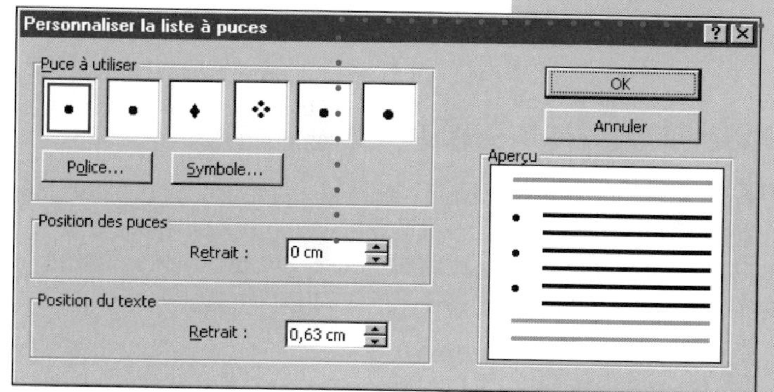

4 Dans la zone inférieure de la boîte de dialogue, vous pouvez définir la position horizontale de la puce et du texte qui la suit. Le bouton **Symbole** est plus intéressant : il permet d'utiliser un autre symbole pour la liste. L'opération est la même que pour insérer un caractère spécial dans le texte.

5 Lorsque vous cliquez sur l'un des symboles présentés dans le tableau, il est agrandi pour vous permettre de savoir exactement ce dont il s'agit. Pour accéder à un plus grand choix, cliquez sur la flèche de la liste déroulante *Police*. Vous pouvez alors visualiser l'ensemble des caractères spéciaux de diverses polices. La police Wingdings vous offre un choix particulièrement original. Sélectionnez le symbole désiré et cliquez sur OK. Le symbole ainsi choisi est alors intégré dans le groupe des six de la boîte de dialogue **Personnaliser la liste à puces**, et il y sera désormais disponible en permanence.

6 Vous pouvez ensuite modifier la taille et la couleur des points (par un clic sur le bouton **Police...**).

7 Fermez les deux boîtes de dialogue en cliquant chaque fois sur OK.

Numéroter automatiquement les paragraphes

Pour la numérotation automatique, le principe est le même que pour les listes à puces. Il suffit de taper un numéro suivi d'un espace pour que Word s'empresse d'appliquer automatiquement la bonne mise en forme, aussitôt que vous aurez appuyé sur **Entrée**. Mais comment appliquer une numérotation sur un texte déjà tapé ?

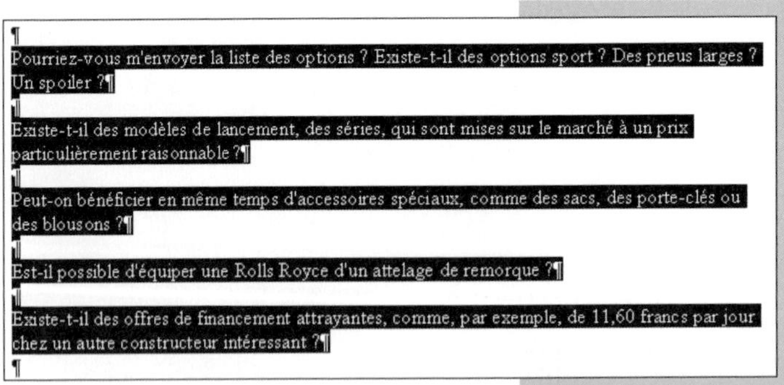
¶
Pourriez-vous m'envoyer la liste des options ? Existe-t-il des options sport ? Des pneus larges ? Un spoiler ?¶
¶
Existe-t-il des modèles de lancement, des séries, qui sont mises sur le marché à un prix particulièrement raisonnable ?¶
¶
Peut-on bénéficier en même temps d'accessoires spéciaux, comme des sacs, des porte-clés ou des blousons ?¶
¶
Est-il possible d'équiper une Rolls Royce d'un attelage de remorque ?¶
¶
Existe-t-il des offres de financement attrayantes, comme, par exemple, de 11,60 francs par jour chez un autre constructeur intéressant ?¶
¶

1 Sélectionnez le paragraphe à numéroter.

2 Dans la barre d'outils *Mise en forme*, cliquez sur le bouton **Numérotation**.

¶
1. Pourriez-vous m'envoyer la liste des options ? Existe-t-il des options sport ? Des pneus larges ? Un spoiler ?¶
¶
2. Existe-t-il des modèles de lancement, des séries, qui sont mises sur le marché à un prix particulièrement raisonnable ?¶
¶
3. Peut-on bénéficier en même temps d'accessoires spéciaux, comme des sacs, des porte-clés ou des blousons ?¶
¶
4. Est-il possible d'équiper une Rolls Royce d'un attelage de remorque ?¶
¶
5. Existe-t-il des offres de financement attrayantes, comme, par exemple, de 11,60 francs par jour chez un autre constructeur intéressant ?¶
¶

3 Le résultat doit ressembler à l'illustration ci-contre.

Comme pour les listes à puces, pour supprimer les numéros et la mise en forme, sélectionnez une nouvelle fois les paragraphes et cliquez sur le bouton **Numérotation**.

INFO

Interrompre la numérotation

Vous pouvez même interrompre provisoirement la numérotation pour quelques paragraphes à l'intérieur d'une liste numérotée. Sélectionnez ces paragraphes et cliquez sur le bouton *Numérotation*. La numérotation des paragraphes sélectionnés disparaît et elle reprend, au numéro où elle a été interrompue, au paragraphe suivant.

Vous obtenez davantage de variantes de mise en forme pour les numéros en choisissant la commande **Puces et numéros...** dans le menu contextuel d'un paragraphe numéroté. Dans la boîte de dialogue **Puces et numéros**, choisissez de nouveau **Personnaliser** pour accéder à une autre boîte de dialogue. Vous pouvez alors notamment initialiser la numérotation à un chiffre différent de 1 et modifier l'espacement entre le numéro et le reste du texte.

La coupure de mots

Notez que si vous n'utilisez pas la coupure de mots, vous risquez de voir apparaître de grands espaces entre les mots d'un paragraphe justifié.

2. Existe-t-il des modèles de lancement, des séries, mises sur le marché à un prix particulièrement raisonnable ?¶

À quoi sert la coupure de mots ? Si vos paragraphes sont justifiés, l'écart entre les mots peut, dans certains cas, devenir trop important. Cela est dû au fait que Word renvoie à la ligne un mot qui ne peut être inclus entièrement sur la ligne courante. L'espacement entre les mots est ainsi tellement rallongé que les lignes ne sont jamais bien remplies. Si vos paragraphes sont alignés à gauche, un problème différent se pose : les lignes sont de longueurs variables, elles "flottent".

Après la coupure de mots, le tout semble mieux équilibré.

2. Existe-t-il des modèles de lancement, des séries, mises sur le marché à un prix particulièrement raisonnable ?¶

Dans les deux cas, une seule solution permet de corriger cet effet inélégant : les mots qui ne peuvent pas tenir en entier sur la ligne doivent être coupés.

Coupure de mot automatique

La méthode la plus rapide et la plus simple consiste à laisser Word couper les mots automatiquement. La coupure de mots automatique fonctionne correctement, et le taux d'erreurs est faible. Bien sûr, pour les documents importants, vous devez effectuer une dernière vérification du texte avant sa sortie et corriger les coupures le cas échéant. La coupure automatique est appliquée en ligne : lors de la frappe ou de la mise en forme, la coupure des mots est vérifiée en permanence et, si nécessaire, ajustée.

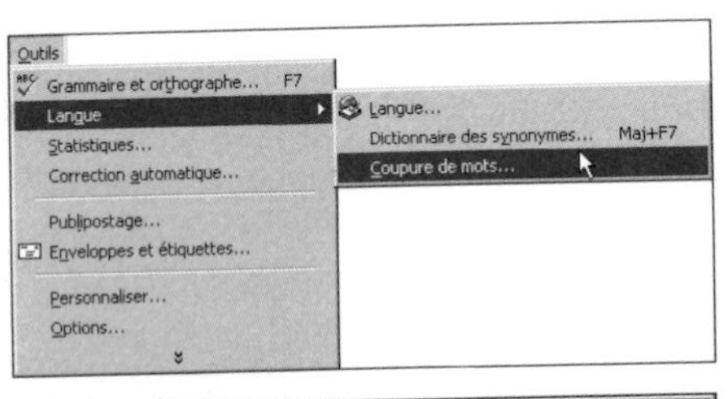

1 Ouvrez le menu **Outils** et placez le pointeur sur la commande **Langue**. Dans le sous-menu qui s'affiche, cliquez sur la commande **Coupure de mots**.

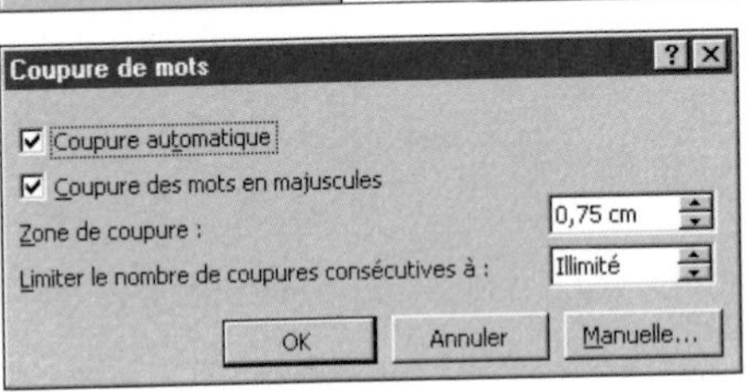

2 Activez l'option *Coupure automatique* et confirmez par OK. Word se charge alors de la coupure de mots à l'arrière-plan.

La boîte de dialogue **Coupure de mots** offre les possibilités de configuration suivantes.

- Case à cocher *Coupure automatique* : active la coupure de mots automatique en cours de saisie.
- Case à cocher *Coupure de mots en majuscules* : lorsque cette option est activée, les mots en majuscules sont également coupés.
- Zone de saisie *Zone de coupure* : cette option est intéressante pour les paragraphes alignés à gauche. La zone de coupure se trouve du côté de la marge droite de votre page, et un mot qui dépasse dans cette zone n'est pas coupé, mais renvoyé en entier sur la ligne suivante. En d'autres termes, plus la valeur est petite, plus le nombre de mots à couper est grand.
- Zone de saisie *Limiter le nombre de coupures consécutives à* : définit le nombre de lignes consécutives pouvant comporter des coupures.

Coupure de mot manuelle

Si vous désirez effectuer un travail précis, la solution conseillée est la coupure de mots après confirmation. Dans ce cas, Word s'arrête sur chaque mot concerné et sollicite votre avis sur l'opportunité ou non de procéder à sa coupure. Vous pouvez éventuellement décider d'effectuer une coupure vous-même, à un endroit de votre choix. Il est par ailleurs possible de sélectionner des passages particuliers auxquels doit s'appliquer la coupure.

Si vous désirez appliquer la fonction à l'intégralité de votre texte, la position initiale du point d'insertion importe peu lorsque vous engagez le processus de coupure. Parvenu à la fin du texte, Word constate que le processus a commencé au milieu et revient automatiquement au début du document pour achever son action.

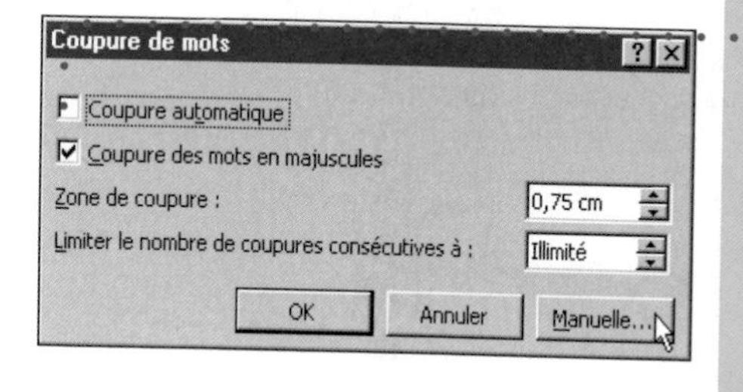

1 Ouvrez le menu **Outils** et placez le pointeur sur la commande **Langue**. Dans le sous-menu qui s'ouvre, cliquez sur **Coupure de mots.**

2 L'option *Coupure automatique* ne doit pas être activée. Les autres options de la boîte de dialogue peuvent s'appliquer aussi bien à la coupure manuelle qu'à la coupure automatique. Cliquez sur le bouton **Manuelle.**

3 Le premier mot à couper est trouvé, il est affiché dans la zone *Couper à* et est décomposé en syllabes. Le curseur clignote à l'endroit où Word désire insérer un trait de division. Vers la droite du mot, vous apercevez un trait fin vertical qui indique les lettres qui peuvent encore tenir sur la ligne. Si vous entrevoyez une coupure de mot plus pertinente entre le curseur et le trait vertical, placez-vous à cet endroit à l'aide des touches de direction. En revanche, si vous préférez que le mot soit coupé plus à gauche, déplacez-vous dans cette direction à l'aide de la touche correspondante.

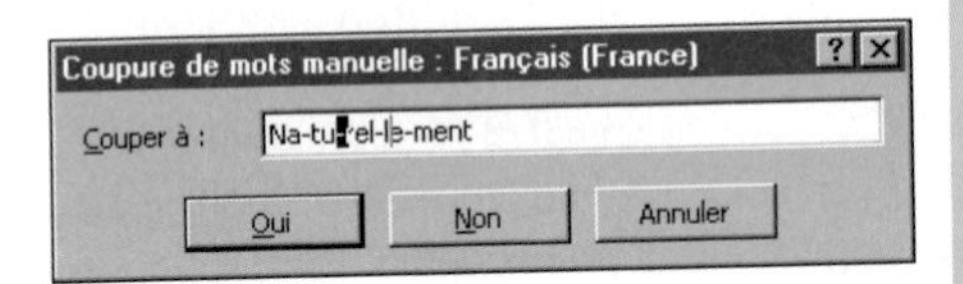

4 Lorsque l'emplacement de la coupure est sélectionné, cliquez sur **Oui**. Si vous renoncez à couper ce mot, cliquez sur **Non**. Dans les deux cas, Word passe au mot à couper suivant.

5 Poursuivez ainsi jusqu'à ce que Word vous indique que la coupure de mots a été appliquée à l'ensemble du document. Vous pouvez parfaitement interrompre la procédure avant d'avoir atteint la fin du texte. Il suffit de cliquer sur **Annuler**.

INFO

Les traits de division placés par le programme de coupure de mots sont conditionnels

La raison est la suivante : ils ne sont pas affichés si, à la suite d'une saisie de texte ou d'une modification de mise en forme, ils se retrouvent au milieu de la ligne.

Utiliser les styles fournis en standard

Lorsque des cascades d'attributs de mise en forme sont prévues pour s'appliquer à plusieurs paragraphes, le temps consacré à les mettre en place de façon répétée peut devenir trop important.

Dans de tels cas, l'utilisation des styles est judicieuse. Les attributs d'un paragraphe, comme la police, la taille de police, les retraits, les espacements, etc., sont enregistrés sous un même nom et peuvent ainsi être appelés d'un seul coup, à tout moment.

Appliquer un style

Certains styles se trouvent déjà directement à votre disposition.

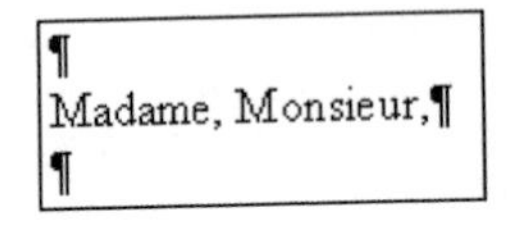

1 Cliquez dans le paragraphe que vous désirez mettre en forme à l'aide de l'une de ces fonctions.

2 Cliquez sur la flèche de la liste déroulante *Style* dans la barre d'outils *Mise en forme* pour accéder aux différents styles automatiques déjà existants.

3 Dans cette liste, choisissez l'un des styles en cliquant dessus. À titre d'exemple, testez *Titre1*.

4 Vous constatez que ce simple clic de souris a suffi pour appliquer au paragraphe toute une série de caractéristiques. Parmi elles, une nouvelle taille de police et un autre style, de même que des espacements différents.

Si vous ne voulez pas laisser le paragraphe ainsi, rétablissez simplement le style Normal. La commande la plus rapide pour obtenir cet effet consiste à appuyer sur la combinaison de touches **Ctrl+Maj+N**. Si vous préférez utiliser la souris, cliquez de nouveau sur la flèche de la liste déroulante *Style* et choisissez le style Normal. Vous constatez ainsi que l'application d'un style n'a aucun caractère définitif. Il est possible de remplacer un style par un autre à tout moment et aussi souvent que vous le désirez.

La liste déroulante affiche toujours le nom du style appliqué au paragraphe dans lequel se trouve le curseur. Si vous cliquez dans un paragraphe sur lequel vous n'êtes pas intervenu, c'est le style Normal, alloué par défaut, qui apparaît dans la liste. Ce style appartient à l'équipement de base de Word et il est choisi spontanément à chaque paragraphe dès la création d'un nouveau fichier. La mise en forme par défaut est la suivante : police Times New Roman en 10 pt, aligné à gauche et sans aucun espacement avant et après. Vous découvrirez par la suite comment modifier ces caractéristiques.

INFO

L'application des styles ne se limite pas à un seul paragraphe

Un style s'applique à tous les passages de texte sélectionnés, quel que soit leur nombre. Puisque les styles sont des attributs de paragraphes, vous n'êtes pas obligé d'en sélectionner un en entier pour sa mise en forme. Le curseur peut en effet se trouver à un emplacement quelconque, et le style s'applique alors à l'ensemble du paragraphe.

Autres avantages des styles

Outre la mise en forme rapide, les styles présentent un avantage à plus long terme : à l'impression de votre document, vous remarquez que les titres intermédiaires sont trop gros. Sans les styles, il faudrait les rechercher un à un et modifier individuellement leur mise en forme, même si votre document contient des dizaines de pages et que les titres à modifier reviennent plusieurs fois dans une page. Si vous avez travaillé avec les styles, votre travail est considérablement simplifié : puisque le paragraphe est lié au style de manière fixe, il suffit de procéder à une modification unique du style. Tous les paragraphes de votre document auxquels il s'applique sont alors mis à jour en conséquence.

INFO

Les situations où les styles sont précieux

Lorsque vous écrivez une courte lettre d'information destinée à un correspondant unique (trois paragraphes sans mise en forme particulière), il n'est pas nécessaire d'utiliser un style. Il en va tout autrement s'il devient prévisible qu'un certain type de paragraphe apparaîtra fréquemment dans un document, ou si vous êtes amené à rédiger fréquemment ce type de document. Le recours aux styles est alors judicieux. Il est particulièrement recommandé de les utiliser pour les textes longs, comme les comptes rendus de réunions ou les mémoires.

Trouver le style qui convient parmi plus de cent modèles fournis

Avant de commencer à créer le vôtre, examinez d'abord les styles automatiques fournis : il y en a plus de cent ! Vous y trouverez peut-être quelques mises en forme que vous pourrez utiliser telles quelles. Voici comment accéder à ces styles :

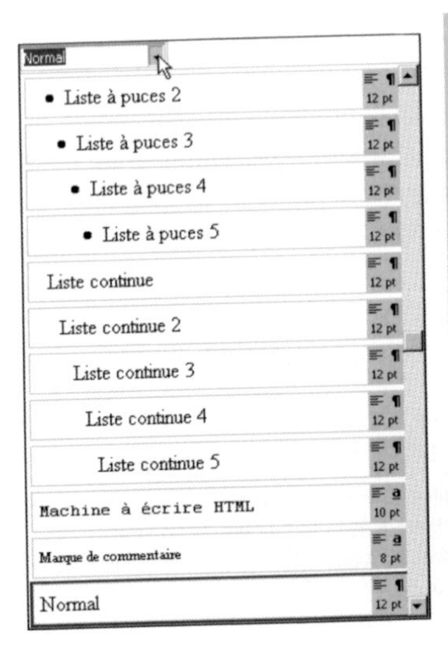

1 En maintenant la touche **Maj** enfoncée, cliquez sur la flèche de la liste déroulante *Style* dans la barre d'outils *Mise en forme*.

2 Comme vous le constatez, la liste s'est considérablement rallongée. Cliquez sur le style de votre choix. Dès que vous appliquez un style une fois, il est enregistré dans votre document et apparaît également dans la liste normale des styles.

Personnaliser un style

Si, dans la liste des styles, vous ne trouvez pas exactement ce que vous recherchez, modifiez celui qui se rapproche le plus de vos souhaits. Vous pouvez d'ailleurs modifier ultérieurement les styles que vous avez créés vous-même.

Pour mettre en forme le corps du texte, il convient de modifier dès le début le style *Normal* déjà appliqué.

Madame, Monsieur,¶
¶
Noblesse oblige, je caresse l'idée d'acquérir une Rolls Royce depuis un certain temps. Naturellement, je ne veux pas acheter les yeux fermés ; pour cette raison, je suis à la recherche de documentation.¶

Madame, Monsieur,¶
¶
Noblesse oblige, je caresse l'idée d'acquérir une Rolls Royce depuis un certain temps. Naturellement, je ne veux pas acheter les yeux fermés ; pour cette raison, je suis à la recherche de documentation.¶

1 Sélectionnez un paragraphe et appliquez-lui le style qui correspond le mieux à vos souhaits.

2 Mettez ensuite ce paragraphe en forme de manière à ce qu'il réponde exactement à vos attentes. Vous pouvez utiliser aussi bien les boutons situés dans la barre d'outils *Mise en forme* que les commandes **Police** et **Paragraphe** du menu **Format**. Choisissez simplement la méthode la plus rapide. Pour mettre en forme les caractères, sélectionnez le paragraphe entier, puis appliquez la police. Lors de la mise en forme du paragraphe, comme à l'ordinaire, l'emplacement du curseur n'a aucune importance.

3 Observez la liste des styles : bien que vous ayez procédé à une mise en forme modifiée du paragraphe, le nom du style initial y figure toujours. En effet, vous devez maintenant enregistrer dans le style les attributs que vous venez d'appliquer.

4 Pour modifier la mise en forme des caractères, vous devez sélectionner le paragraphe entier. Pour les autres attributs, il suffit de placer le point d'insertion quelque part à l'intérieur du paragraphe.

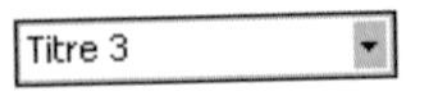

5 Cliquez sur le style dans la liste déroulante correspondante. Appuyez sur **Entrée** ou cliquez quelque part dans la fenêtre d'édition.

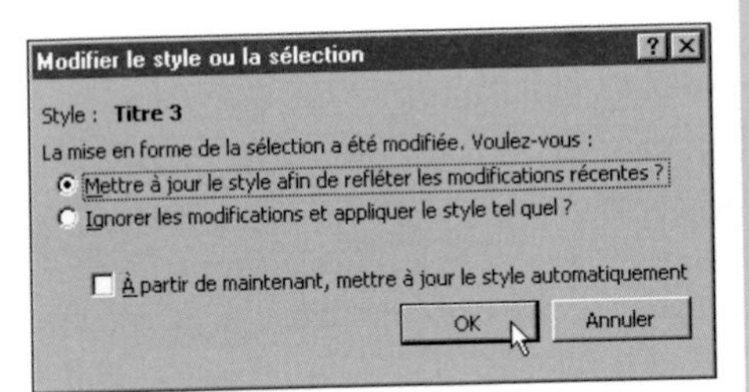

6 Word vous présente une alternative sous la forme d'une boîte de dialogue. Comme vous désirez effectivement redéfinir le style sur la base du paragraphe pris en exemple, cliquez sur OK. Les propriétés du paragraphe directement mis en forme seront enregistrées dans le style.

Créer son propre style

Il peut arriver que vous ne trouviez aucun style automatique qui soit suffisamment proche de ce que vous souhaitez. Vous pouvez également trouver trop fastidieux de parcourir toute la liste à la recherche d'un style automatique qui ne vous conviendra finalement que modérément. Dans ce cas, la solution est d'en créer un.

Remarque : → En plus d'un financement intéressant, une condition supplémentaire à l'acquisition d'une Rolls serait un bon prix pour la reprise de mon véhicule actuel. Voici les informations nécessaires : ¶

1 Sélectionnez le paragraphe que vous désirez prendre comme exemple pour votre nouveau style.

Remarque : → En plus d'un financement intéressant, une condition supplémentaire à l'acquisition d'une Rolls serait un bon prix pour la reprise de mon véhicule actuel. Voici les informations nécessaires : ¶

2 Mettez en forme le paragraphe avec les attributs désirés.

Remarque

3 Cliquez de nouveau sur le nom du style dans la liste déroulante, effacez l'ancien nom et remplacez-le par un nouveau.

4 Dès que vous appuyez sur **Entrée**, le nom du nouveau style apparaît dans la zone de style, à gauche du premier paragraphe. Le style est définitivement créé.

Modifier et corriger un texte à l'aide des fonctions automatiques

Lorsque vous aurez acquis une certaine aisance dans la rédaction de documents Word, vous en viendrez à écrire des textes longs. Le besoin de réaliser les opérations les plus courantes de façon automatique se fera alors ressentir. La recherche du nom "Martin" sur une seule page peut se faire manuellement. En revanche, si votre document est long de dix ou de quinze pages, la même tâche devient plus ardue. Il ne serait pas non plus désagréable de voir ses fautes de frappe les plus fréquentes ("dse" à la place de "des", par exemple) se corriger d'elles-mêmes.

Effacer les passages de texte sélectionnés

Toute médaille ayant son revers, les possibilités de correction décrites au premier chapitre, ainsi que d'autres, sont souvent réellement pratiques, mais peuvent devenir dans certains cas très gênantes.

Vous pouvez effectuer un paramétrage qui permet d'écraser les passages de texte sélectionnés :

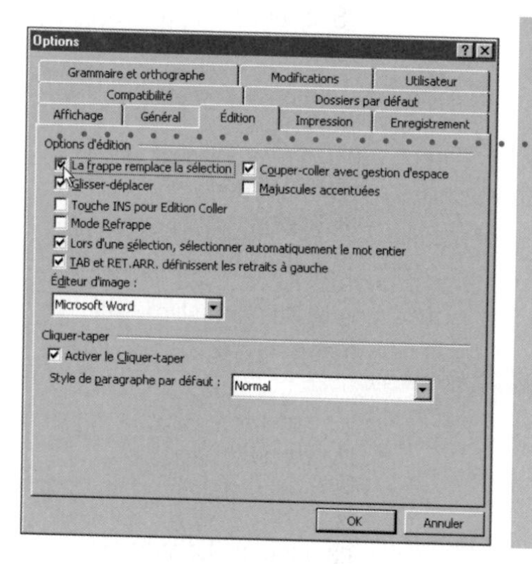

1 Après avoir sélectionné **Outils/ Options**, activez l'onglet **Édition**.

2 Activez l'option *La frappe remplace la sélection.* Avec ce paramétrage, un passage de texte sélectionné sera écrasé dès que vous saisirez la première lettre du nouveau mot : vous faites ainsi l'économie d'une suppression fastidieuse.

Attention ! Si cette fonction est active à votre insu, certains effets pervers peuvent se produire, difficiles à comprendre au premier abord. Supposez que vous vouliez insérer un paragraphe vide devant un passage sélectionné par hasard. Vous appuyez sur la touche **Entrée** et vous obtenez bien un paragraphe vide, mais celui qui était précédemment sélectionné a disparu par la même occasion. Cela n'est bien sûr pas irréparable (la fonction **Annuler** existe justement pour cela !), à condition que vous vous en aperceviez à temps.

Rechercher et remplacer

Dans votre lettre, vous avez mal orthographié "Rolls Royce" au lieu de quoi vous avez tapé "Rols Royce". Sans outil adapté, il vous faudrait rechercher individuellement toutes les occurrences de ce nom à l'écran ou sur la feuille imprimée, déplacer le curseur devant chacune d'elles et effectuer la même correction de façon répétitive. Pour des textes longs, cette opération devient laborieuse et source de multiples erreurs.

Pour automatiser ce type de processus, Word vous offre les commandes **Rechercher** et **Remplacer** dans le menu **Edition**. La commande **Rechercher** permet de définir une chaîne de caractères, et le programme en localise toutes les occurrences dans le texte. **Remplacer** est en quelque sorte sa fonction sœur. Elle vous permet, une fois trouvée une occurrence du mot recherché, d'effectuer la correction qui s'impose. Pour simplifier, étant donné que la fonction de recherche fait partie intégrante de la fonction **Remplacer**, nous ne vous présentons ici que cette dernière :

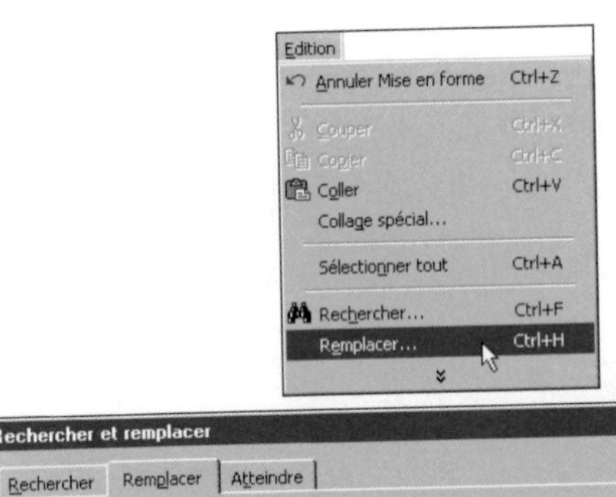

1 Dans le menu **Edition**, cliquez sur la commande **Remplacer.**

2 Dans la zone de saisie *Rechercher:*, tapez le texte à corriger. En cas d'erreur, utilisez les touches **Suppr** ou **Retour arrière**.

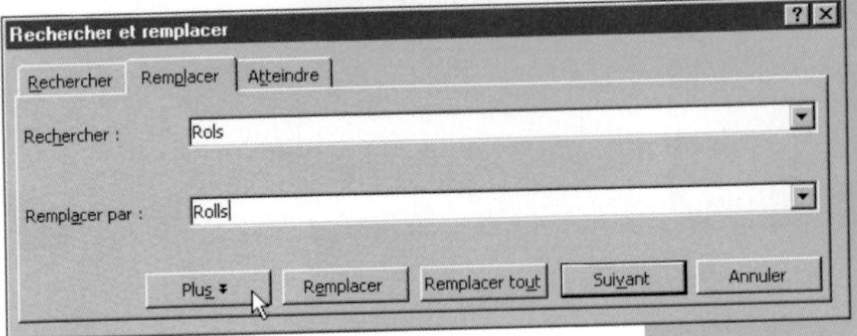

3 Déplacez-vous dans la zone de saisie *Remplacer par:* à l'aide de la souris ou de la touche **Tab** et tapez le mot avec son orthographe correcte.

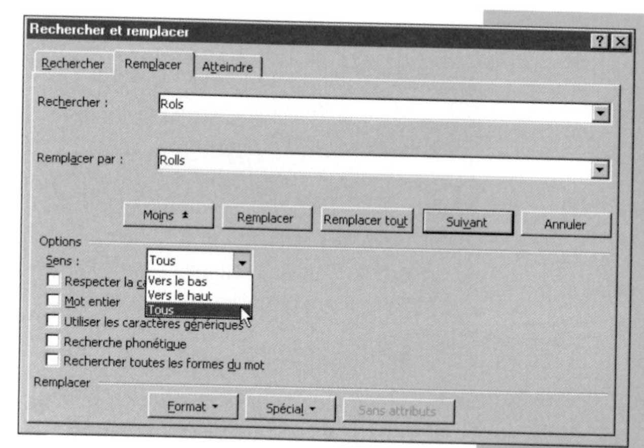

4 Cliquez sur le bouton **Plus** et, à l'aide de la liste déroulante *Sens:*, déterminez la zone de texte concernée par la recherche. En règle générale, la recherche s'applique à l'ensemble du document avec l'option *Tous*. Vous pouvez cependant restreindre la recherche à une seule direction, *Vers le bas* ou *Vers le haut* à partir de l'emplacement actuel du curseur. Si le terme recherché ne figure pas dans le texte, Word vous en informe dans une petite boîte de dialogue.

Une fois que vous avez défini tous les critères, la recherche véritable commence. Vous avez le choix entre demander le remplacement automatique de toutes les occurrences dans le document entier (c'est rapide) ou imposer une confirmation du remplacement. Dans ce second cas, pour chaque mot trouvé, c'est à vous de décider de le remplacer ou de le garder. Le remplacement avec confirmation s'impose, par exemple, si le mot recherché a deux orthographes possibles et si une seule des deux doit être remplacée, la seconde devant être conservée telle quelle.

5 Pour effectuer le remplacement sans confirmation, cliquez sur le bouton **Remplacer tout**. Le processus se poursuit automatiquement. À la fin, vous obtenez une indication du nombre de remplacements effectués.

6 Pour procéder en toute sécurité, cliquez sur le bouton **Suivant**. Word vous présente immédiatement la première occurrence trouvée. Vous devez alors décider de la suite : si vous cliquez sur **Suivant**, le mot trouvé est conservé et l'occurrence suivante est recherchée ; si vous cliquez sur **Remplacer**, le mot est remplacé et la recherche se poursuit de la même manière. Le bouton **Remplacer tout**, pour remplacer toutes les occurrences en une seule fois, reste toujours à votre disposition.

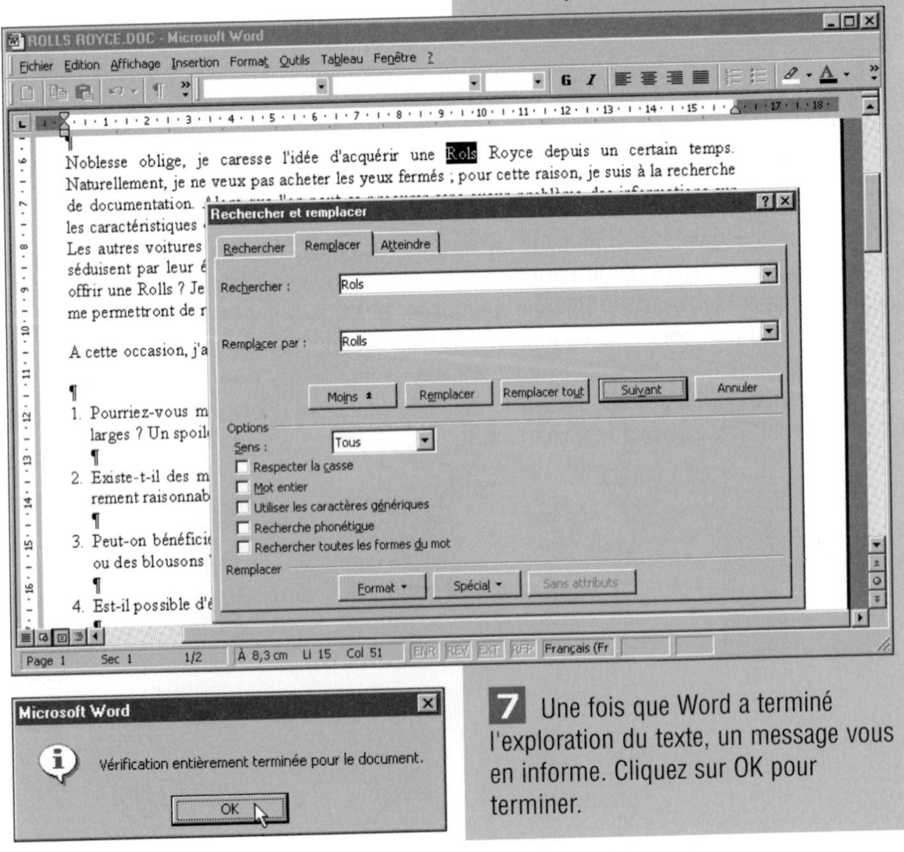

7 Une fois que Word a terminé l'exploration du texte, un message vous en informe. Cliquez sur OK pour terminer.

INFO

Ce que vous devez encore savoir...

Lorsque la boîte de dialogue *Rechercher et remplacer* est ouverte, vous pouvez cliquer à tout moment dans le texte situé à l'arrière-plan et y apporter des modifications. Un clic dans la boîte de dialogue l'active de nouveau.

Si vous laissez vide la zone *Remplacer par:*, le texte trouvé sera effacé.

Affiner la recherche

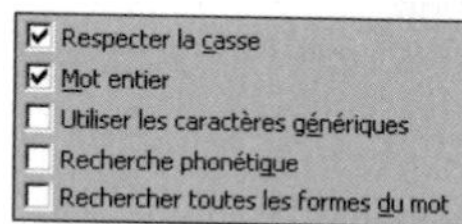

Nous vous présentons ici les deux principaux critères permettant d'affiner la recherche.

Case d'option Respecter la casse

Par un clic sur la case à cocher *Respecter la casse*, vous indiquez à Word de ne rechercher que les mots qui correspondent exactement à celui que vous avez saisi, et plus particulièrement en ce qui concerne l'usage des majuscules et des minuscules. Avec cette case activée, le mot "rols", par exemple, ne sera pas sélectionné.

Case d'option Mot entier

Si la case à cocher *Mot entier* est activée, le critère de recherche sera trouvé uniquement en tant que mot. Si vous recherchez le mot "et" alors que cette case n'est pas activée, cette chaîne de caractères sera également trouvée dans des mots tels que "petit", "tiret", "cette", etc. Dans notre exemple, cette case ne doit pas nécessairement être activée.

Grâce à la possibilité d'inclure dans la recherche des propriétés de mise en forme, la commande de recherche peut se faire plus précise encore. Même les utilisateurs les plus exigeants trouveront toujours les passages qu'ils recherchent, en combinant astucieusement les diverses options. À l'aide des options qui se cachent derrière le bouton **Format** de la boîte de dialogue **Rechercher et remplacer**, vous pouvez rechercher des expressions ou des mots dotés de certains attributs de mise en forme.

La correction automatique du texte

Lorsque vous saisissez du texte, il vous arrive peut-être de commettre systématiquement les mêmes fautes de frappe. Vous tapez, par exemple, invariablement dse au lieu de des, ou dnas au lieu de dans. Peut-être avez-vous remarqué que Word corrige automatiquement ces erreurs, presque à votre insu, avant même que vous n'ayez terminé la saisie du mot suivant. Cette fonction magique a pour nom **Correction automatique**. Elle repose sur une liste d'erreurs fréquentes, intégrée en standard dans Word, qu'elle repère et corrige au cours de votre saisie. Bien entendu, cette liste est modifiable, et vous pouvez y insérer vos fautes les plus courantes.

Compléter la liste des corrections

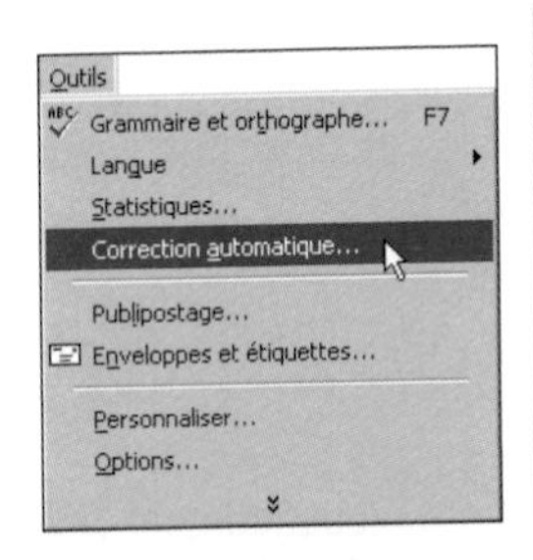

1 Ouvrez le menu **Outils** et cliquez sur la commande **Correction automatique**.

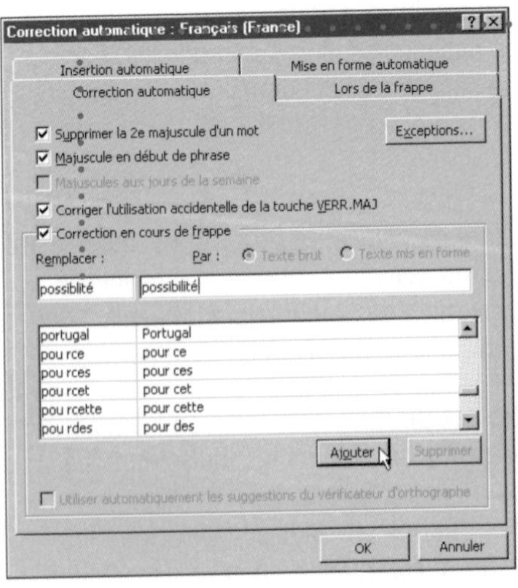

2 Dans la zone de saisie *Remplacer:*, tapez le mot erroné et dans la zone *Par:*, le mot corrigé.

3 Cliquez sur **Ajouter**. Vous pouvez enregistrer dans la liste autant de mots que vous le souhaitez, puis la fermer par un clic sur OK.

Affiner la Correction automatique

La case à cocher *Correction en cours de frappe* dans la boîte de dialogue **Correction automatique** doit bien sûr être activée pour que le tout fonctionne comme nous venons de le décrire.

Les paramètres suivants sont également intéressants.

Case d'option Supprimer la 2e majuscule du mot

Si vous avez commencé par mégarde un mot par deux majuscules, la fonction *Supprimer la 2e majuscule du mot* change automatiquement la seconde majuscule en une minuscule. Inconvénient : vous rencontrerez quelques difficultés pour écrire certains sigles.

Case d'option Majuscule en début de phrase

Si vous tapez rapidement, vous omettez peut-être souvent la majuscule en début de phrase. L'option *Majuscule en début de phrase* y remédie. Inconvénient : après des abréviations comme "etc.", la minuscule est indûment modifiée.

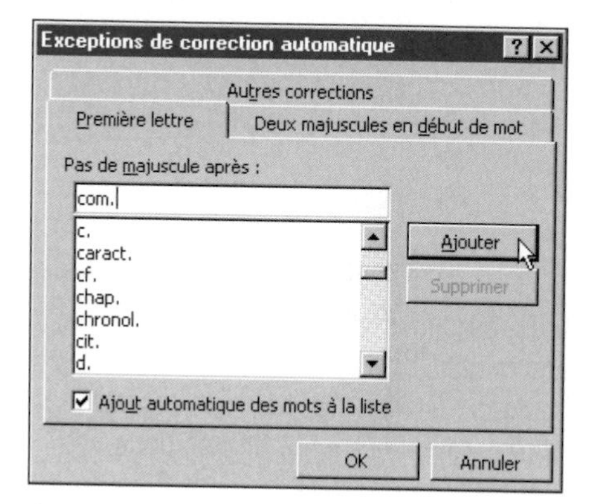

Pour éviter les inconvénients que présentent ces deux options, vous pouvez définir des exceptions à l'aide du bouton du même nom. Sous l'onglet **Première lettre**, définissez les abréviations avec lesquelles vous travaillez souvent, afin que l'initiale du mot suivant ne soit pas systématiquement en majuscule. Sous l'onglet **Deux majuscules en début de mot**, indiquez les mots qui commencent par plusieurs majuscules, afin qu'ils soient laissés tels quels. Vous trouverez déjà un grand nombre d'exceptions prédéfinies, comme les abréviations courantes "chap." et "suppl."

Si vous désirez effacer un terme de la liste, sélectionnez-le et cliquez sur le bouton **Supprimer**.

La Correction automatique comme aide à la saisie

Il est possible que certains mots longs ou difficiles à écrire (comme superfétatoire, anticonstitutionnellement ou Charles-Henri de la Renardière) reviennent souvent dans certains de vos documents. Et, systématiquement, deux ou trois fautes apparaissent dans le mot. La correction automatique vous épargne ce supplice. À l'avenir, pour remplacer "culture crétoise-mycénienne", tapez un raccourci prédéfini ("ccm" par exemple) et le mot exact s'écrit tout seul pendant que vous poursuivez votre frappe.

☑ Correction en cours de frappe
Remplacer : Par : ◉ Texte brut ○ Texte mis en forme
ccm | culture crétoise-mycénienne

Pour compléter la liste, procédez de la même manière que précédemment : tapez votre raccourci (par exemple, "ccm") dans la zone de saisie *Remplacer:* et dans la zone *Par:*, saisissez le terme entier (par exemple, "culture crétoise-mycénienne").

INFO

Comment enregistrer le terme directement dans la zone Par:

Sélectionnez le mot correctement écrit dans le texte et choisissez ensuite la commande *Outils/ Correction automatique*. Le mot est alors automatiquement reporté dans la zone *Par:*. Si vous procédez ainsi, vous avez le choix entre *Texte brut* et *Texte mis en forme*. Cette dernière option conserve la mise en forme de caractères du texte sélectionné et, par la suite, il sera inséré avec cette même présentation. Par conséquent, ne choisissez cette option que lorsqu'un mot doit réellement toujours apparaître en italique dans le texte, par exemple.

L'Insertion automatique : des formules à la demande

Dans les courriers professionnels ou administratifs, certaines formules sont incontournables. Il peut s'agir, par exemple, de "Nous avons le plaisir de vous communiquer" ou de "Veuillez agréer, Monsieur, mes sincères salutations". Grâce à Word, vous pouvez échapper à la corvée qui consiste à saisir systématiquement la même phrase dans vos documents.

En effet, la fonction **Insertion automatique** vous permet d'enregistrer ces formules et de les insérer ensuite à l'emplacement de votre choix dans tous les documents que vous créerez. Pourquoi ne pas en profiter pour garder en mémoire les adresses complètes de vos principaux correspondants ? En général, tout passage de texte peut devenir une insertion automatique, quelle que soit sa longueur. Vous pouvez, par ailleurs, stocker de cette façon des images ou des dessins.

Cette fonction est d'autant plus intéressante qu'elle permet d'enregistrer le texte avec ses propriétés de mise en forme intégrées.

Créer des insertions automatiques

Voici la procédure à suivre pour créer des insertions automatiques :

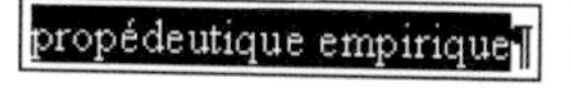

1 Sélectionnez l'élément de texte que vous voulez enregistrer dans l'Insertion automatique (ici, "propédeutique empirique"). Si vous désirez enregistrer un paragraphe entier dans l'Insertion automatique, vous devez sélectionner également la marque de paragraphe.

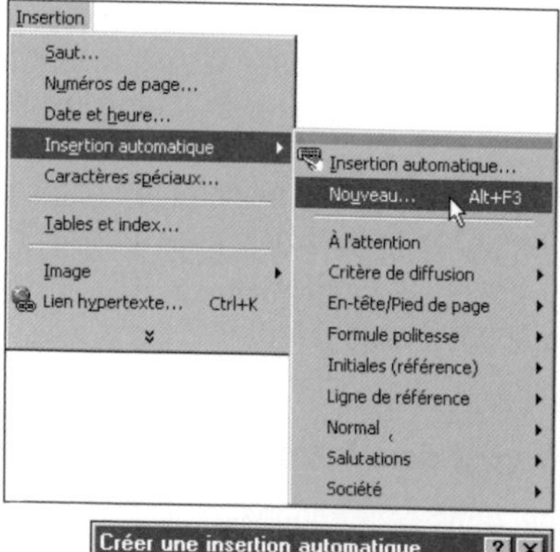

2 Ouvrez le menu **Insertion** et choisissez la commande **Insertion automatique**. Dans le sous-menu qui s'affiche, cliquez sur **Nouveau**.
Une autre méthode pour atteindre cette commande consiste à appuyer directement sur la combinaison de touches **Alt+F3**.
Dans la boîte de dialogue **Créer une insertion automatique** qui apparaît, vous apercevez le début du texte sélectionné (ici, "propédeutique") dans la zone de saisie *Nom de la nouvelle insertion automatique*. Il vous reste à définir un raccourci afin de pouvoir par la suite appeler rapidement cette insertion automatique.

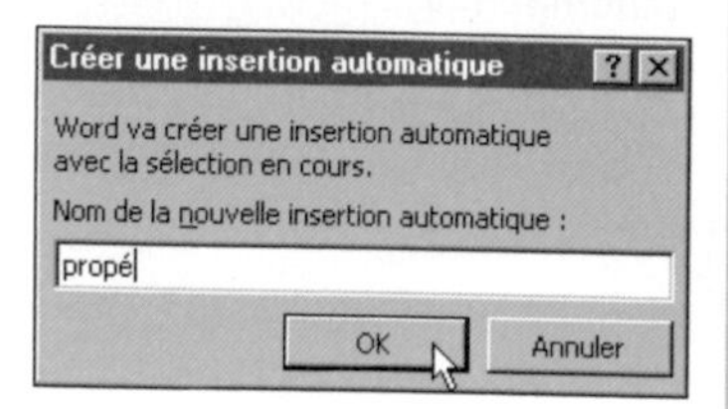

3 Pour cela, remplacez le texte sélectionné par quelques lettres qui désigneront cette insertion automatique. Dans notre exemple, nous avons choisi propé. Attention ! L'entrée peut atteindre 32 caractères et contenir des espaces. Il est cependant conseillé de choisir un nom qui soit à la fois court et significatif.

4 Cliquez sur OK.

Intégrer des insertions automatiques

Il existe deux possibilités pour incorporer des insertions automatiques dans le texte : la touche **F3** ou la commande **Insertion/Insertion automatique**.

La touche F3

1 Placez le curseur à l'endroit où l'insertion automatique doit apparaître.

2 Tapez le raccourci défini pour cette insertion automatique et appuyez sur la touche **F3**.

Pour que cette méthode automatique soit nettement plus rapide que la saisie normale, le raccourci, ou le nom de l'insertion, doit être suffisamment concis et très significatif.

Ainsi, à titre d'exemple, la saisie du raccourci `prop. emp.` est à peine plus rapide que celle de `propédeutique empirique`. Par ailleurs, si vous avez déjà créé un grand nombre d'insertions automatiques, vous retrouverez plus rapidement l'entrée "propédeutique empirique" sous le raccourci "propé" que sous le nom "entrée23".

Si vous ne vous souvenez pas du nom exact de l'insertion

Pour tirer profit de la méthode d'insertion rapide, vous devez connaître le nom exact de l'insertion automatique. Pour celles que vous utilisez moins fréquemment, et dont le nom vous échappe, il faut procéder différemment :.

1 Placez le point d'insertion à l'endroit où l'insertion automatique doit apparaître

2 Choisissez la commande **Insertion/ Insertion automatique**, puis de nouveau la commande **Insertion automatique** dans le sous-menu.

La boîte de dialogue **Correction automatique** s'ouvre, avec l'onglet **Insertion automatique** activé...

3 Dans la liste de sélection, recherchez le raccourci adéquat et sélectionnez-le.

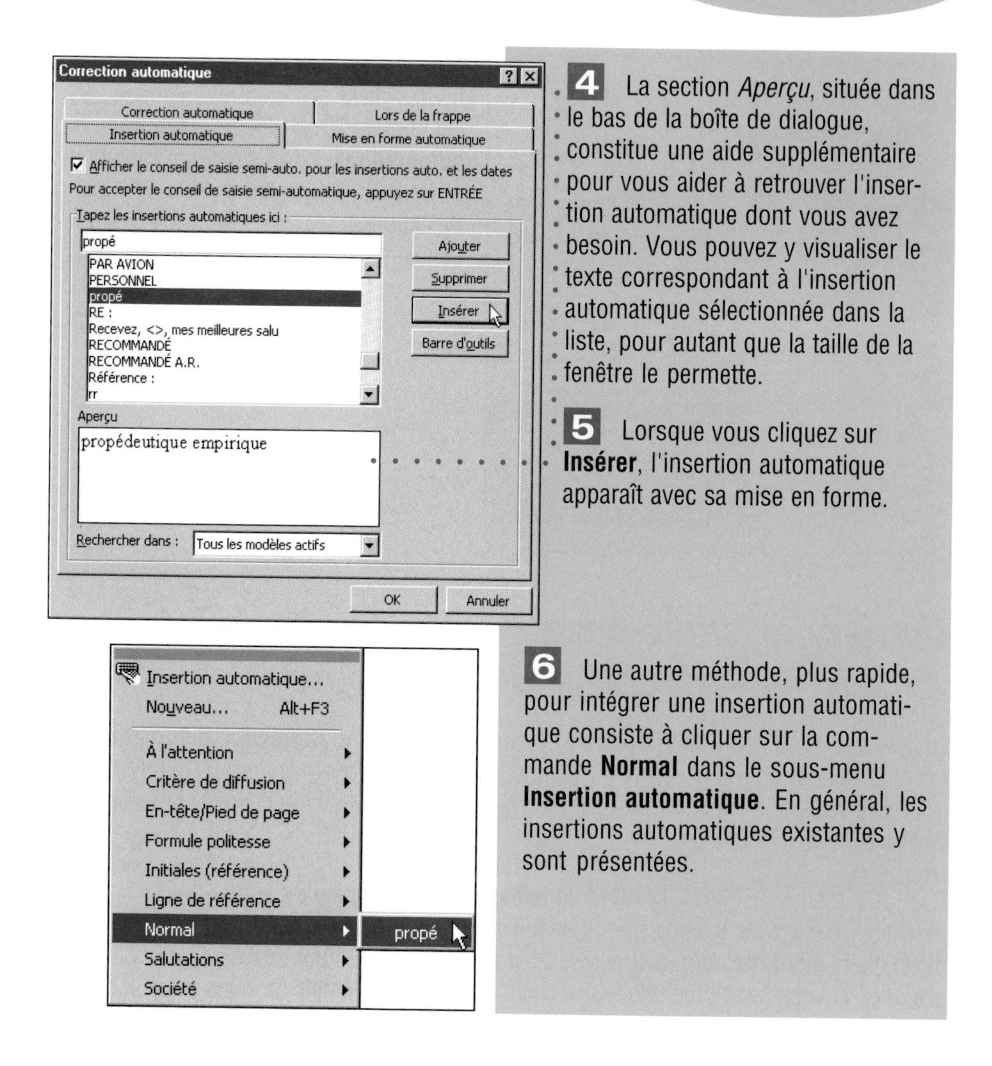

4 La section *Aperçu*, située dans le bas de la boîte de dialogue, constitue une aide supplémentaire pour vous aider à retrouver l'insertion automatique dont vous avez besoin. Vous pouvez y visualiser le texte correspondant à l'insertion automatique sélectionnée dans la liste, pour autant que la taille de la fenêtre le permette.

5 Lorsque vous cliquez sur **Insérer**, l'insertion automatique apparaît avec sa mise en forme.

6 Une autre méthode, plus rapide, pour intégrer une insertion automatique consiste à cliquer sur la commande **Normal** dans le sous-menu **Insertion automatique**. En général, les insertions automatiques existantes y sont présentées.

Insertions automatiques standard

Word vous propose un échantillon varié d'expressions standard, telles que formules de politesse, salutations, en-têtes et pieds de page.

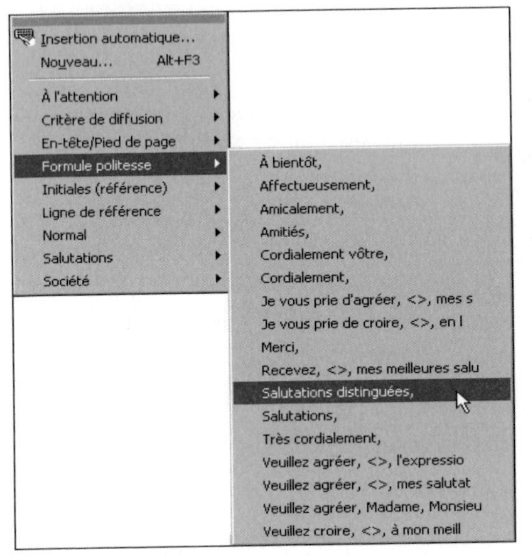

Pour utiliser ces insertions automatiques prêtes à l'emploi, la méthode est simple. Dans le menu **Insertion automatique**, choisissez une catégorie, *Formule politesse* dans notre exemple. Sélectionnez ensuite la formule qui vous convient, *Salutations distinguées,* dans notre cas.

Corriger en profondeur à l'aide du vérificateur d'orthographe

La liste des mots mal orthographiés fournie dans la fonction **Correction automatique** est relativement courte. Il s'agit, en grande partie, d'inversions de lettres courantes. Pour que votre texte soit vérifié en profondeur, faites appel au vérificateur d'orthographe de Word.

Pour effectuer sa vérification, Word se réfère à un dictionnaire incorporé dont il compare les entrées avec le texte saisi. Cependant, le nombre de termes compris dans ce dictionnaire étant restreint, il convient de le compléter. Vous pourrez y intégrer, par exemple, le vocabulaire technique que vous êtes amené à employer dans votre activité professionnelle.

Par ailleurs, vous remarquerez, au cours de vos travaux avec Word, que certains mots, pourtant bien orthographiés, sont signalés comme erronés. Cela signifie tout simplement qu'ils ne sont pas présents dans le dictionnaire intégré. Dans ce cas, il vous faudra les ajouter.

Corriger le texte signalé par des traits rouges ondulés

Intégrez des hperliens vers vos sites preférés à vos pages Web personnelles.

À la suite de votre premier travail avec Word, vous avez sans doute été surpris par l'apparition de lignes ondulées rouges sous certains mots. C'est ainsi que Word vous signale qu'ils sont mal orthographiés.

Intégrez des hperliens vers vos sites preférés à vos pages Web personnelles.
(aucune suggestion)
Ignorer toujours
Ajouter
Langue
Orthographe...

1 Cliquez avec le bouton droit de la souris sur l'un des mots soulignés d'un trait ondulé que vous désirez corriger. Dans le menu contextuel qui s'affiche, Word vous propose une sélection de termes de remplacement. Examinons la première possibilité de notre exemple : Word ne reconnaît pas le mot "hperliens" et ne parvient pas à vous proposer la formulation "hyperliens" qui s'impose. La solution est alors de fermer le menu contextuel (en cliquant ailleurs) et de procéder manuellement à la correction du mot.

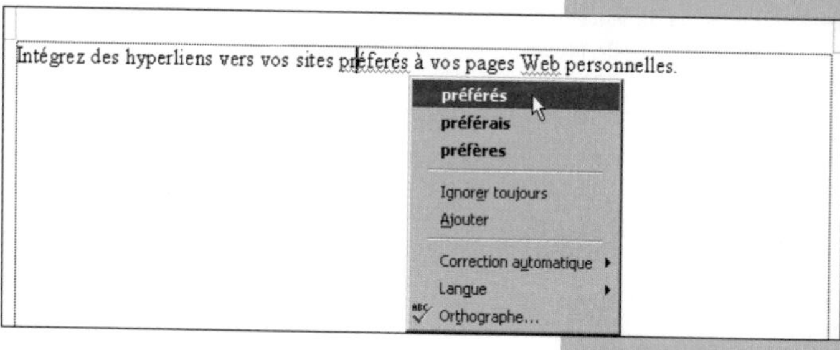

2 Deuxième cas : le mot souligné est incorrect et Word propose la correction adéquate. Cliquez sur le bon terme dans le menu contextuel pour qu'il figure en remplacement du mot incorrect.

3 Troisième cas : le mot souligné par Word est orthographié correctement bien qu'il soit souligné en rouge. Il est donc absent du dictionnaire. Dans ce

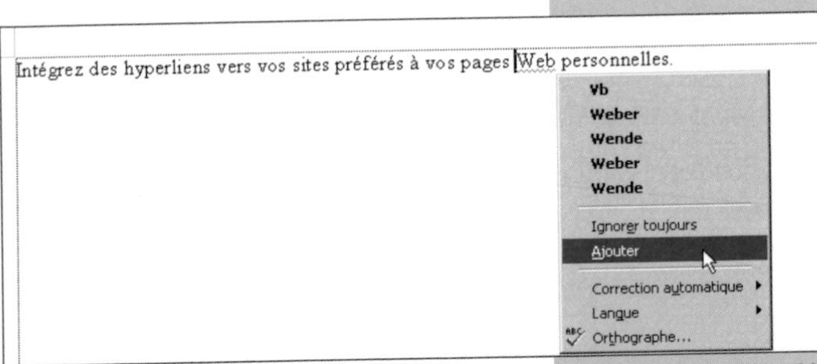

cas, le menu contextuel vous propose la commande **Tout ignorer**, pour que Word cesse de signaler ce mot au cours de cette session de travail, et la commande **Ajouter**, pour que Word l'incorpore dans le dictionnaire.

Lorsque le vérificateur d'orthographe est activé, une icône représentant un dictionnaire apparaît dans la barre d'état. Il suffit de double-cliquer dessus pour passer à la faute d'orthographe suivante.

Par ailleurs, sachez que Word est incapable de détecter les fautes de frappe qui transforment un mot en un autre. Si vous saisissez, par exemple, `sable` à la place de `table`, Word ne peut deviner qu'il s'agit d'une erreur.

INFO

Autre solution : vérifier l'orthographe et la grammaire à l'aide d'une boîte de dialogue

Vous pouvez vérifier tout ou partie de votre texte à l'aide de la boîte de dialogue *Outils/Grammaire et orthographe...* Cette méthode, bien que fastidieuse, offre quelques fonctionnalités supplémentaires.

Activer et désactiver la vérification orthographique automatique

La vérification grammaticale et orthographique sollicite la puissance de l'ordinateur et, par conséquent, réduit la vitesse de traitement de Word. Pour éviter ce ralentissement, vous pouvez désactiver ces fonctions.

Activer et désactiver à l'aide de la boîte de dialogue

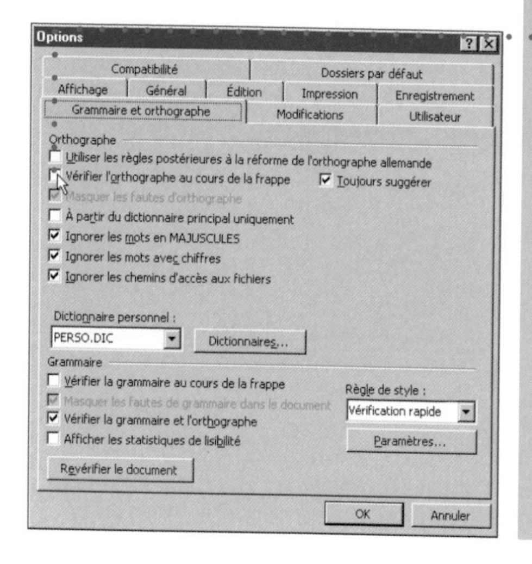

1 Ouvrez l'onglet **Grammaire et orthographe** de la boîte de dialogue **Options** (commande **Outils/Options**).

2 Activez ou désactivez la case à cocher *Vérifier l'orthographe au cours de la frappe.*

3 Validez vos modifications en cliquant sur OK.

Accès rapide aux synonymes

Vous venez de rédiger un texte relativement long, or vous constatez qu'un terme revient très fréquemment et vous êtes à court de synonymes. Dans ce cas, vous pouvez recourir au dictionnaire des synonymes de Word. Celui-ci vous propose une liste de synonymes du mot sélectionné avec lesquels vous pouvez le remplacer.

Dans Word 2000, vous pouvez même choisir et insérer des synonymes directement dans le menu contextuel du mot sélectionné.

1 Cliquez sur le mot pour lequel vous recherchez un synonyme à l'aide du bouton droit de la souris.

2 Dans le menu contextuel qui s'affiche, cliquez sur la commande **Synonymes**. Si le dictionnaire des synonymes ne connaît pas le mot sélectionné ou ne dispose d'aucun synonyme pour ce mot, il se contente d'afficher **(Aucune suggestion)** en grisé.

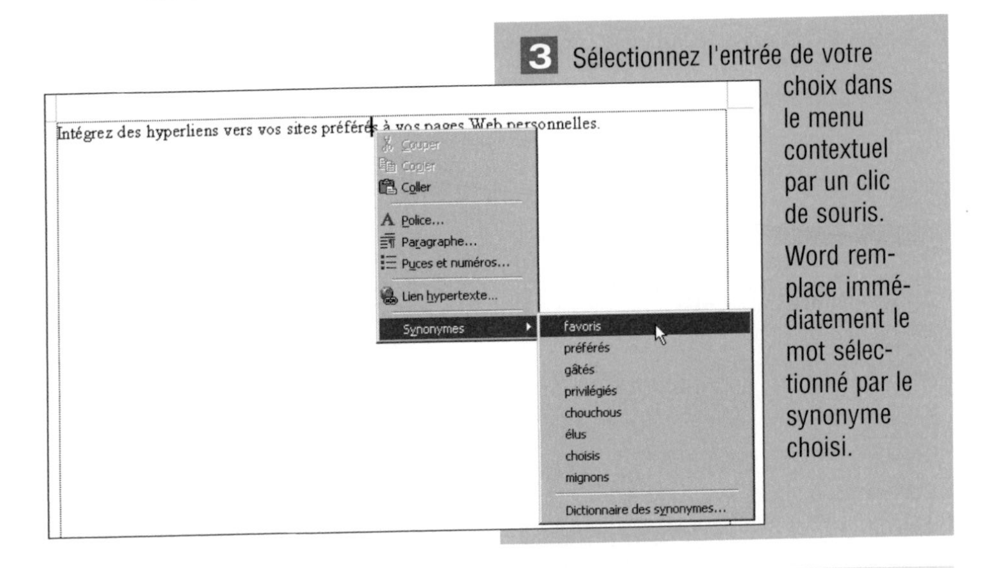

3 Sélectionnez l'entrée de votre choix dans le menu contextuel par un clic de souris.

Word remplace immédiatement le mot sélectionné par le synonyme choisi.

INFO

Choix d'un synonyme via la boîte de dialogue

Contrairement au menu contextuel, la boîte de dialogue *Dictionnaire des synonymes* (commande *Outils/Langue/Dictionnaire des synonymes*) propose généralement un choix plus étendu de termes de remplacement.

Déplacer du texte

Si vous vous apercevez qu'un paragraphe situé au milieu de votre lettre conviendrait mieux à la fin, Word vous permet de le déplacer au bon endroit. En copiant et déplaçant des passages de texte, vous pouvez ainsi restructurer des documents. Il s'agit là d'un avantage indéniable du traitement de texte par rapport aux machines à écrire ou aux lettres manuscrites.

Pour effectuer ces modifications, Word met plusieurs outils à votre disposition. Le choix de l'un d'entre eux dépend de plusieurs facteurs : la distance entre les emplacements de départ et de destination et la situation dans un même document ou non.

Déplacer du texte sur de courtes distances

L'outil le plus efficace pour déplacer ou copier du texte sur de courtes distances est le glisser-déplacer (*Drag and Drop*).

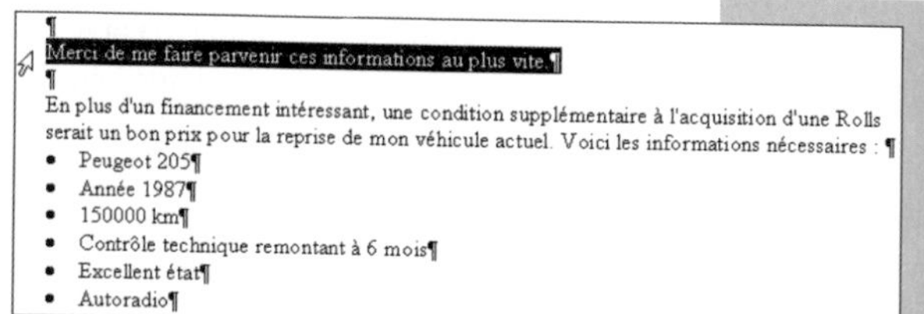

¶
Merci de me faire parvenir ces informations au plus vite.¶
¶
En plus d'un financement intéressant, une condition supplémentaire à l'acquisition d'une Rolls serait un bon prix pour la reprise de mon véhicule actuel. Voici les informations nécessaires : ¶
- Peugeot 205¶
- Année 1987¶
- 150000 km¶
- Contrôle technique remontant à 6 mois¶
- Excellent état¶
- Autoradio¶

1 Sélectionnez le passage de texte à déplacer.

2 Cliquez dans le paragraphe sélectionné et maintenez lebouton gauche de la souris enfoncé. Vous remarquerez que le pointeur de la souris a pris une forme que vous ne connaissez pas encore.

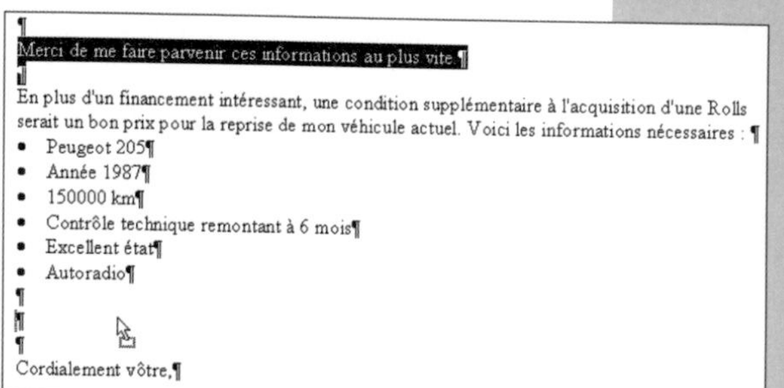

¶
Merci de me faire parvenir ces informations au plus vite.¶
¶
En plus d'un financement intéressant, une condition supplémentaire à l'acquisition d'une Rolls serait un bon prix pour la reprise de mon véhicule actuel. Voici les informations nécessaires : ¶
- Peugeot 205¶
- Année 1987¶
- 150000 km¶
- Contrôle technique remontant à 6 mois¶
- Excellent état¶
- Autoradio¶

¶
¶
¶
Cordialement vôtre,¶

3 Le bouton gauche de la souris toujours enfoncé, déplacez cette dernière vers l'emplacement de destination du passage sélectionné. Un trait vertical gris accompagne le mouvement

¶
En plus d'un financement intéressant, une condition supplémentaire à l'acquisition d'une Rolls serait un bon prix pour la reprise de mon véhicule actuel. Voici les informations nécessaires : ¶
- Peugeot 205¶
- Année 1987¶
- 150000 km¶
- Contrôle technique remontant à 6 mois¶
- Excellent état¶
- Autoradio¶

¶
Merci de me faire parvenir ces informations au plus vite.¶
¶
¶
Cordialement vôtre,¶

4 Une fois l'emplacement de destination atteint, relâchez le bouton de la souris et le paragraphe sélectionné y est déposé. La description paraît bien plus compliquée que l'action proprement dite. En vous exerçant, vous constaterez que cette méthode de déplacement manuelle est d'une extrême rapidité.

Par ailleurs, si, en relâchant le bouton de la souris, vous appuyez sur la touche **Ctrl**, vous pourrez déplacer une copie du texte sélectionné vers un autre emplacement.

Déplacer et copier du texte sur de longues distances

Si vous désirez déplacer des passages de texte sur de plus longues distances (par exemple, de la page 2 à la page 6), le glisser-déplacer risque de se révéler inadéquat. Le bord inférieur de la fenêtre d'édition constitue en effet un obstacle que vous devez franchir en maintenant le bouton gauche de la souris enfoncé. Cela prend beaucoup de temps, sans compter que vous risquez de dépasser votre but et d'avoir à revenir en arrière, au prix des mêmes difficultés.

La solution qui convient est de couper la partie de texte à déplacer pour la placer dans le Presse-papiers et de la coller ensuite au bon endroit.

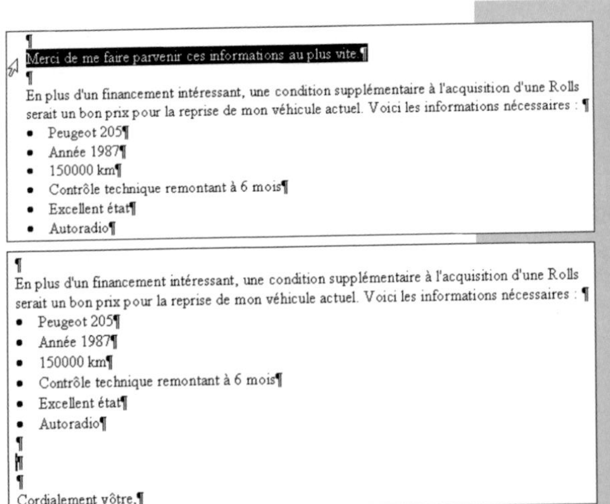
¶
Merci de me faire parvenir ces informations au plus vite.¶
¶
En plus d'un financement intéressant, une condition supplémentaire à l'acquisition d'une Rolls serait un bon prix pour la reprise de mon véhicule actuel. Voici les informations nécessaires : ¶

- Peugeot 205¶
- Année 1987¶
- 150000 km¶
- Contrôle technique remontant à 6 mois¶
- Excellent état¶
- Autoradio¶

¶
En plus d'un financement intéressant, une condition supplémentaire à l'acquisition d'une Rolls serait un bon prix pour la reprise de mon véhicule actuel. Voici les informations nécessaires : ¶

- Peugeot 205¶
- Année 1987¶
- 150000 km¶
- Contrôle technique remontant à 6 mois¶
- Excellent état¶
- Autoradio¶

¶
¶
¶
Cordialement vôtre,¶

1 Sélectionnez le passage de texte à déplacer.

2 Cliquez sur le bouton **Couper** dans la barre d'outils *Standard*. Le texte disparaît.

3 Déplacez-vous à l'emplacement souhaité à l'aide de l'outil de votre choix (touches de direction, barres de défilement, commande **Atteindre**) et placez le point d'insertion à l'endroit précis où le texte doit réapparaître.

4 Cliquez sur le bouton **Coller**.

Pour copier le passage de texte sélectionné au lieu de le déplacer, cliquez sur le bouton **Copier** au lieu de **Couper**, le bouton représentant des ciseaux. Utilisez ensuite le bouton **Coller** comme dans la procédure ci-dessus.

INFO

Le Presse-papiers est une mémoire propre à Windows

Les textes et les images que vous déplacez au moyen du Presse-papiers peuvent être insérés à n'importe quel moment à l'emplacement de votre choix. En effet, le Presse-papiers garde en mémoire les douze derniers éléments que vous y avez placés (passages de texte, images, etc.). Le contenu du Presse-papiers ne change pas tant que vous ne quittez pas Windows. La commande *Affichage/Barres d'outils/Presse-papiers* vous permet d'afficher le contenu du Presse-papiers afin d'accéder aux douze derniers éléments coupés ou copiés pour les coller à un endroit de votre choix.

Créer une affiche

Vous ne trouvez jamais de place de parking pour votre voiture ? Elle consomme trop d'essence ou vous coûte trop cher en assurance ? Quels que soient les motifs de votre décision, avant d'en acheter une nouvelle, vous devez d'abord vous débarrasser de l'ancienne. Pour cela, une affiche (à coller sur les vitres de votre voiture, par exemple) peut être utile ; surtout si elle vous permet d'économiser les frais d'une petite annonce ! Dans tous les cas, le propre d'une affiche est d'attirer l'attention.

Embellir la police

Vous pouvez appliquer les propriétés de police les plus fréquemment utilisées à l'aide de la barre d'outils : le choix de police, sa taille et les attributs gras, italique ou souligné. Pour savoir comment procéder, reportez-vous au chapitre 3. Dans notre exemple, nous avons appliqué une taille de 72 pt au titre et une taille de 18 pt à la majeure partie du texte. Le tout a été créé de manière à tenir sur une page A4 normale.

Word peut même vous offrir davantage. En plus des propriétés standard, le menu **Format/Police.** contient des possibilités originales de mise en forme.

1 Comme pour toute mise en forme de caractères, sélectionnez le passage de texte concerné.

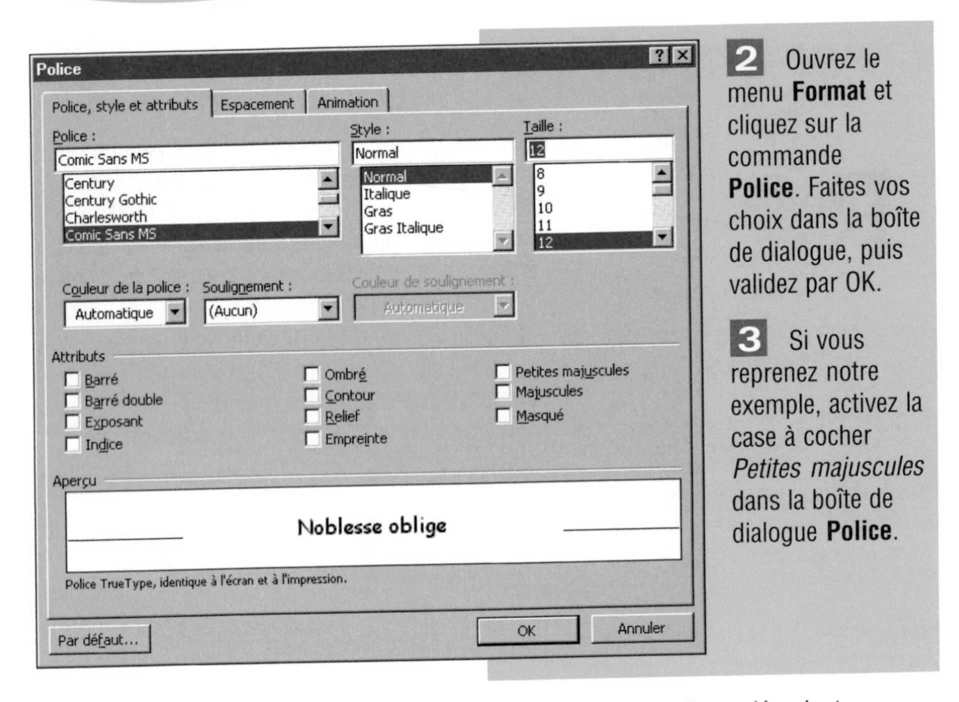

2 Ouvrez le menu **Format** et cliquez sur la commande **Police**. Faites vos choix dans la boîte de dialogue, puis validez par OK.

3 Si vous reprenez notre exemple, activez la case à cocher *Petites majuscules* dans la boîte de dialogue **Police**.

Les listes déroulantes *Police*, *Style* et *Taille* sont identiques aux listes déroulantes équivalentes de la barre d'outils *Mise en forme*.

La boîte de dialogue **Police** vous offre cependant une palette de possibilités nettement plus étendue.

Effets

Les effets ci-contre sont à votre disposition.

Case d'option	Effet
Barré	~~Barré~~
Barré double	~~Barré double~~
Exposant	Exposant
Indice	Indice
Ombré	Ombré
Contour	Contour
Relief	Relief
Empreinte	Empreinte
Petites majuscules	PETITES MAJUSCULES
Majuscules	MAJUSCULES
Masqué	

4 Voici comment se présentent les lignes sélectionnées après l'application des attributs. Lorsque les *Petites majuscules* sont activées, toutes les lettres sont en majuscules, mais l'initiale du mot est légèrement plus grande.

INFO

Modifier la couleur de la police

Dans l'exemple, les lettres des trois premières lignes sont en bleu foncé et le prix est en rouge. Pour faire de même, utilisez la liste déroulante correspondante dans la boîte de dialogue *Format/Police...* ou cliquez sur le bouton approprié dans la barre d'outils *Mise en forme*.

Insérer des caractères spéciaux

Word vous offre la possibilité d'insérer dans votre document toute une série de caractères ne figurant pas sur votre clavier. Pour vous donner une idée de leur utilité, voici quelques exemples.

- Caractères utiles : © ™ ∅ α ‰ ½
- Caractères décoratifs : ✂ ✌ ☺ 💣 ① ❷ ➲ ←

Dans notre affiche, nous avons utilisé les caractères spéciaux ☎ et ☞.

Pour les insérer dans votre texte, suivez la procédure ci-dessous :

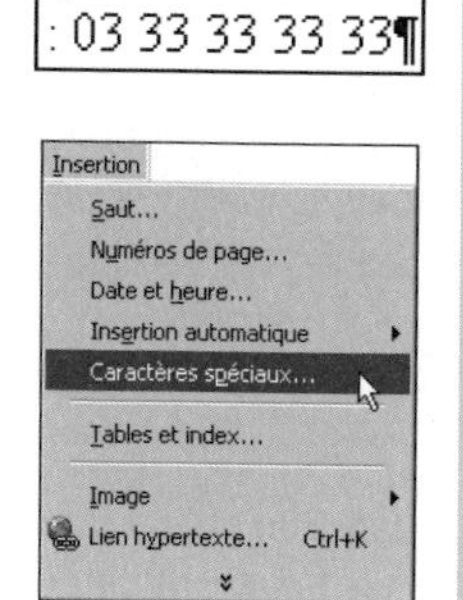

1 Placez le curseur à l'endroit où vous désirez insérer le caractère spécial.

2 Dans le menu **Insertion**, cliquez sur la commande **Caractères spéciaux**.

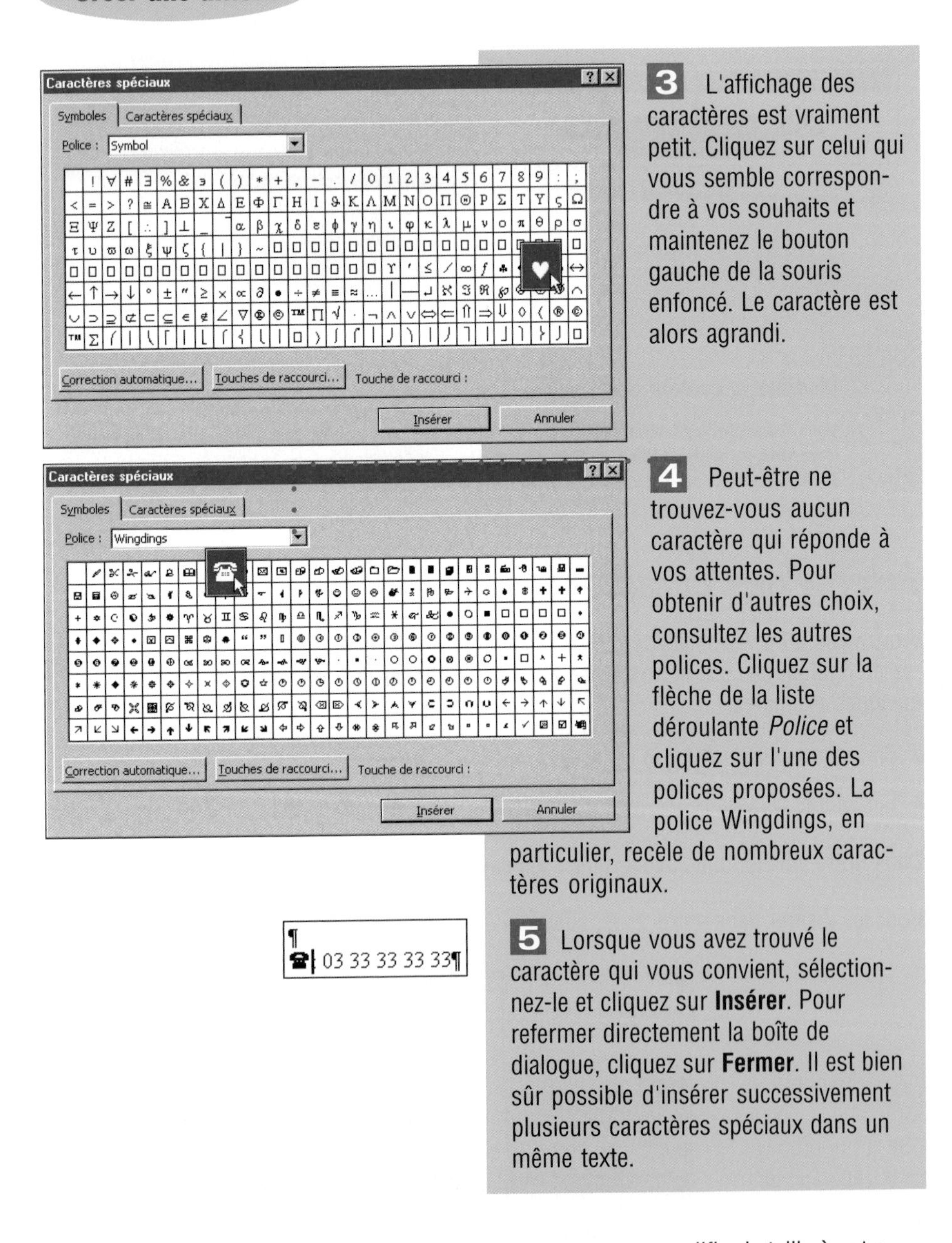

3 L'affichage des caractères est vraiment petit. Cliquez sur celui qui vous semble correspondre à vos souhaits et maintenez le bouton gauche de la souris enfoncé. Le caractère est alors agrandi.

4 Peut-être ne trouvez-vous aucun caractère qui réponde à vos attentes. Pour obtenir d'autres choix, consultez les autres polices. Cliquez sur la flèche de la liste déroulante *Police* et cliquez sur l'une des polices proposées. La police Wingdings, en particulier, recèle de nombreux caractères originaux.

5 Lorsque vous avez trouvé le caractère qui vous convient, sélectionnez-le et cliquez sur **Insérer**. Pour refermer directement la boîte de dialogue, cliquez sur **Fermer**. Il est bien sûr possible d'insérer successivement plusieurs caractères spéciaux dans un même texte.

Une fois les caractères insérés dans le texte, vous pouvez en modifier la taille à votre guise. Procédez de la même manière que pour un texte ordinaire.

> **INFO**
>
> **Modifiez votre texte tout en gardant la boîte de dialogue affichée**
>
> **Vous pouvez conserver la boîte de dialogue *Caractères spéciaux* ouverte dans un coin de l'écran et continuer à modifier votre texte. Lorsque vous avez de nouveau besoin d'insérer un caractère spécial, vous pouvez y accéder directement. Cliquez dans le texte normal pour le rendre actif ; pour choisir de nouveau un caractère spécial, cliquez dans la boîte de dialogue.**

Bordure et trame

Si vous désirez attirer l'attention sur un élément particulier d'une page, il est préférable de l'entourer d'une bordure ou de lui appliquer une trame. Avec Word, vous pouvez mettre en valeur visuellement des mots et des paragraphes individuels, des paragraphes contigus ou même des images, à l'aide de ces éléments de mise en forme. La méthode la plus simple pour créer des bordures consiste à utiliser une barre d'outils spéciale : dans la barre d'outils *Standard*, cliquez sur le bouton **Tableaux et bordures**.

Appliquer une bordure ou un trait à des paragraphes

1 Placez le point d'insertion dans le paragraphe à encadrer. S'il s'agit de plusieurs paragraphes, une partie de chacun d'eux au moins doit être sélectionnée.

2 Dans la barre d'outils, cliquez sur le bouton qui correspond à la propriété souhaitée. Ne cliquez pas sur la flèche de la liste déroulante *Style de trait* avant d'avoir défini toutes les autres propriétés du trait.

Il est très important de respecter cette façon de procéder car la tentation est grande, après avoir choisi un style de trait, de tracer directement un cadre avec le pointeur de souris qui prend la forme d'un crayon. Cependant, le résultat ainsi obtenu ne correspondrait généralement pas à vos attentes, car il consiste en réalité à créer un tableau.

Par conséquent, il vaut mieux affecter un cadre à l'aide de l'icône *Bordure*.

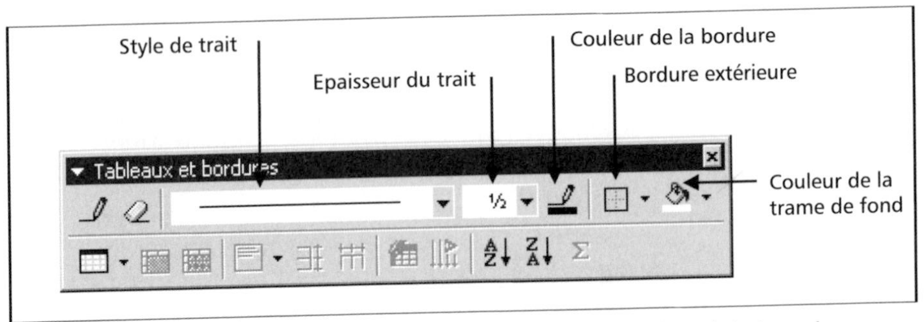

Les étapes décrites ci-dessous sont optionnelles. Votre choix dépend du type de bordure que vous désirez appliquer. Si vous voulez tracer un encadrement avec des traits visibles, veillez d'abord à définir les propriétés du trait.

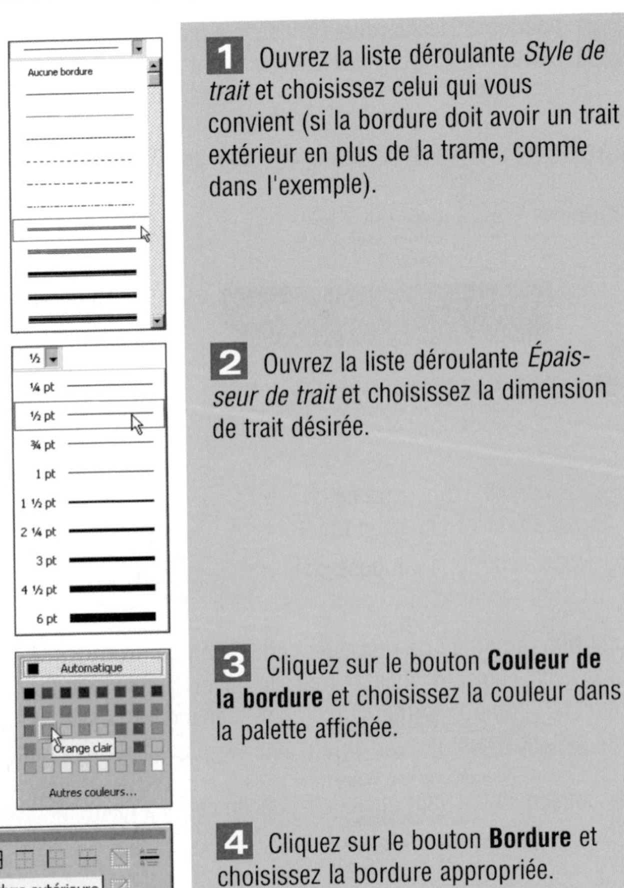

1 Ouvrez la liste déroulante *Style de trait* et choisissez celui qui vous convient (si la bordure doit avoir un trait extérieur en plus de la trame, comme dans l'exemple).

2 Ouvrez la liste déroulante *Épaisseur de trait* et choisissez la dimension de trait désirée.

3 Cliquez sur le bouton **Couleur de la bordure** et choisissez la couleur dans la palette affichée.

4 Cliquez sur le bouton **Bordure** et choisissez la bordure appropriée.

Le même bouton **Bordure** est à votre disposition dans la barre d'outils *Mise en forme.*

Lorsque vous utilisez le bouton **Bordure**, vous appliquez toujours la mise en forme de bordure paramétrée en dernier par les listes déroulantes *Style de trait* et *Épaisseur de trait*, de même que par le bouton **Couleur de la bordure**.

Les listes déroulantes et les boutons des barres d'outils concernant les bordures affichent toujours leur configuration actuelle : par exemple, la liste déroulante Épaisseur de trait présente l'épaisseur de trait courante de ½ et le bouton **Bordure** est défini sur **Bordure extérieure**.

Mise en forme avec une trame de fond

1 Sélectionnez les passages de texte auxquels vous désirez appliquer une trame de fond.

2 Si nécessaire, annulez les paramètres de bordures appliqués jusqu'à présent, cliquez sur le bouton **Couleur de la trame de fond** et choisissez la couleur appropriée dans la Palette de couleurs.

Dans l'exemple, pour la trame de fond du passage contenant le prix, les deux paragraphes ont été sélectionnés et une trame de 25 % a été choisie.

Bien sûr, il est tout à fait possible d'appliquer simultanément des mises en forme de bordure et de trame.

INFO

Quelques astuces supplémentaires

Pour supprimer une seule bordure, cliquez simplement sur le bouton qui a servi à l'appliquer.

Si vous désirez travailler avec un style et une épaisseur de trait différents, vous devez d'abord effectuer votre choix dans la liste et appliquer la bordure en dernier. Par la suite, vous ne pourrez pas modifier le style de trait sans une intervention spéciale.

Si vous encadrez simultanément plusieurs paragraphes, ils doivent présenter un retrait identique ; autrement, vous obtenez un effet surprenant.

Variantes de bordures à l'aide du menu

Pour créer une bordure, vous pouvez utiliser le menu **Format/Bordures et trame...** à la place du bouton **Bordure** (bien sûr, c'est plus fastidieux). Le menu offre cependant certaines options qui sont absentes de la barre d'outils ; il n'est donc nécessaire d'ouvrir le menu que pour disposer de ces possibilités supplémentaires.

Exemple : attribuer une ombre à une bordure

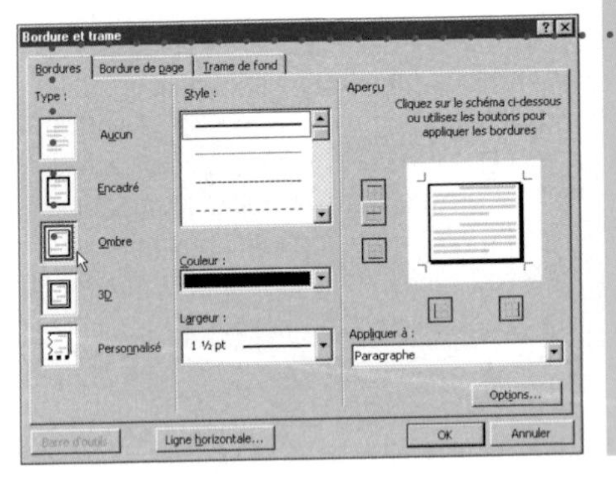

1 Sélectionnez le texte à encadrer.

2 Choisissez la commande **Format/ Bordure et trame...** et activez l'onglet **Bordures** de la boîte de dialogue **Bordure et trame**.

3 Sous la rubrique *Type*, cliquez sur *Ombre*. Au besoin, vous pouvez effectuer les paramétrages du style, de la largeur et de la couleur de trait à l'aide des listes déroulantes correspondantes. Fermez la boîte de dialogue en cliquant sur OK.

Il n'est pas indispensable d'appliquer l'ombre à un paragraphe déjà doté d'une bordure. Il suffit d'un clic dans la boîte de dialogue pour doter un texte normal à la fois d'une bordure et d'une ombre.

Modifier la distance du texte par rapport à la bordure

Par défaut, Word définit un écart très petit entre le texte et la bordure. Souvent, un espacement plus important donne un meilleur aspect.

A VENDRE SUITE À ↵
UN CHANGEMENT DE SITUATION¶

A VENDRE SUITE À ↵
UN CHANGEMENT DE SITUATION¶

1 Cliquez dans le paragraphe encadré.

2 Ouvrez le menu **Format/Bordure et trame.**

3 Par un clic sur le bouton **Options**, ouvrez la boîte de dialogue **Options de bordure et trame.**
Dans la section *Distance du texte*, les zones à boutons toupie correspondantes *Haut*, *Bas*, *Gauche* et *Droite* sont mises à votre disposition. Elles vous servent à définir la taille en points de la distance du texte par rapport aux bords supérieur, inférieur, gauche et droit.Procédez comme à l'ordinaire : cliquez sur la flèche orientée vers le bas ou vers le haut : à chaque clic, la taille diminue ou augmente de 1 pt. Vous pouvez également indiquer directement une valeur dans la zone de saisie. Dans les paragraphes du texte d'exemple, la distance est de 14 pt.

4 Refermez la boîte de dialogue **Options de bordure et trame**, puis la boîte de dialogue **Bordure et trame**, chaque fois en cliquant sur OK.

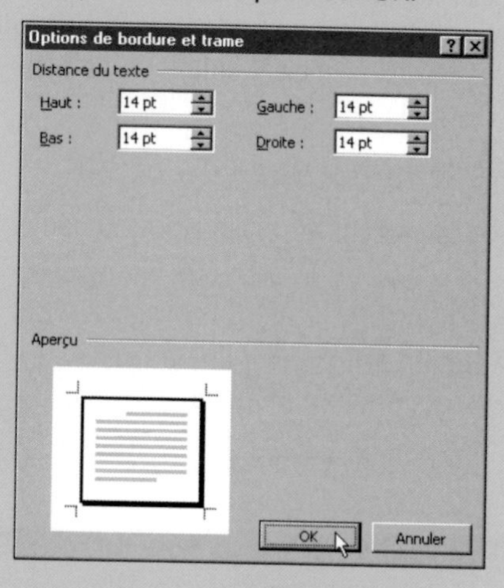

Si vous augmentez la distance du texte par rapport à la bordure, le texte est maintenu dans sa position sur la page, alors que la bordure s'en écarte. Si vous désirez que la bordure reste alignée au texte au-dessus et en dessous, vous devez appliquer un retrait supplémentaire au texte encadré, correspondant à la distance entre le texte et la bordure.

Les retraits sont traités au chapitre suivant .

INFO

Modifier en un éclair la distance entre le texte et la bordure

Pointez avec la souris sur la bordure à déplacer, jusqu'à ce que le pointeur adopte la forme d'une double flèche avec des barres. Faites glisser alors la bordure jusqu'à l'emplacement désiré (dans les limites autorisées par Word).

Appliquer une bordure à une page

Malgré les nombreuses possibilités de mise en forme de vos pages présentées jusqu'ici, les possibilités de Word ne sont pas encore épuisées. Vous pouvez, par exemple, embellir les bordures des pages de votre document au moyen d'une grande quantité d'options de bordures et de trames différentes. C'est ainsi que, dans notre exemple, de petites étoiles scintillent autour de l'affiche.

Définir la bordure de page

Suivez la procédure suivante pour paramétrer la bordure de page :

1 Sélectionnez la commande **Format/Bordure et trame** et activez l'onglet **Bordure de page**.

2 Définissez le paramétrage de base de la bordure (par exemple, *Encadré* ou *Ombre*). Choisissez le style, la couleur et la largeur du trait.

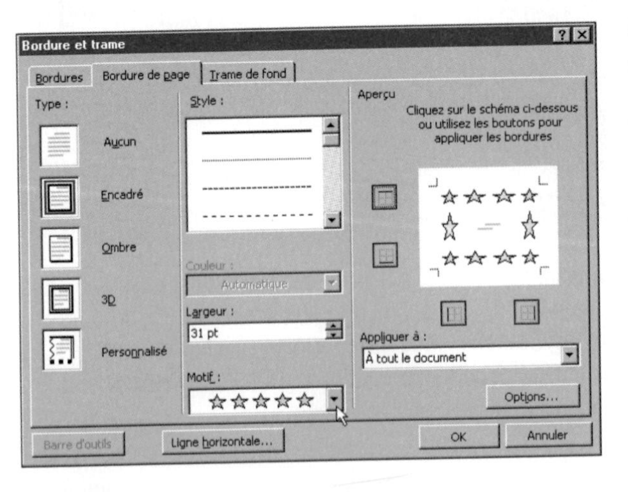

Les effets proposés dans cette boîte de dialogue sont particulièrement étonnants. Essayez-les : ouvrez simplement la liste déroulante *Motif* et faites votre choix (pour l'exemple, la troisième variante *Étoile*).

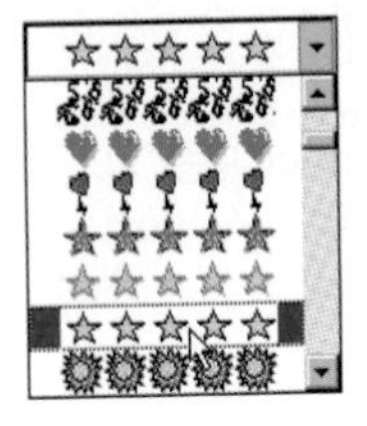

Lorsque vous choisissez les paramètres désirés, la rubrique *Aperçu* est également activée. Elle montre automatiquement le résultat de toutes les modifications effectuées dans la boîte de dialogue.

3 Si vous validez par OK les modifications ainsi réalisées, Word insère désormais par défaut les bordures de page (*Garder au premier plan*) avec un écart de 24 pt par rapport au bord de la page.

Attention ! Après un clic sur **Options**, vous pouvez définir, entre autres, la distance de la bordure par rapport aux bords de la page.

INFO

Annuler la bordure pour certaines pages et leur appliquer d'autres styles de trait

Cliquez sur *Personnalisé* et définissez les bordures sous la rubrique *Aperçu* à l'aide des boutons *Bordure supérieure, inférieure, gauche* ou *droite*. Vous pouvez également activer et désactiver les bordures par un clic de souris directement dans l'aperçu.

Supprimer la bordure de page

Quel que soit le mode d'affichage actuel, sélectionnez la commande **Format/Bordure et trame...**, cliquez sur le bouton **Aucun** sous l'onglet **Bordure de page** et confirmez par OK.

Placer une lettrine en début de paragraphe

Vous possédez peut-être un vieux livre de contes dont chaque chapitre commence par une grande lettre ornée ? Vous pouvez faire de même à l'aide de la fonction **Lettrine** de Word. Dans notre exemple, le grand R de "Rolls Royce" a été créé avec cet outil.

Rolls·↵
oyce·¶
Silver·Ghost·II!¶

1 Placez le point d'insertion à l'intérieur du paragraphe et choisissez la commande **Format/Lettrine.** Pour l'exemple, nous avons introduit un saut de ligne manuel après "Rolls" à l'aide de la combinaison de touches **Maj+Entrée**. Comme le R doit s'appliquer aux deux lignes, le R de "Royce", sur la deuxième ligne, a été effacé.

2 En principe, vous avez deux possibilités pour transformer la première lettre d'un paragraphe en lettrine : la grande lettre est placée dans la page et y déloge le texte, ou le texte n'est pas modifié, et la lettrine est placée dans la marge. La première variante, utilisée dans l'exemple, est la plus courante. Faites votre choix d'un clic de souris.

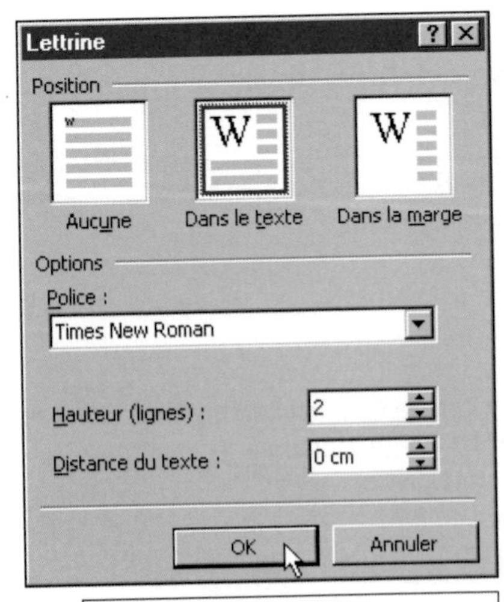

3 Si vous désirez représenter la lettrine dans une police très décorative (par exemple, Iglesia), recherchez la police appropriée dans la liste déroulante *Police*. À l'aide de l'option *Hauteur*, définissez la taille de la police de la lettrine. Sa taille est fixée automatiquement en fonction du nombre de lignes indiqué. Pour l'exemple, tapez un 2. Si la lettrine vous semble trop proche du texte, vous pouvez déterminer la distance du texte en indiquant une valeur adéquate dans la zone correspondante (le plus souvent, 0,1 cm ou 0,2 cm suffisent).

4 Fermez la boîte de dialogue comme à l'ordinaire en cliquant sur OK et admirez le résultat.

INFO

Annuler la lettrine

L'option *Aucune*, sous la rubrique *Position*, permet de transformer la lettrine en une lettre tout à fait ordinaire.

Astuce : votre affiche fera encore meilleure impression si vous y incorporez des images, des effets de police originaux et des objets graphiques.

Reportez-vous au chapitre *Mettre en forme une invitation* pour savoir comment insérer des objets graphiques.

Quelques astuces en exemple

Ne procédez pas ainsi...

```
☞·Année·:·····················1996¶
☞·Contrôle·technique·:··1999¶
```

... mais plutôt ainsi.

```
☞·Année·:  →  →  →  1996¶
☞·Contrôle·technique·:→1999¶
```

Pour que les informations sur l'année de construction, le contrôle technique, etc., soient correctement alignées les unes au-dessous des autres, n'insérez surtout pas d'espaces comme séparateurs. Cela ne fonctionnerait pas. Lorsque vous avez besoin d'un tel écart, appuyez plutôt une fois sur la touche **Tab** (la touche aux deux flèches, sur la gauche du clavier). Si l'écart doit être plus important, appuyez plusieurs fois sur cette touche.

Pour énumérer les options, vous aurez besoin de plusieurs tabulations. À la fin de chaque ligne, vous devez forcer la création d'une nouvelle ligne, en appuyant sur **Entrée** ou à l'aide de la combinaison de touches **Maj+Entrée**.

Procédez ainsi la première fois. Bien sûr, il existe des méthodes plus élégantes, plus précises et plus rapides. Vous les découvrirez dans la suite de cet ouvrage.

Les deux paragraphes mis en forme avec des petites majuscules dans l'exemple ("À vendre...") ont, en outre, été centrés par un clic sur le bouton correspondant dans la barre d'outils *Mise en forme*.

```
☞·Options·:·  →  →  →  Radio,·lecteur·de·CD,·Bar,¶
→  ·  →  →  →  Réfrigérateur,·TV,·¶
→  →  →  →  Housses¶
```

Espacements horizontaux et verticaux

LÉGUMES BIO

Richard Rance
232, rue du Chemin vert
73737 Emincé

Tél. : 04 47 78 65 66
Fax : 04 47 78 65 70
e-mail : rrance@wanadoo.fr

Biolabo D. Goutant
11, Chemin des épices
12345 Amerville

Emincé, le 28 mai 1999

Mesdames, Messieurs,

Je tiens à vous remercier pour la livraison rapide de vingt caisses de votre nouvelle variété de tomate "Quadratas". J'ai été absolument enthousiasmé aussi bien par le goût que par la forme et la couleur de ce nouveau produit. La forme en dés des tomates semble très bien accueillie par notre clientèle.

Malheureusement, nous avons dû constater que la capacité d'empilage de cette variété n'a pas pu être considérablement améliorée. Certes, cette tomate présente des caractéristiques de déroulement idéales, mais en cas de piles de grande dimension, les tomates placées dans les zones inférieures présentent des meurtrissures. J'attribue ceci essentiellement aux deux causes suivantes :

a) La gravité
b) La résistance réduite de la peau

Lors d'un entretien avec le physicien bien connu Pierre Ponti, il m'a été assuré qu'il était très difficile d'éliminer la première cause. Pour cette raison, je mets tous mes espoirs dans les futures recherches de votre laboratoire.

Les prochaines cultures devraient présenter les améliorations suivantes :

Premièrement : une résistance accrue à la rupture grâce à une peau plus épaisse il semble qu'une épaisseur minimale de 500 micromètres soit convenable.

Deuxièmement : une consistance accrue grâce à une forme en rayons optimisée de la pulpe de la tomate.

J'espère que mes suggestions contribueront à provoquer un bond décisif dans la recherche sur la culture des tomates au niveau international.

Recevez, Mesdames, Messieurs, mes meilleures salutations.

Richard Rance

Pour améliorer la présentation d'un document, la gestion des espaces horizontaux et verticaux est à prendre en considération. Mais introduire des lignes vides pour espacer des paragraphes ou appuyer sur la barre d'espace pour aligner des éléments risque de donner des résultats approximatifs... alors que vous avez, à portée de main, tous les outils pour accomplir ce type de tâches avec précision.

Aligner des mots à l'horizontale

Les polices livrées avec Word et Windows présentent de nombreux avantages : elles sont d'apparence agréable, et leur taille peut être ajustée à volonté. Mais elles présentent toutes un inconvénient majeur (à une exception près, mais qui pêche par son esthétique) : dans certains cas, elles forcent à recourir aux tabulations pour réaliser des alignements.

Comme vous le voyez sur l'illustration, utiliser des espaces pour aligner des mots les uns sous les autres donne un résultat médiocre : dans le meilleur des cas, ces mots forment une bordure à la régularité approximative. Cela provient du fait que les lettres sont de largeur variable.

LÉGUMES·BIO··················Richard·Rance························Tél.·:·04·47·78·65·66¶
···232,·rue·du·Chemin·vert··········Fax·:·04·47·78·65·70¶
···73737·Emincé··························e-mail·:·rrance@wanadoo.fr¶

La tabulation est l'outil le plus efficace pour maîtriser les espacements horizontaux.

On peut comparer les tabulations à des caractères d'espacement de largeur variable ou à des espaces réservés sur la ligne. Elles vous permettent de spécifier avec précision l'emplacement d'un passage de texte sur le plan horizontal.

Tabulations rapides sans grande précision

La première méthode que nous vous proposons est la plus rapide et la plus simple. Malheureusement, elle s'accompagne de quelques inconvénients qui pourront vous amener à lui préférer des procédés légèrement plus compliqués que ceux que nous allons vous décrire.

1 Tapez le premier mot.

2 À l'endroit où vous voulez placer l'espacement, appuyez sur la touche **Tab** : une tabulation est insérée (la touche se trouve près de l'angle supérieur gauche du clavier, deux touches en dessous de la touche **Échap**).

3 Sur votre écran, vous apercevez une flèche pointant vers la droite.

4 Poursuivez la saisie de votre texte à la suite du symbole de tabulation. Si vous avez besoin d'un autre espacement sur la même ligne, appuyez une nouvelle fois sur **Tab**.

¶
LÉGUMES·BIO → Richard·Rance → Tél.·:·04·47·78·65·66¶
¶

5 Procédez de même pour les paragraphes suivants. Si le texte précédant le symbole de tabulation est très court, la tabulation qui apparaît est également très courte. Dans ce cas, insérez une autre tabulation à l'aide de la touche **Tab**.

LÉGUMES·BIO → Richard·Rance → → Tél.·:·04·47·78·65·66¶
→ → → 232,·rue·du·Chemin·vert → Fax·:·04·47·78·65·70¶

Normalement, dans une telle situation, les espacements sont encore plus larges que ceux de la figure. Ajoutez autant de tabulations supplémentaires que nécessaire aux endroits appropriés. Voici le résultat obtenu.

LÉGUMES·BIO → → Richard·Rance → → → Tél.·:·04·47·78·65·66¶
→ → → → 232,·rue·du·Chemin·vert → → Fax·:·04·47·78·65·70¶

Si vous créez par cette méthode une énumération horizontale, vous obtenez, en principe, un résultat satisfaisant : les entrées sont bien alignées les unes au-dessous des autres. Mais il suffit que l'une des entrées soit plus longue que les autres pour que l'harmonie soit rompue. Pour corriger cette imperfection, il faut alors insérer plusieurs symboles de tabulation. Par ailleurs, vous souhaiteriez peut-être que le texte suivant les symboles soit décalé légèrement vers la gauche. Hélas, cette méthode d'insertion des tabulations n'offre pas de solution. En effet, le saut effectué chaque fois que vous appuyez sur la touche **Tab** est prédéfini à 1,25 cm (taquet par défaut). Il n'est donc pas possible de prolonger cet espacement vers la droite ou vers la gauche.

Selon les circonstances, la flèche matérialisant la tabulation peut ne pas être visible. Cliquez sur le bouton **Afficher/Masquer ¶** pour rendre visibles les caractères non imprimables, catégorie à laquelle appartiennent les tabulations.

Personnaliser les tabulations

Par rapport aux tabulations prédéfinies, les taquets de tabulation calibrés par l'utilisateur offrent une plus grande souplesse d'utilisation. Ces taquets, définis à l'aide de la souris ou du clavier, peuvent être réajustés pour chaque paragraphe. En outre, ils permettent d'atteindre (presque) toutes les positions de la règle.

La règle n'est pas affichée sur votre écran ? Ouvrez le menu **Affichage** et activez-la en cliquant sur la commande correspondante.

1 Pour cette méthode également, placez d'abord les tabulations aux endroits appropriés à l'aide de la touche **Tab**. Surtout, n'en insérez qu'une seule à chaque emplacement !

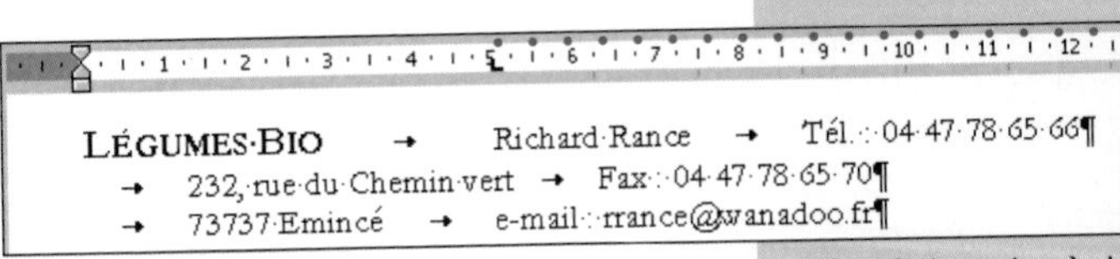

2 Placez le pointeur de la souris sur l'emplacement désiré dans la règle,par exemple, sur *5 cm*. Le curseur devrait prendre la forme d'une flèche. Sinon, déplacez-le légèrement vers le haut. Appuyez alors sur le bouton gauche de la souris. Si vous avez bien respecté nos instructions, un symbole devrait apparaître dans la règle. Les taquets par défaut situés avant celui que vous venez de définir sont désormais ignorés ; en revanche, ceux qui se trouvent après la nouvelle valeur restent toujours valides.

3 Si vous avez besoin d'autres taquets de tabulation pour ce paragraphe, procédez de façon analogue, autant de fois que vous le souhaitez, au cours de la même session de travail. Dans notre exemple, le taquet défini pour les numéros de téléphone et de télécopie est de 10 cm.

La méthode la plus rapide consiste à rédiger d'abord les paragraphes concernés, intercalés d'un symbole de tabulation. Sélectionnez ensuite tous les paragraphes pour lesquels une tabulation identique sera définie, et cliquez sur la valeur choisie dans la règle pour fixer le taquet.

INFO

Autre solution : la fonction de tableau

Parfois, il peut être judicieux de faire appel à la fonction de tableau de Word comme alternative à la mise en forme par tabulations (bien sûr, dans notre exemple, elle n'est pas appropriée).

L'utilisation des tableaux est décrite en détail au chapitre *Les tableaux : Créer son carnet d' adresses*

Astuce : il peut arriver qu'un symbole de tabulation soit si court qu'il en est à peine visible : la position du taquet est tellement proche du mot qui le précède qu'il ne laisse plus d'espace pour l'affichage du symbole. Il est alors préférable de décaler le taquet vers la droite.

Autre astuce : si vous adoptez des taquets personnalisés, vous ne devez insérer qu'une seule tabulation à la fois. Les tabulations alignées les unes derrière les autres ne s'utilisent qu'avec les taquets par défaut.

INFO

Les taquets de tabulation par défaut

En définissant ou en déplaçant les taquets de tabulation, vous remarquerez que la règle impose des sauts de 0,25 cm. Il peut advenir que cela ne corresponde pas aux emplacements précis que vous souhaitez. Pour appliquer des taquets sans aucune limitation, maintenez la touche *Alt* enfoncée lors du déplacement. Cette facilité reste par ailleurs valable pour les retraits de paragraphe, que nous décrivons dans ce même chapitre.

Déplacer les tabulations ultérieurement

Même avec la plus grande adresse, vous ne parviendrez pas forcément à définir le taquet de tabulation adéquat du premier coup. Vous pouvez bien sûr le corriger ultérieurement :

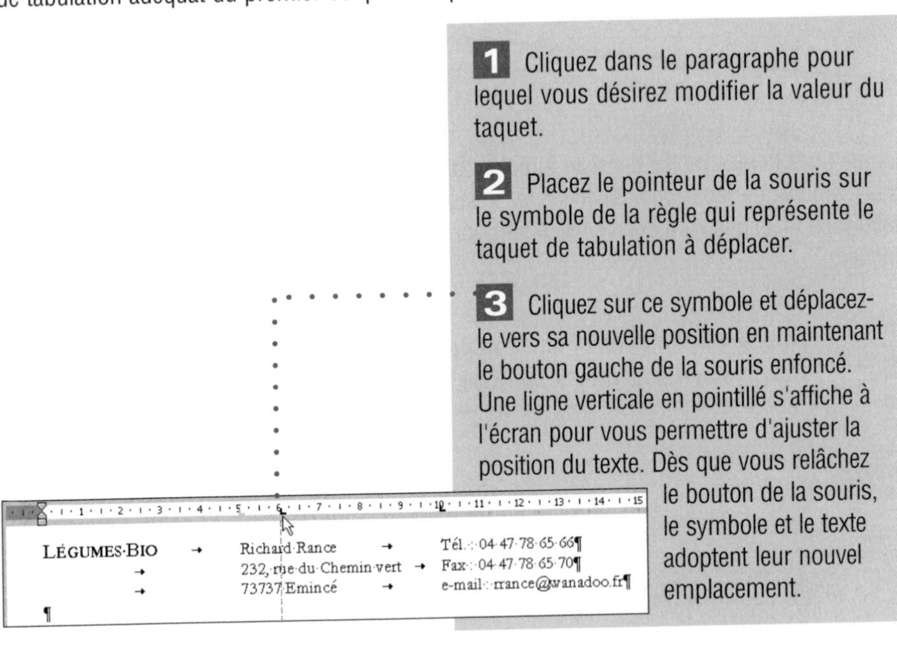

1 Cliquez dans le paragraphe pour lequel vous désirez modifier la valeur du taquet.

2 Placez le pointeur de la souris sur le symbole de la règle qui représente le taquet de tabulation à déplacer.

3 Cliquez sur ce symbole et déplacez-le vers sa nouvelle position en maintenant le bouton gauche de la souris enfoncé. Une ligne verticale en pointillé s'affiche à l'écran pour vous permettre d'ajuster la position du texte. Dès que vous relâchez le bouton de la souris, le symbole et le texte adoptent leur nouvel emplacement.

Supprimer des tabulations

Après plusieurs manipulations, vous constatez que vous avez défini un trop grand nombre de taquets de tabulation. Vous décidez alors de recommencer vos exercices avec une règle vierge. Il convient donc d'apprendre à supprimer les taquets de tabulation.

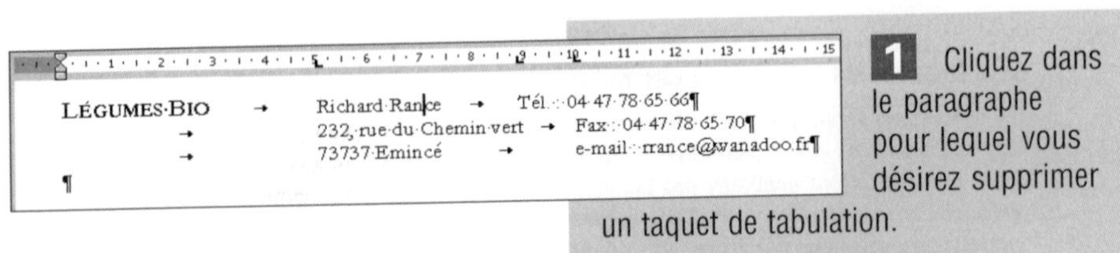

1 Cliquez dans le paragraphe pour lequel vous désirez supprimer un taquet de tabulation.

2 Cliquez sur le symbole du taquet dans la règle et, en maintenant le bouton gauche de la souris enfoncé, faites-le glisser hors de la règle, vers le haut ou vers le bas.

Appliquer une tabulation avec un alignement différent

Consciemment ou non, vous avez toujours travaillé avec des tabulations alignées à gauche, ce qui correspond à l'alignement le plus courant. Dans ce cas, le taquet de tabulation forme une limite gauche, qui sert de repère butoir aux entrées alignées. Il existe également des situations où il est préférable de choisir un autre type d'alignements (ils sont au nombre de quatre).

Dans notre exemple actuel, il serait ainsi possible d'appliquer un alignement droit au numéros de téléphone et de télécopie et un alignement centré à l'adresse.

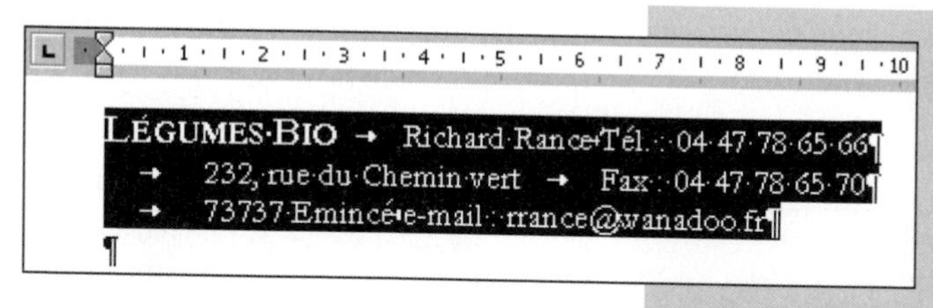

1 Sélectionnez les paragraphes auxquels vous désirez appliquer le taquet de tabulation.

2 Pour basculer d'un type d'alignement à un autre, cliquez sur le carré situé à l'extrémité gauche de la règle. L'alignement gauche est proposé par défaut. Un premier clic permet de passer à l'alignement centré, un second clic établit l'alignement droit et le troisième, l'alignement décimal.

La forme représentée dans le carré change en fonction du choix.

Les alignements possibles pour les tabulations

Symbole	Alignement
	Gauche
	Centré
	Droit
	Décimal

Si vous continuez à cliquer sur la carré permettant de changer le type de tabulation, trois autres symboles apparaissent encore après l'alignement décimal. Le premier concerne la tabulation verticale, permettant de tracer une ligne verticale au niveau de la tabulation. Les deux suivants interdisent la mise en place de tabulations ordinaires et n'autorisent que les retraits de première ligne ou les retraits négatifs. Vous utiliserez sans doute très rarement ces trois derniers symboles.

Consultez la section suivante pour de plus amples renseignements à ce propos.

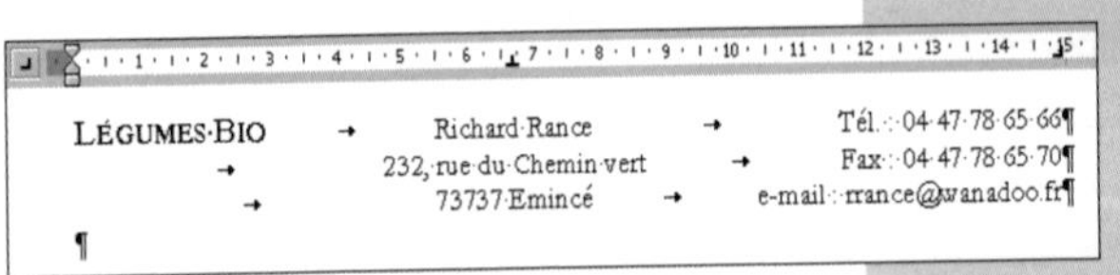

3 Cliquez dans la règle pour placer un taquet. Le symbole du taquet dans la règle adopte la même forme que le symbole d'alignement activé. Dans notre exemple, nous avons défini une tabulation centrée à 6,75 cm et une tabulation alignée à droite à 15 cm.

Retraits à gauche et à droite

Par retrait de paragraphe, il faut comprendre espace entre la marge et le bord du paragraphe. Si vous appliquez au texte un retrait de 1 cm, par exemple, à partir de la marge gauche, la longueur de la ligne en sera rétrécie d'autant.

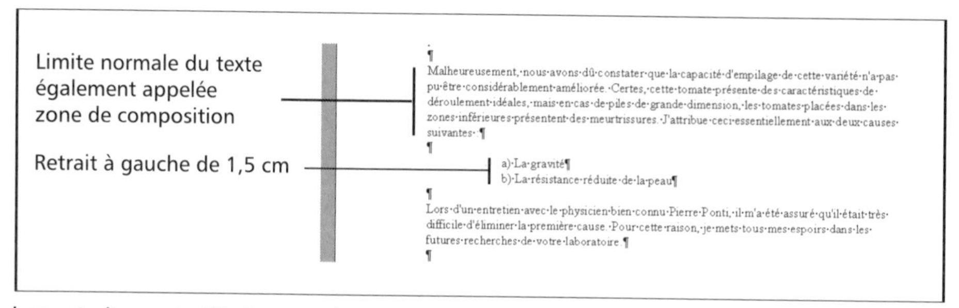

Les retraits sont utilisés pour des paragraphes sur lesquels on veut focaliser l'attention. Il peut s'agir, par exemple, de citations ou d'une conclusion. Vous pouvez parfaitement utiliser les retraits en combinaison avec d'autres caractéristiques de mise en forme.

Retrait à l'aide des boutons : rapide mais peu précis

Une méthode simple et rapide pour appliquer un retrait à un paragraphe consiste à utiliser l'un des boutons de la barre d'outils *Mise en forme* :

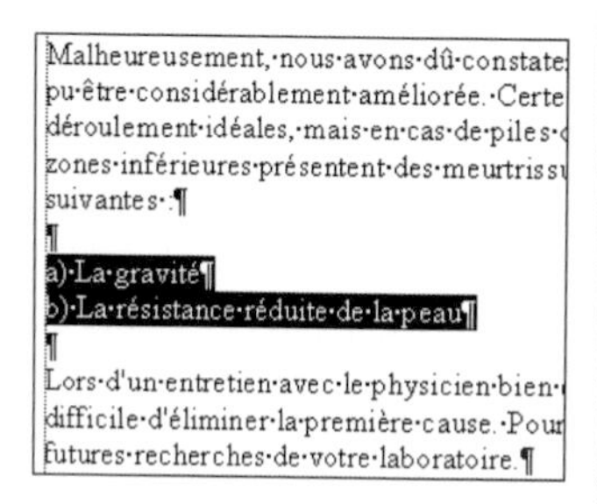
Malheureusement, nous avons dû constate
pu être considérablement améliorée. Certe
déroulement idéales, mais en cas de piles
zones inférieures présentent des meurtriss
suivantes :
a) La gravité
b) La résistance réduite de la peau
Lors d'un entretien avec le physicien bien
difficile d'éliminer la première cause. Pou
futures recherches de votre laboratoire.

1 Sélectionnez le texte à mettre en retrait.

2 Un clic sur ce bouton permet de décaler le paragraphe où se trouve le curseur d'un taquet de tabulation par défaut, depuis la marge gauche. Chaque clic supplémentaire sur ce bouton rallonge le retrait d'un taquet supplémentaire.

3 Pour diminuer le retrait progressivement, cliquez sur le bouton illustré par cette image.

Cette méthode ne présente pas de difficulté particulière. L'inconvénient est qu'elle ne s'applique qu'aux taquets par défaut.

Retrait à l'aide de la règle : précis et rapide

Comme pour les taquets de tabulation personnalisés, la définition de retraits personnalisés se fait encore dans la règle. Si elle est masquée, affichez-la à l'aide de la commande **Affichage/Règle**.

1 Sélectionnez le texte à mettre en retrait.

2 Lors de la définition des taquets de tabulation, vous avez certainement remarqué la présence de curseurs situés à gauche et à droite de la règle. Placez le pointeur sur la partie carrée tout en bas du curseur et, en maintenant enfoncé le bouton gauche de la souris, déplacez-le sur la règle jusqu'à la position appropriée.

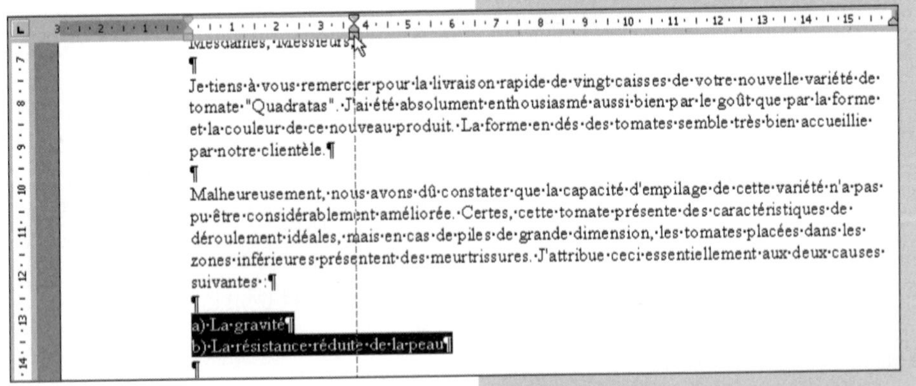

Mesdames, Messieurs,

Je tiens à vous remercier pour la livraison rapide de vingt caisses de votre nouvelle variété de tomate "Quadratas". J'ai été absolument enthousiasmé aussi bien par le goût que par la forme et la couleur de ce nouveau produit. La forme en dés des tomates semble très bien accueillie par notre clientèle.

Malheureusement, nous avons dû constater que la capacité d'empilage de cette variété n'a pas pu être considérablement améliorée. Certes, cette tomate présente des caractéristiques de déroulement idéales, mais en cas de piles de grande dimension, les tomates placées dans les zones inférieures présentent des meurtrissures. J'attribue ceci essentiellement aux deux causes suivantes :

a) La gravité

b) La résistance réduite de la peau

Pour appliquer à ce paragraphe un retrait à droite, procédez de la même manière.

Dans la fenêtre d'édition apparaît une ligne en pointillé verticale qui accompagne le mouvement du curseur. Cette ligne est particulièrement pratique pour ajuster avec précision le retrait, lorsque vous voulez l'appliquer à plusieurs paragraphes à la fois.

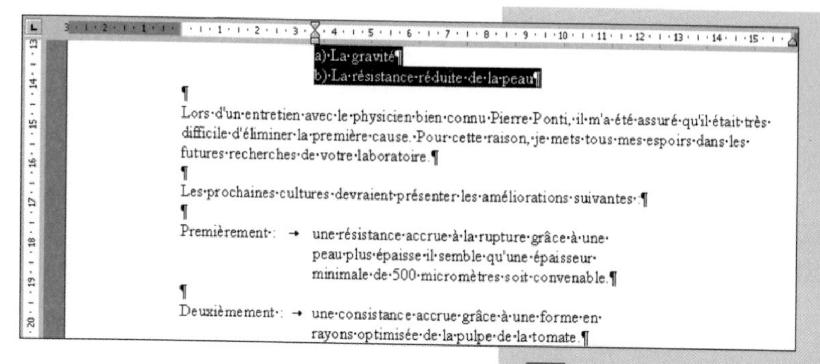

3 Pour modifier le retrait ultérieurement, déplacez simplement le curseur à un autre endroit. Pour appliquer un retrait à droite, la méthode est la même que pour un retrait à gauche. Le déplacement nécessite même moins d'attention, car il est inutile de prendre maintes précautions pour saisir le bon curseur.

Attention ! Pour le retrait à gauche, vous devez bien viser la partie carrée inférieure, car ce n'est qu'à cette condition que vous pourrez déplacer le curseur dans son ensemble. Si vous placez la souris sur la pointe inférieure ou supérieure, vous ne déplacez que la moitié correspondante. Comme vous le verrez plus tard, cela a son utilité pour d'autres types de mises en forme.

Mettre un paragraphe en retrait, à l'exception du premier mot

Premièrement·: → une·résistance·accrue·à·la·rupture·grâce·à·une·peau·plus·épaisse·il·semble·qu'une·épaisseur·minimale·de·500·micromètres·soit·convenable.¶

Deuxièmement·: → une·consistance·accrue·grâce·à·une·forme·en·rayons·optimisée·de·la·pulpe·de·la·tomate.¶

Cette variante de mise en forme peut vous paraître un peu étrange. Dans la pratique, elle est plus fréquemment utilisée que les retraits simples. Dans l'exemple actuel, nous avons mis en forme deux paragraphes de cette manière. Pour obtenir cet effet, il faut apprendre à manipuler avec plus de finesse le curseur gauche de la règle.

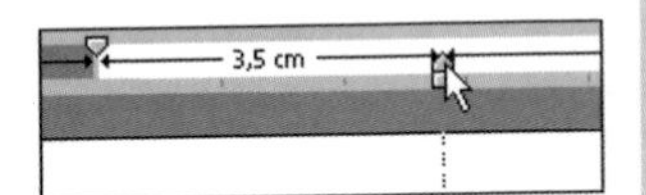

1 Sélectionnez le passage de texte à mettre en forme. Pensez à placer un symbole de tabulation après le mot (ou l'ensemble de mots) qui doit rester devant.

2 Déplacez la moitié inférieure du curseur vers la droite, tout en conservant l'autre moitié sur la valeur zéro. Vous devez placer la souris avec précision sur la pointe du curseur inférieur.

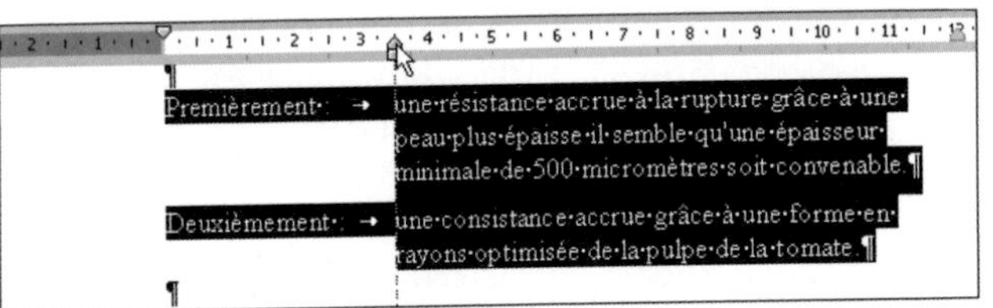

Pendant le déplacement, référez-vous à la ligne en pointillé verticale pour ajuster le retrait. Quand vous relâchez le bouton de la souris, vous constatez que la première ligne commence toujours à la valeur zéro alors que le reste du paragraphe apparaît en retrait.

Pour les retraits de première ligne, vous n'avez pas besoin de définir de taquet de tabulation ; en revanche, le symbole de tabulation est obligatoire. C'est lui qui signale à Word que le texte situé après la tabulation doit être aligné avec le reste du paragraphe. Le programme ajoute le taquet de tabulation en interne.

Vous pouvez également mettre en retrait le premier mot et laisser le reste du paragraphe là où il se trouve. Pour cela, déplacez légèrement vers la droite la partie supérieure du curseur dans la règle. En règle générale, un demi-centimètre suffit.

INFO

Travailler de manière plus précise

La boîte de dialogue *Paragraphe* regroupe tous les paramètres ayant trait à la mise en forme des paragraphes. Si vous préférez ajuster les valeurs numériques, plutôt que d'avoir à pointer avec précision dans la règle à l'aide de la souris, cette boîte de dialogue est l'outil idéal.

Espacements entre les paragraphes sans la touche Entrée

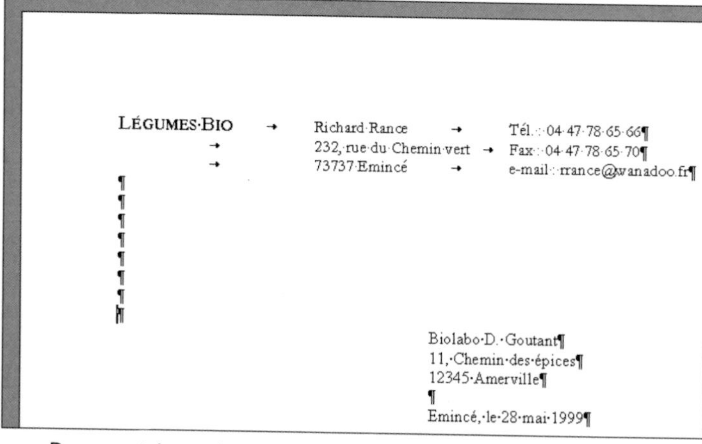
LÉGUMES·BIO → Richard·Rance → Tél.·:·04·47·78·65·66¶
→ 232,·rue·du·Chemin·vert → Fax·:·04·47·78·65·70¶
→ 73737·Emincé → e-mail·:·rrance@wanadoo.fr¶
¶
¶
¶
¶
¶
¶
¶
¶

Biolabo·D.·Goutant¶
11,·Chemin·des·épices¶
12345·Amerville¶
¶
Emincé,·le·28·mai·1999¶

Lorsque l'on commence à saisir des textes, la tendance naturelle pour espacer des paragraphes consiste à introduire des sauts de ligne. Ce procédé est très simple et suffit amplement dans de nombreux cas. Dans certaines situations, il présente néanmoins quelques inconvénients, dont les exemples suivants vous donnent un petit aperçu.

- Si votre texte est long, un paragraphe vide apparaîtra tantôt en haut, tantôt en bas de page. Lorsque vous feuilletez le document, la bordure supérieure est alors calée de façon inégale.

- Imaginez que vous souhaitiez faire tenir votre texte sur une seule page. Après la saisie, vous constatez que quelques lignes ont débordé et sont passées sur la deuxième page. Vous devez donc ménager de la place pour ces dernières. Si vous ne pouvez pas supprimer des parties de texte, le seul moyen consiste à intervenir sur l'espacement entre les paragraphes. Vous vous rendez alors compte que vous pouvez difficilement réduire de moitié une ligne dans le sens de la hauteur.

■ Vous désirez créer un espacement très précis (dans l'exemple, un espacement de 3 cm a été inséré entre l'adresse de l'expéditeur et la première ligne du destinataire). L'utilisation des marques de paragraphe est une méthode peu précise. En revanche, à l'aide des espacements personnalisés de paragraphes, vous disposez d'une grande souplesse : mesurez l'espacement souhaité à l'aide de la règle, et Word se charge de l'appliquer.

Appliquer des espacements personnalisés

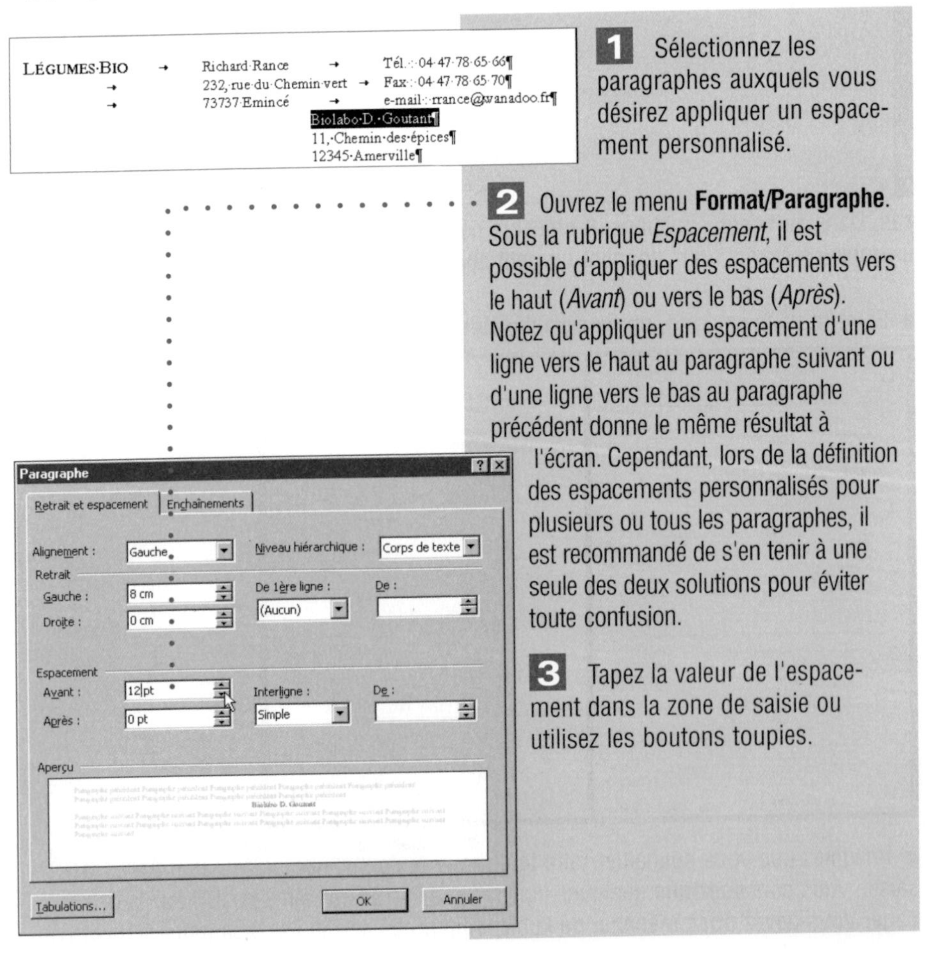

1 Sélectionnez les paragraphes auxquels vous désirez appliquer un espacement personnalisé.

2 Ouvrez le menu **Format/Paragraphe**. Sous la rubrique *Espacement*, il est possible d'appliquer des espacements vers le haut (*Avant*) ou vers le bas (*Après*). Notez qu'appliquer un espacement d'une ligne vers le haut au paragraphe suivant ou d'une ligne vers le bas au paragraphe précédent donne le même résultat à l'écran. Cependant, lors de la définition des espacements personnalisés pour plusieurs ou tous les paragraphes, il est recommandé de s'en tenir à une seule des deux solutions pour éviter toute confusion.

3 Tapez la valeur de l'espacement dans la zone de saisie ou utilisez les boutons toupies.

INFO

Le point n'est pas la seule unité de mesure applicable !

Lorsque vous omettez de préciser l'unité de mesure dans les zones de saisie de la rubrique *Espacement*, Word considère d'emblée qu'il s'agit de points. Si vous avez lu les chapitres précédents, cette unité vous est déjà familière : la taille des polices de caractères est également mesurée en points. Pour les espacements verticaux, ce système de mesure est prépondérant. Même si vous cliquez sur l'une des flèches de la zone de saisie, la valeur définie change par incréments de 6 pt.

En cas de besoin, ajoutez l'unité "li" (pour ligne) ou "cm" après la valeur saisie. Les valeurs en centimètres sont particulièrement pratiques pour créer un espacement prédéfini, comme dans les en-têtes de lettres. Word convertit automatiquement ces valeurs en points. Lorsque vous ouvrirez ensuite la boîte de dialogue *Paragraphe* pour le paragraphe en question, les valeurs seront affichées en points. Vous pouvez indiquer des valeurs entières ou décimales dans toutes les unités de mesure.

LÉGUMES·BIO → Richard·Rance → Tél.·:·04·47·78·65·66¶
→ 232,·rue·du·Chemin·vert → Fax·:·04·47·78·65·70¶
→ 73737·Emincé → e-mail·:·rrance@wanadoo.fr¶

Biolabo·D.·Goutant¶
11,·Chemin·des·épices¶
12345·Amerville¶
¶
Emincé,·le·28·mai·1999¶

4 Confirmez la saisie en cliquant sur OK et constatez le résultat dans le texte. Cette méthode diffère de la mise en forme à l'aide de sauts de lignes par le fait quel'espacement est précisément égal à la valeur spécifiée. Par ailleurs, aucune marque de paragraphe n'est visible entre les paragraphes.

Astuce : si vous souhaitez faire disparaître les marques de paragraphes pour tous les espacements, créez-les pour l'intégralité du document à l'aide de la boîte de dialogue **Format/Paragraphe**. Pour une lettre courte et informelle, cette méthode n'est pas vraiment appropriée. En revanche, si le document comporte plusieurs pages et que vous êtes exigeant sur certains points (voir les exemples au début de ce chapitre), l'utilisation de ce procédé peut être envisagée.

INFO

Ne confondez pas les espacements avant et après le paragraphe avec l'interligne

L'interligne fait également partie des espacements verticaux. À la différence des deux possibilités évoquées plus haut, il ne s'agit pas d'un espacement entre paragraphes, mais à l'intérieur des paragraphes. L'interligne définit l'espacement entre les lignes. Un interligne trop étroit aurait pour conséquence de laisser un espace vertical insuffisant aux caractères, de sorte que les lettres apparaîtraient sans leur partie supérieure.

Tant que vous ne modifiez pas le paramètre par défaut (interligne simple), Word ajuste systématiquement l'interligne de manière optimale, à 120 % de la taille de la police. Si vous souhaitez obtenir un interligne plus original, vous pouvez le définir vous-même, à condition de tenir compte des limitations évoquées.

Dans la liste déroulante *Interligne:* de la boîte de dialogue *Paragraphe* (commande *Format/Paragraphe*), choisissez un interligne plus grand (*1,5 ligne*, *Double* ou *Multiple*). Vous pouvez également sélectionner *Exactement* et indiquer l'interligne en saisissant une valeur dans la zone de saisie *De :* (par exemple, `13,5 pt`**).**

Les tableaux : créer son carnet d'adresses

Les tableaux permettent d'organiser ses données de façon claire et méticuleuse. Autant de raisons de les exploiter, d'autant qu'ils sont esthétiques et très faciles à mettre en forme dans Word.

Ma liste d'adresses

Prénom	Nom	Adresse	Code Postal	Ville	Téléphone
Jean	de la Renardière	15, avenue Robert Schuman	35000	Rennes	0248987945
Frédéric	Guillaumin	457, rue du Départ	76000	Rouen	0278855443
Lucie	Delbar	103, rue Caroline	14000	Caen	0292123223
Caroline	Tesson	5, allée des Plantes	75016	Paris	0186644220
Kevin	Cluzel-Gilbert	78, avenue du Général Leclerc	12650	Argessac s/Olt	0456632100

Il est très aisé de créer un tableau avec une mise en forme attrayante et d'y insérer des données. Il est par ailleurs facile de transformer un texte déjà existant en tableau. Ensuite, les possibilités de mise en forme du tableau sont nombreuses. C'est d'autant plus intéressant que le texte contenu dans le tableau supporte les mêmes mises en forme que le texte normal, à l'aide des mêmes outils. Pour les bordures et les lignes des tableaux, vous disposez d'une variété d'épaisseurs de traits et de motifs de remplissage.

Créer un tableau à l'aide du format automatique

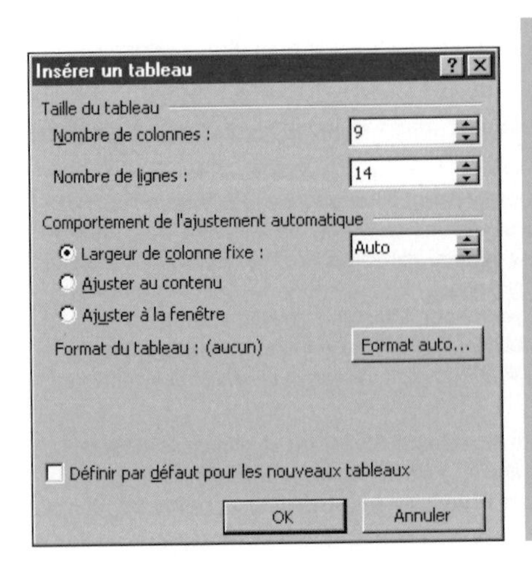

1 Cliquez dans le texte à l'endroit où votre tableau doit commencer. Insérez un saut de ligne en appuyant sur **Entrée** et placez le curseur devant la marque de paragraphe.

2 Ouvrez le menu **Tableau** et cliquez sur la commande **Insérer/Tableau**. La boîte de dialogue **Insérer un tableau** vous propose d'ores et déjà trois options pour l'ajustement de la largeur du tableau et un bouton **Format auto...**

3 Précisez le nombre de colonnes et de lignes. Pour cela, remplacez les paramètres dans les zones de saisie ou indiquez le nombre exact à l'aide des boutons toupies. Si vous constatez par la suite que des lignes ou des colonnes vous manquent ou qu'il y en a en trop, cela ne posera aucun problème d'effectuer un réajustement. Pour l'exemple, nous avons défini neuf colonnes et quatorze lignes.

Sachez dès à présent que vous pouvez également saisir une largeur de colonne fixe à cet endroit (par exemple, 3 cm pour chaque colonne). En règle générale, il est préférable que la largeur des colonnes soit ajustée automatiquement en fonction de la longueur du texte dans les cellules.

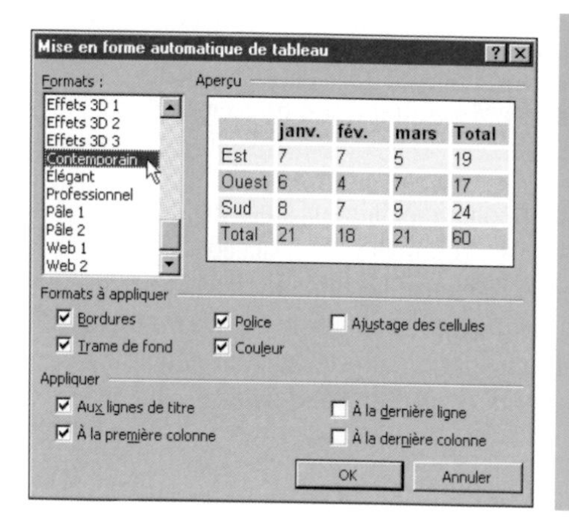

4 Cliquez sur **Format auto**.

5 Sélectionnez l'un des formats prédéfinis dans la zone de liste gauche et observez le résultat dans la zone *Aperçu*. Si le format du tableau ne vous convient pas, modifiez-le jusqu'à ce que vous soyez satisfait. Dans notre exemple, nous avons opté pour *Contemporain*.

Bien sûr, à ce niveau, cela n'a pas encore de sens de sélectionner l'option *Ajustage des cellules*. Il n'existe encore aucun texte sur lequel la taille des colonnes pourrait s'ajuster. Le tableau occupe donc toute la largeur disponible (au besoin, vous pouvez apporter ultérieurement les modifications qui s'imposent, comme nous le verrons dans la section sur la largeur des colonnes).

6 Lorsque vous avez trouvé un format adéquat, cliquez sur OK, et procédez de même dans la boîte de dialogue suivante. Si vous avez suivi correctement la procédure, vous obtenez un tableau mis en forme, qui ne contient aucun texte à ce stade.

Les petites croix avec des cercles à l'intérieur des cellules sont des marques de fin de cellule. Elles apparaissent en général dans chaque cellule, après le dernier caractère.

INFO

La bordure en pointillé du tableau forme le quadrillage

Si vous avez choisi un type de tableau qui ne dispose pas d'un quadrillage complet, vous serez peut-être surpris d'apercevoir des lignes en pointillé (que vous n'aviez pas demandées). Cette bordure en pointillé, qui n'apparaît pas lors de l'impression, est activée et désactivée à l'aide de la commande *Afficher/Masquer le quadrillage* du menu *Tableau*. Cette fonction est activée par défaut. Elle est effectivement utile, car elle confère au tableau une meilleure impression, sans bordures véritables, et représente également un outil important pour certaines opérations.

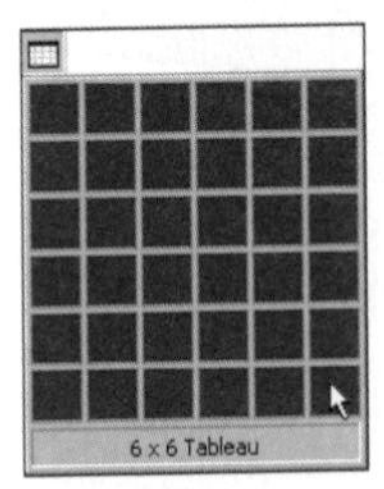

Il existe une méthode encore plus rapide pour créer des tableaux, mais le résultat obtenu est très sommaire. Pour accéder à cette variante, cliquez sur le bouton **Insérer un tableau** dans la barre d'outils *Mise en forme*. Une grille avec cinq lignes et quatre colonnes s'affiche. Cliquez sur l'une des vingt cellules pour définir la position de la cellule inférieure droite, qui détermine elle-même la taille du tableau.

INFO

Déplacement rapide de tableaux

Lorsque le pointeur de la souris se trouve au-dessus du tableau, un petit carré est affiché à l'angle supérieur gauche du tableau. Cliquez sur ce carré et gardez le bouton de la souris enfoncé pour déplacer le tableau à un emplacement différent de la page.

Dessine-moi un tableau

La nouvelle fonction **Dessiner un tableau**, qui s'inspire de la méthode manuelle, est très facile à utiliser. En outre, elle constitue un outil Word très souple de création de tableaux.

Créer un tableau

1 Choisissez la commande **Tableau/ Dessiner un tableau**. Vous pouvez également activer la barre d'outils *Tableaux et bordures* et cliquer sur le bouton **Dessiner un tableau**.

2 En maintenant le bouton gauche de la souris enfoncé, tracez à l'emplacement désiré un rectangle d'une taille quelconque : il s'agit du cadre extérieur du tableau.

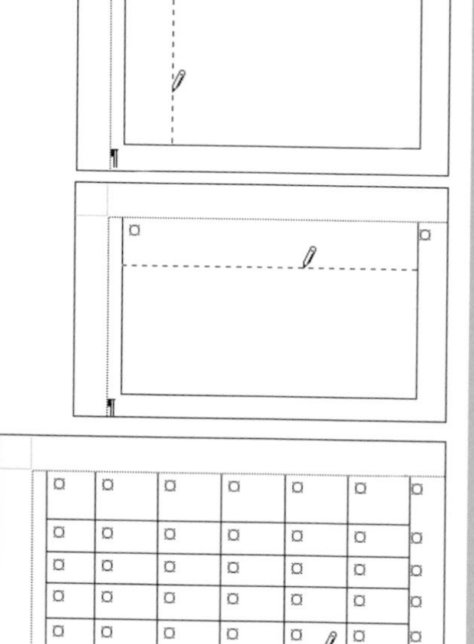

3 Toujours à l'aide du crayon, tracez les lignes verticales et horizontales du tableau, selon vos souhaits.

4 Pour disposer de toutes les fonctions de modification déjà évoquées (saisie du texte, ajustement de la largeur des colonnes, etc.), cliquez quelque part hors du tableau.

5 Vous pouvez supprimer les lignes et les bordures superflues à l'aide de la **Gomme**. Sélectionnez une bordure de cellule à l'aide du curseur gomme pour l'effacer. Le contenu des cellules concernées est alors fusionné. Si vous sélectionnez l'une des quatre bordures extérieures, seule la ligne indiquée est effacée. Activez cette fonction en cliquant sur le bouton correspondant (ou maintenez la touche **Maj** enfoncée pendant que vous activez la commande **Dessiner un tableau**) et faites glisser la souris sur un petit morceau de la ligne à effacer.

Vous pouvez tout à fait combiner le tracé de tableaux avec les autres méthodes décrites dans ce chapitre.

Manipulation du texte dans les tableaux

Heureuse surprise, la plupart des possibilités évoquées jusqu'ici sont applicables à la mise en forme de texte dans les tableaux.

Saisir du texte dans le tableau

La saisie de texte dans un tableau s'effectue de la même manière que pour le texte normal.

1 Cliquez sur l'emplacement dans le tableau où vous désirez effectuer une saisie. Vous pouvez également utiliser les touches de direction pour atteindre l'endroit voulu.

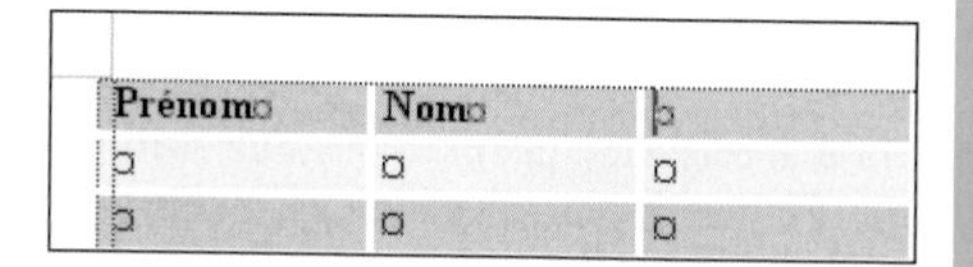

2 Commencez votre saisie. Dès que vous atteignez la fin d'une cellule, un retour à la ligne est inséré automatiquement pour vous permettre de taper le reste de votre texte. La hauteur de la cellule s'ajuste automatiquement en fonction du volume de texte.

3 Pour vous déplacer vers une autre cellule du tableau, vous pouvez utiliser la souris ou les touches de direction. Mais il y a une méthode plus rapide : la touche **Tab** vous permet de passer de cellule en cellule, en sélectionnant directement le contenu de la cellule active.

Pour vous déplacer de cellule en cellule dans le sens inverse, servez-vous de la combinaison de touches **Maj+Tab**. Les touches **Origine** et **Fin** vous permettent d'atteindre le début ou la fin de la cellule où se trouve le curseur. Voici, présentées sous forme de tableau, les fonctions de toutes les touches, des plus courantes aux plus originales.

Touches et combinaisons de touches pour se déplacer dans les tableaux

Touches	Déplacement
Tab	Vers la cellule droite
Maj+Tab	Vers la cellule gauche
Origine	Au début de la cellule active
Fin	À la fin de la cellule active
Alt+Origine	Vers la première cellule de la ligne
Alt+Fin	Vers la dernière cellule de la ligne
Alt+PgPréc	Vers la cellule supérieure de la colonne actuelle
Alt+PgSuiv	Vers la cellule inférieure de la colonne actuelle

Sélectionner les éléments du tableau

Même dans un tableau, vous devrez parfois recourir à la sélection, par exemple pour mettre en forme le texte qu'il contient ou pour le supprimer. En principe, la sélection d'éléments de tableau à l'aide de la souris fonctionne exactement comme avec des textes ordinaires.

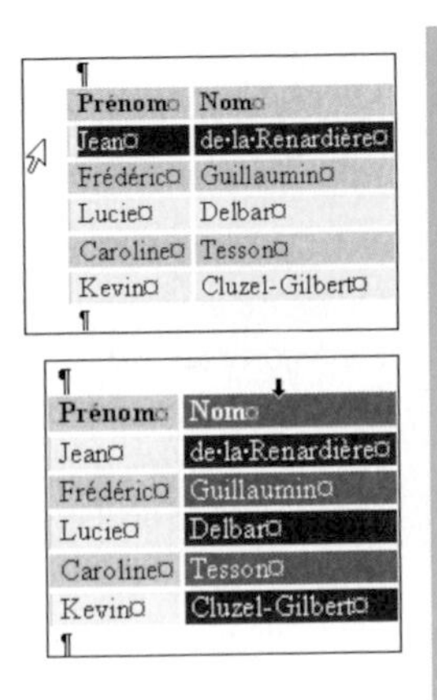

Prénom	Nom
Jean	de la Renardière
Frédéric	Guillaumin
Lucie	Delbar
Caroline	Tesson
Kevin	Cluzel-Gilbert

Prénom	Nom
Jean	de la Renardière
Frédéric	Guillaumin
Lucie	Delbar
Caroline	Tesson
Kevin	Cluzel-Gilbert

1 À titre d'exemple, un clic dans la colonne de sélection à côté du tableau sélectionne la ligne entière et le déplacement à l'aide de la souris mène à des résultats analogues.

2 Comme pour les lignes, vous pouvez sélectionner très rapidement une colonne entière : lorsque vous placez le pointeur au-dessus de la limite supérieure de la colonne, il prend la forme d'une petite flèche orientée vers le bas. Cliquez avec ce pointeur pour sélectionner la colonne désignée. Si, tout en gardant le bouton enfoncé, vous déplacez la souris vers la droite, vous pouvez sélectionner plusieurs colonnes à la fois, ou même le tableau entier.

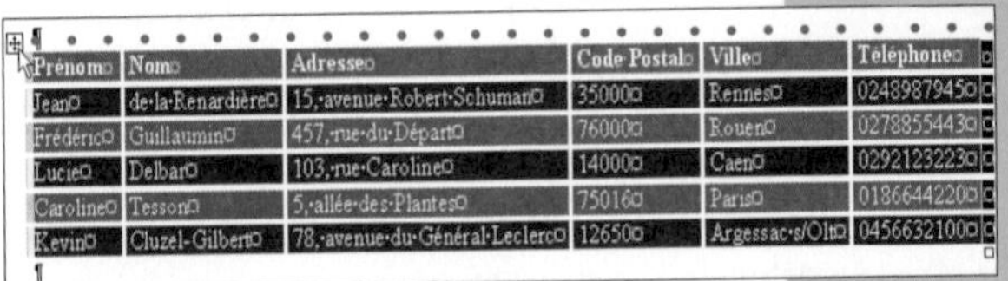

Prénom	Nom	Adresse	Code Postal	Ville	Téléphone
Jean	de la Renardière	15, avenue Robert Schuman	35000	Rennes	0248987945
Frédéric	Guillaumin	457, rue du Départ	76000	Rouen	0278855443
Lucie	Delbar	103, rue Caroline	14000	Caen	0292123223
Caroline	Tesson	5, allée des Plantes	75016	Paris	0186644220
Kevin	Cluzel-Gilbert	78, avenue du Général Leclerc	12650	Argessac s/Olt	0456632100

3 Si vous devez sélectionner l'ensemble d'un tableau, double-cliquez simplement sur le petit carré situé à l'angle supérieur gauche du tableau.

Tant que le curseur se trouve quelque part dans un tableau, vous pouvez exécuter les fonctions **Sélectionner la ligne**, **Sélectionner la colonne** et **Sélectionner le tableau** dans le menu **Tableau**.

Insérer, supprimer et copier des éléments de tableau

L'insertion, la suppression et la copie de texte à l'intérieur de tableaux présentent peu de particularités par rapport à la manipulation d'un texte normal.

Insérer du texte

Le simple ajout de texte dans une cellule est une opération très aisée : cliquez dans la cellule, tapez le texte supplémentaire et la taille des cellules s'ajuste automatiquement, si nécessaire.

Supprimer du texte

1 Pour supprimer du texte, utilisez les touches **Suppr** et **Retour arrière**, comme pour tout autre texte.

2 Si vous appuyez sur **Suppr** alors que vous avez sélectionné une ou plusieurs lignes à l'intérieur du tableau, le texte des cellules est supprimé, mais pas leurs bordures.

Le même effet se produit lorsque vous sélectionnez le tableau entier et que vous appuyez sur **Suppr**. Pour supprimer le tableau entier, avec son contenu, sélectionnez un peu de texte normal, même s'il s'agit d'un paragraphe vide, hors du tableau.

Couper et coller du texte dans les tableaux

Vous souhaitez restructurer légèrement votre tableau ? Dans ce cas, vous pouvez couper le contenu d'une cellule et le coller à un autre emplacement, comme pour un texte normal.

1 Sélectionnez le texte que vous désirez couper.

2 Cliquez sur le bouton **Couper**.

3 Cliquez à l'emplacement approprié dans le tableau, puis sur le bouton **Coller**.

Avant de coller, faites attention à...

Lorsque vous collez des éléments, vous risquez d'être confronté à des surprises désagréables dans certaines circonstances.

- Sélectionnez le texte seul (sans la marque de fin de cellule) pour le couper, puis insérez-le à un autre endroit du tableau, après avoir sélectionné entièrement la cellule de destination (y compris la marque de fin de cellule). Vous constatez que le texte qui s'y trouvait est supprimé et remplacé par le texte coupé.

¤	Nom¤	Adresse¤
¤	¤	¤
¤	¤	¤

Cela se produit indépendamment du fait que la fonction *La frappe remplace la sélection* soit activée ou non dans **Outils/Options/Édition**.

	Nom	Adresse

		Nom

■ Le même phénomène se produit lorsque, lors de la sélection du texte à couper, vous incluez la marque de fin de cellule et que le curseur se trouve devant le texte dans la cellule de destination du tableau. Cela tient au fait que les commandes **Couper** et **Coller** du menu **Edition** sont conçues pour vous permettre de copier des cellules et leur contenu vers un autre emplacement, même là où il n'y avait jusqu'à présent aucun tableau.

Les commandes **Couper**, **Copier** et **Coller** s'appliquant à des éléments de tableau fonctionnent également avec des lignes et des colonnes entières. C'est d'ailleurs leur objectif principal. De cette manière, vous pouvez modifier confortablement l'ordre des lignes et des colonnes du tableau. Exercez-vous à couper, par exemple, une ligne entière et à la coller une ligne plus loin. Le résultat de la commande **Edition/Coller** dépend de la fonction utilisée précédemment : **Couper** ou **Copier**.

	Nom	Adresse

		Adresse

		Nom

Vous pouvez également couper le tableau entier et le coller à un emplacement de votre choix.

Tableaux imbriqués

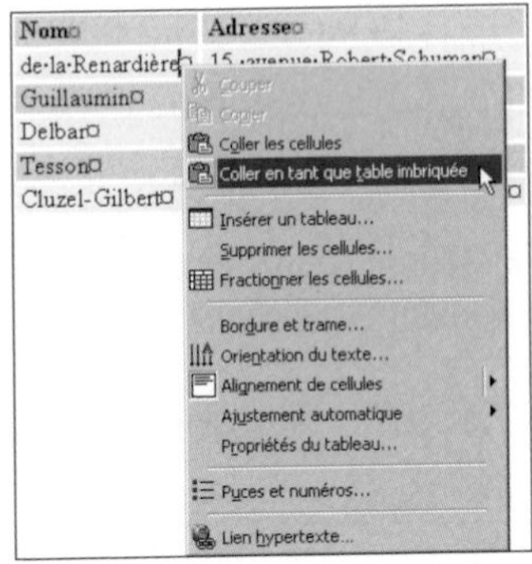

Si vous souhaitez insérer des éléments de tableau que vous avez copiés ou coupés auparavant, le menu contextuel vous propose, entre autres, la commande **Coller en tant que table imbriquée**.

Ce procédé permet d'insérer un tableau dans un autre tableau. C'est-à-dire que des éléments d'un tableau (lignes, colonnes ou cellules) peuvent eux-mêmes contenir un tableau. Cette possibilité démultiplie les possibilités de mise en forme de tableaux et de leur contenu.

Prénom	Nom	Adresse
Jean	de la Renardière¶ Caroline Tesson / Kevin Cluzel-Gilbert	15, avenue Robert Schuman
Frédéric	Guillaumin	457, rue du Départ
Lucie	Delbar	103, rue Caroline

Dans notre exemple, la table imbriquée est mise en valeur par un cadre rouge.

Modifier la largeur des colonnes

Indépendamment de la façon dont il a été créé, le tableau occupe d'abord la largeur disponible dans son intégralité, et toutes les colonnes sont de dimension égale. Cependant, pour la plupart des usages, les cellules ne sont pas toutes destinées à recevoir la même quantité de données. Certaines d'entre elles seront plus remplies que d'autres. Il faut donc que la largeur des colonnes puisse s'ajuster en fonction du texte qu'elles contiennent.

Prénom	Nom	Adresse	Code Postal	Ville	Téléphone
Jean	de la Renardière	15, avenue Robert Schuman	35000	Rennes	0248987945
Frédéric	Guillaumin	457, rue du Départ	76000	Rouen	0278855443
Lucie	Delbar	103, rue Caroline	14000	Caen	0292123223
Caroline	Tesson	5, allée des Plantes	75016	Paris	0186644220
Kevin	Cluzel-Gilbert	78, avenue du Général Leclerc	12650	Argessac s/Olt	0456632100

Modification rapide grâce à l'ajustement automatique

Cette solution est la plus simple :

1 Cliquez à un endroit quelconque dans le tableau.

2 Ouvrez le menu contextuel, où vous trouverez la commande **Ajustement automatique** dotée de trois variantes.

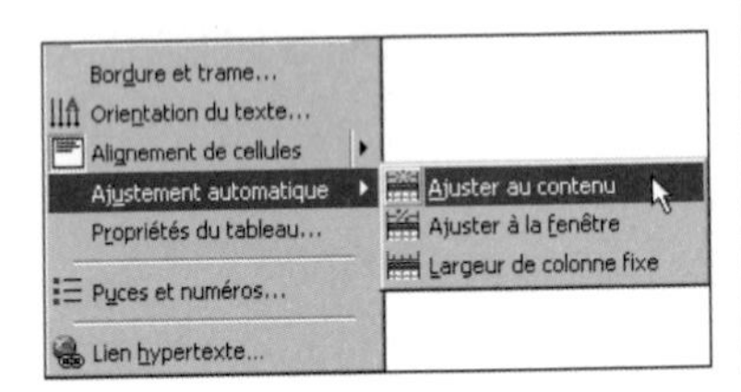

3 Activez l'option *Ajuster au contenu.*

4 Résultat : la largeur des colonnes a été ajustée en fonction de leur contenu respectif.

Définir automatiquement la largeur optimale

Cette solution requiert une manipulation supplémentaire, mais elle vous permet par la même occasion de modifier l'agencement du tableau.

1 Cliquez à un endroit quelconque dans le tableau.

2 Cliquez sur la commande **Tableau/ Format automatique de tableau.**

3 Activez l'option *Ajustage des cellules* et cliquez sur OK.

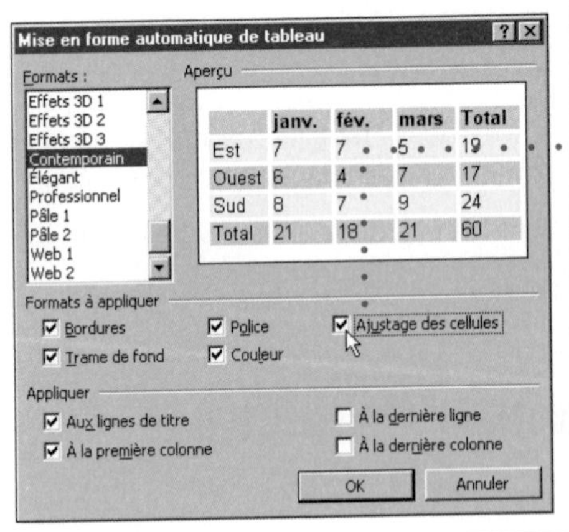

Prénom	Nom	Adresse	Code Postal	Ville	Téléphone
Jean	de la Renardière	15, avenue Robert Schuman	35000	Rennes	0248987945
Frédéric	Guillaumin	457, rue du Départ	76000	Rouen	0278855443
Lucie	Delbar	103, rue Caroline	14000	Caen	0292123223
Caroline	Tesson	5, allée des Plantes	75016	Paris	0186644220
Kevin	Cluzel-Gilbert	78, avenue du Général Leclerc	12650	Argessac s/Olt	0456632100

4 Résultat : la largeur des colonnes a été ajustée en fonction de leur contenu.

Définir la largeur des colonnes à l'aide des lignes de séparation

La largeur considérée par Word comme optimale ne l'est pas forcément à vos yeux. C'est pourquoi il est possible de dimensionner la largeur de chaque colonne à votre guise.

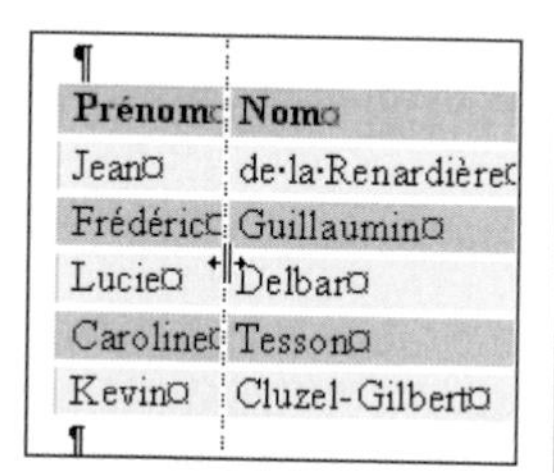

Prénom	Nom
Jean	de-la-Renardière
Frédéric	Guillaumin
Lucie	Delbar
Caroline	Tesson
Kevin	Cluzel-Gilbert

1 Placez le pointeur de la souris sur la ligne de séparation des colonnes. Lorsque vous déplacez le pointeur sur cette ligne, il prend la forme d'une double flèche horizontale.

2 En maintenant le bouton gauche de la souris enfoncé, déplacez cette flèche pour modifier la largeur de la colonne.

Vous remarquerez qu'il faut déplacer la bordure extérieure droite pour élargir la colonne droite. Il est également possible de décaler la bordure gauche du tableau, ce qui a pour effet de déplacer le tableau en entier.

INFO

Travailler avec une grande précision

Si vous le souhaitez, vous pouvez également définir très précisément la largeur des colonnes en fixant leurs valeurs numériques. Appelez la commande *Tableau/Propriétés du tableau* et activez l'onglet *Colonnes*.

Lorsque vous modifiez ainsi la largeur d'une colonne, la dimension globale du tableau ne change pas. En d'autres termes, lorsque vous élargissez une cellule, vous rétrécissez d'autant la cellule voisine de droite. Si vous voulez empêcher cela, maintenez la touche **Maj** enfoncée pendant que vous modifiez la largeur de la colonne.

Modifier la hauteur des lignes à l'aide de la souris

Pour modifier la hauteur d'une ou de plusieurs lignes, procédez comme suit :

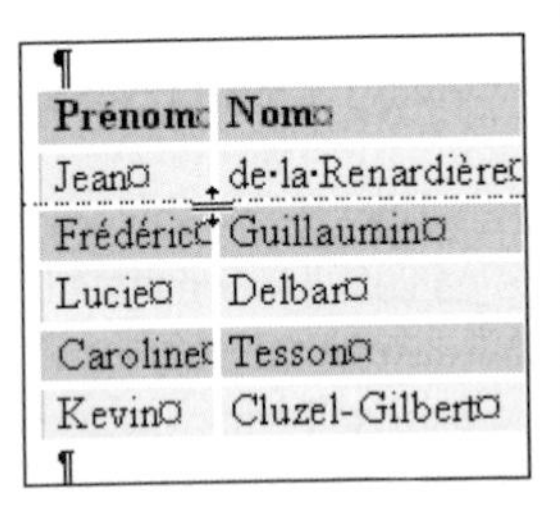

Prénom¤	Nom¤
Jean¤	de·la·Renardière¤
Frédéric¤	Guillaumin¤
Lucie¤	Delbar¤
Caroline¤	Tesson¤
Kevin¤	Cluzel-Gilbert¤

1 Placez le pointeur de la souris au-dessus de la bordure inférieure de la ligne concernée jusqu'à ce qu'il prenne la forme d'une double flèche verticale. En maintenant le bouton gauche de la souris enfoncé, déplacez la bordure pour atteindre la hauteur de ligne souhaitée.

Comme pour les colonnes, maintenez la touche **Alt** enfoncée pour travailler de manière plus souple, à l'aide de la règle verticale.

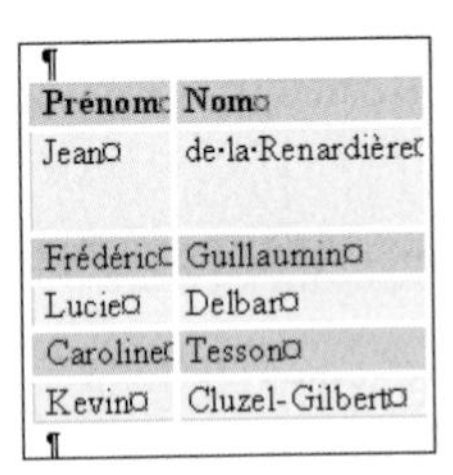

Prénom¤	Nom¤
Jean¤	de·la·Renardière¤
Frédéric¤	Guillaumin¤
Lucie¤	Delbar¤
Caroline¤	Tesson¤
Kevin¤	Cluzel-Gilbert¤

2 Une fois que vous avez atteint la hauteur de ligne désirée, relâchez le bouton de la souris.

INFO

Modifier simultanément toutes les dimensions de votre tableau

Lorsque le pointeur de souris se trouve au-dessus d'un tableau, vous apercevez un petit carré de sélection à l'extrémité inférieure droite du tableau. Lorsque vous placez le pointeur à cet endroit, celui-ci prend l'apparence d'une double flèche. Vous pouvez alors redimensionner l'ensemble de votre tableau à votre gré en déplaçant la souris de manière à modifier la largeur des colonnes et/ ou la hauteur des lignes.

Ajouter des lignes et des colonnes

Les cas où le nombre de lignes et de colonnes prédéfini est définitif relèvent plutôt de l'exception. Par conséquent, vous devez apprendre à ajouter des lignes et des colonnes à un tableau déjà existant.

Ajouter des lignes à la fin du tableau

1 Placez le pointeur de la souris dans la dernière cellule du tableau.

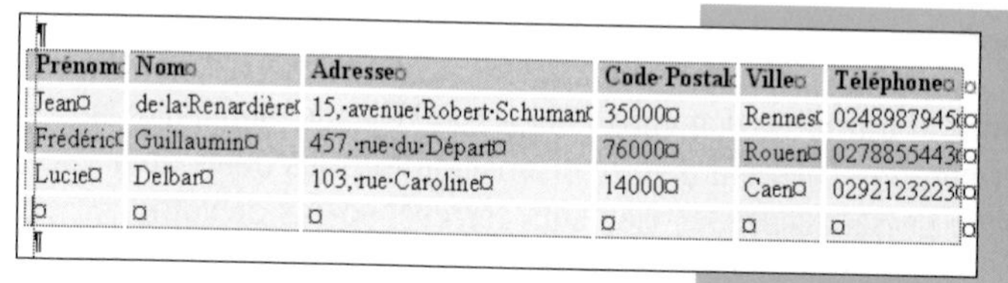

Prénom	Nom	Adresse	Code Postal	Ville	Téléphone
Jean	de la Renardière	15, avenue Robert Schuman	35000	Rennes	0248987945
Frédéric	Guillaumin	457, rue du Départ	76000	Rouen	0278855443
Lucie	Delbar	103, rue Caroline	14000	Caen	0292123223

2 Appuyez sur la touche **Tab** pour créer une nouvelle ligne. Cette performance peut être répétée à l'infini.

Insérer des lignes et des colonnes au milieu du tableau

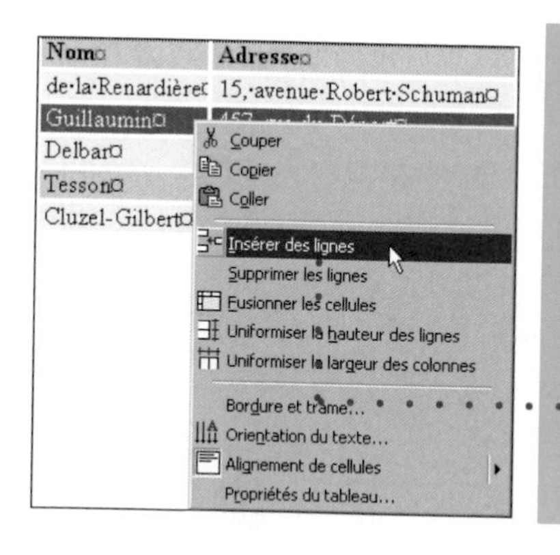

1 Sélectionnez la ligne au-dessus de laquelle vous désirez en créer une nouvelle.

2 Cliquez avec le bouton droit de la souris dans la zone sélectionnée pour ouvrir le menu contextuel.

3 Dans le menu, choisissez la commande **Insérer des lignes**.

Pour ajouter des colonnes, procédez de la même manière : sélectionnez la colonne à la gauche de laquelle vous voulez insérer la nouvelle colonne (pour cela, cliquez sur la bordure supérieure de la colonne). La commande dans le menu contextuel s'intitule **Insérer colonnes**. La colonne insérée adopte la même largeur que celle à partir de laquelle elle a été créée.

Si vous avez mis en forme votre tableau à l'aide du format *Contemporain*, la mise en forme ne s'ajuste pas de manière automatique une fois que vous avez inséré des nouvelles lignes dans le tableau. Par conséquent, vous devez sélectionner le tableau entier et appliquer une nouvelle fois le format automatique.

Définir sa propre mise en forme

La fonction **Format automatique** vous offre des solutions standard. Si aucune de celles proposées ne vous satisfait, vous devez créer un tableau vierge (par un clic sur le bouton **Insérer un tableau**) ou modifier la mise en forme d'un tableau au format automatique. Vous trouverez quelques suggestions dans les paragraphes suivants.

Appliquer une bordure au tableau

La fonction **Format/Bordure et trame...**, que vous connaissez déjà, de même que la barre d'outils *Tableaux et bordures*, mettent à votre disposition tous les outils pour mettre en forme de manière personnalisée les éléments correspondants de votre tableau.

Appliquer une bordure et une trame à l'aide de la barre d'outils

L'application de propriétés de bordure et de trame, à l'aide de la barre d'outils *Tableaux et bordures*, fonctionne de la même manière pour les tableaux que pour le texte normal (un ou plusieurs caractères ou paragraphes).

Pour de plus amples renseignements sur les bordures et les trames, consultez le chapitre : *Créer une affiche.*

1 Sélectionnez la zone du tableau (par exemple, une ou plusieurs lignes, une colonne) dont vous désirez modifier les propriétés de bordure ou de trame.

2 Ouvrez la barre d'outils *Tableaux et bordures* en cliquant sur le bouton du même nom dans la barre d'outils *Standard.*

3 Appliquez les propriétés de bordure désirées à l'aide des listes déroulantes *Style de trait* et *Épaisseur de trait* de même qu'à l'aide du bouton **Couleur de la bordure**. Appliquez ensuite la bordure appropriée à l'aide du bouton correspondant.

4 Les propriétés de trame peuvent au besoin être définies à l'aide du bouton **Couleur de la trame de fond**.

La figure suivante présente un résultat possible.

Prénom	Nom	Adresse	Code Postal	Ville	Téléphone
Jean	de la Renardière	15, avenue Robert Schuman	35000	Rennes	0248987945
Frédéric	Guillaumin	457, rue du Départ	76000	Rouen	0278855443
Lucie	Delbar	103, rue Caroline	14000	Caen	0292123223
Caroline	Tesson	5, allée des Plantes	75016	Paris	0186644220
Kevin	Cluzel-Gilbert	78, avenue du Général Leclerc	12650	Argessac s/Olt	0456632100

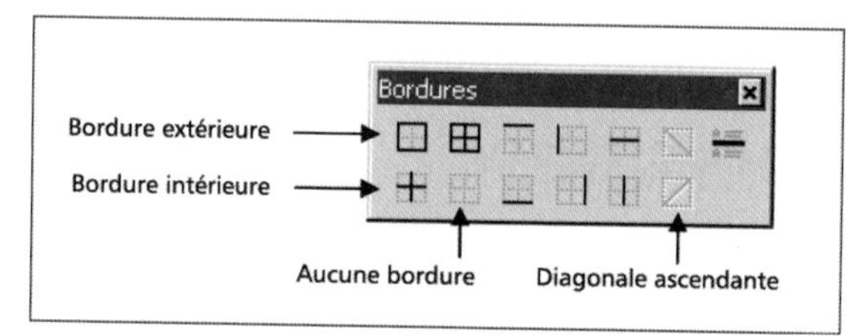

Lorsque vous sélectionnez le tableau entier, le bouton **Bordure** de la barre d'outils *Tableaux et bordures* devient particulièrement intéressant, car il propose alors, entre autres, les options *Bordure extérieure* (cadre du tableau) et *Bordure intérieure* (application de bordures à toutes les lignes de séparation).

Le texte dans les tableaux peut être mis en forme exactement de la même manière et à l'aide des mêmes outils que n'importe quel autre texte. Une police nette comme *Arial* est particulièrement appropriée.

Si les colonnes ne contiennent que des textes courts et pas de nombres, un alignement centré offre un bon effet. Sélectionnez la colonne et cliquez sur le bouton **Centré** dans la barre d'outils *Mise en forme*. Il est préférable de ne pas utiliser l'alignement justifié dans les tableaux. En effet, si la largeur de la cellule est insuffisante, les mots risquent de ne plus s'enchaîner correctement.

Espacement entre les cellules d'un tableau

Pour des raisons de présentation, il peut être utile d'insérer un certain espacement entre les cellules d'un tableau plutôt que de les coller les unes aux autres.

1 Ouvrez le menu **Tableau/Propriétés** du tableau.

2 Dans la boîte de dialogue qui s'affiche, activez l'onglet **Tableau** et cliquez sur le bouton **Options**

3 La boîte de dialogue **Options du tableau** vous permet d'indiquer une valeur en centimètres sous la rubrique *Espacement des cellules par défaut.*

Dans notre exemple les cellules sont plus espacées. En outre, la bordure des différentes cellules est mise en forme dans des couleurs différentes.

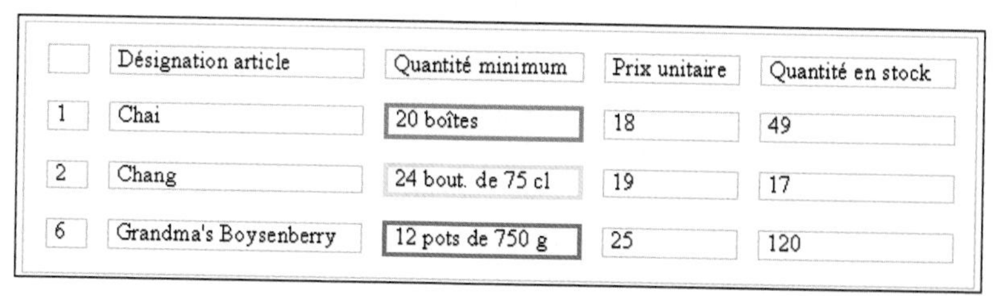

	Désignation article	Quantité minimum	Prix unitaire	Quantité en stock
1	Chai	20 boîtes	18	49
2	Chang	24 bout. de 75 cl	19	17
6	Grandma's Boysenberry	12 pots de 750 g	25	120

Mettre en forme une invitation à l'aide de graphismes

Pour vous permettre d'agrémenter vos textes au moyen d'objets graphiques, de nombreuses possibilités sont mises à votre disposition. Vous pouvez ainsi incorporer dans votre document des images issues d'autres applications ou créer vos propres graphismes au sein même de Word.

Grâce aux capacités graphiques intégrées dans Word, vous pouvez désormais réaliser tout type de document : cela peut être une carte de vœux, de visite ou d'invitation.

Insérer des graphismes prêts à l'emploi dans votre document

Comment accéder aux graphismes prêts à l'emploi ?

Saviez-vous que vous possédez des logiciels graphiques spéciaux à l'aide desquels vous pouvez dessiner ou peindre et enregistrer des images. L'un de ces programmes se trouve certainement sur votre disque dur : il s'agit de Paint, livré avec Windows.

Des graphismes prêts à l'emploi sont disponibles à l'achat. Il existe actuellement des collections d'images de toutes natures, sur des CD-Rom bon marché. Le choix va de photographies de haute qualité aux petites images servant à agrémenter votre texte. Word est fourni avec une riche sélection de graphismes qui conviennent aux usages les plus courants.

Les images clipart de Word

Ces images sont stockées dans une bibliothèque spéciale livrée avec Word. Vous pouvez les incorporer dans votre texte et, si vous le souhaitez, les modifier à votre guise. Nombre de ces images ont un caractère symbolique. La sélection propose également divers objets de décoration, comme des bordures, pour mettre en valeur des documents ou des cartes d'invitation.

INFO

Comment accéder à d'autres images

Certaines images sont copiées sur votre disque dur lors de l'installation. Un choix encore plus grand est disponible sur le CD-Rom d'installation de Word ou d'Office. Il est donc préférable d'introduire le CD-Rom dans le lecteur avant de poursuivre l'exercice. Les images de notre exemple sont puisées dans cette bibliothèque.

1 Pour vous simplifier la tâche, Word offre un endroit centralisé d'où toutes les catégories d'objets graphiques sont accessibles. Ouvrez le menu **Insertion** et choisissez la commande **Image**, puis, dans le sous-menu qui apparaît, cliquez sur l'option **Images de la bibliothèque**.

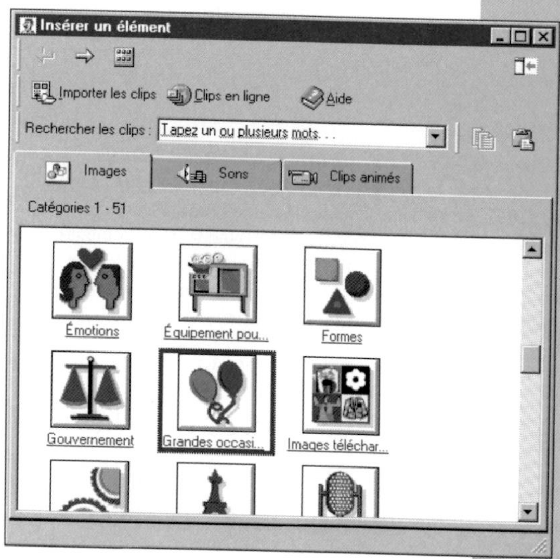

2 Si nécessaire, activez l'onglet **Images** et choisissez la catégorie qui contient l'image recherchée. Si vous désirez d'abord insérer une bordure autour de la page, il est préférable de se restreindre au choix correspondant : activez dans ce cas la catégorie *Arrière-plans*.

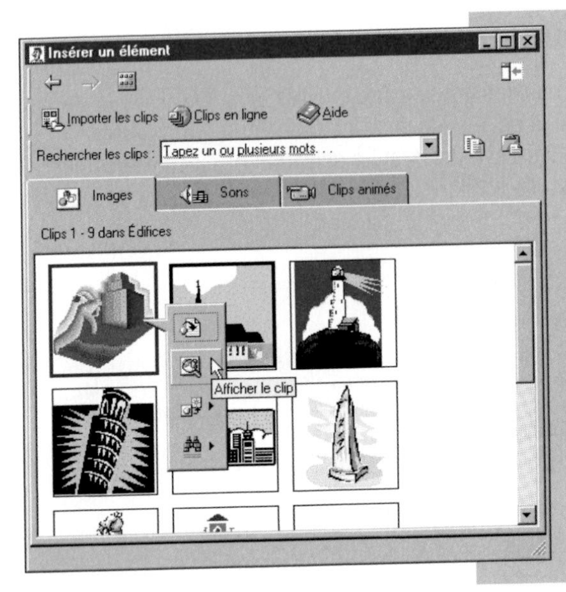

3 Dans la fenêtre d'aperçu, cliquez sur l'image désirée pour la sélectionner. Dans le petit menu contextuel qui apparaît, vous avez le choix entre quatre options.

4 Si vous ne parvenez pas à distinguer les détails de l'image, cliquez sur l'option *Afficher le clip*. Refermez ensuite la fenêtre d'aperçu, cliquez à nouveau sur l'image et choisissez l'option *Insérer le clip*.

Si vous n'avez pas trouvé votre bonheur dans une catégorie, vous avez deux possibilités pour revenir à la vue d'ensemble des catégories. Cliquez sur les boutons **Toutes les catégories** ou **Précédente** situés au sommet de la boîte de dialogue.

L'image est insérée dans votre document comme s'il s'agissait d'un caractère de grande taille. Vous pouvez alors la modifier, la déplacer, la redimensionner, etc.

INFO

Disposition libre

Si vous souhaitez travailler avec plus de souplesse et pouvoir déplacer librement tous les éléments sur la page, l'insertion de cliparts par la méthode précédente risque de vous poser quelques problèmes, bien qu'il soit possible de les convertir en éléments libres. Pour leur attribuer cette caractéristique dès le départ, cliquez sur le clipart et déplacez-le de la bibliothèque vers votre fenêtre de document à l'aide de la souris. Le graphisme est ainsi inséré sous forme d'élément libre. La fenêtre des cliparts, restée ouverte, peut être facilement réactivée au moyen de la barre des tâches pour insérer d'autres cliparts, si nécessaire.

Pour l'exemple suivant, nous partirons du principe que les cliparts ont été insérés selon cette méthode.

La boîte de dialogue **Insérer un élément** reste ouverte et vous permet d'insérer d'autres images dans votre document. Néanmoins, vous pouvez parfaitement choisir de retourner d'abord à votre document (par exemple pour disposer l'image que vous venez d'insérer). La bibliothèque des cliparts reste à l'arrière-plan et peut-être réactivée à tout moment par un simple clic sur le bouton correspondant dans la barre des tâches.

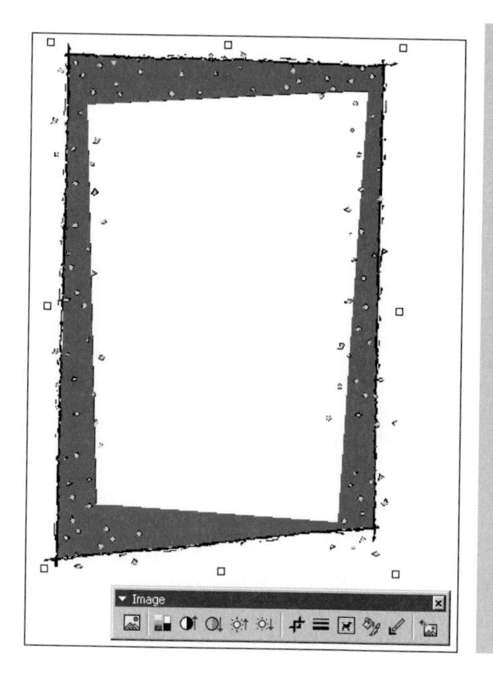

5 L'image clipart se trouve maintenant dans votre document. Bien sûr, elle n'a pas encore la taille adéquate et elle n'occupe pas sa place définitive (comme dans l'exemple proposé). Nous allons voir dans les pages à venir comment modifier la taille et la position des images. À cet effet, la barre d'outils *Image* est automatiquement affichée, dès que vous sélectionnez le clipart.

Les autres images clipart de l'exemple proviennent toutes de la catégorie *Grandes occasions*. Vous pouvez les insérer selon la même procédure que la première image. Il est toutefois conseillé d'apprendre au préalable à modifier la taille et la position des images.

INFO

Il est possible que vous rencontriez des difficultés lors de l'insertion de l'image suivante

Vous avez ouvert le menu, mais la commande *Image* est grisée. C'est certainement dû au fait qu'une image est encore sélectionnée dans le document (la bordure, dans notre cas). Pour résoudre ce problème, cliquez sur l'écran à un endroit où il n'y a pas d'image. Le cadre de sélection de l'image devrait disparaître aussitôt.

Modifier les images incorporées

Indépendamment de la provenance de l'image et de la manière dont elle a été créée, Word vous permet toujours d'effectuer quelques modifications. Les possibilités décrites dans les paragraphes suivants s'appliquent également aux objets WordArt et aux formes automatiques, dont nous décrirons la procédure de création dans ce chapitre et dans les deux suivants.

Modifier la taille

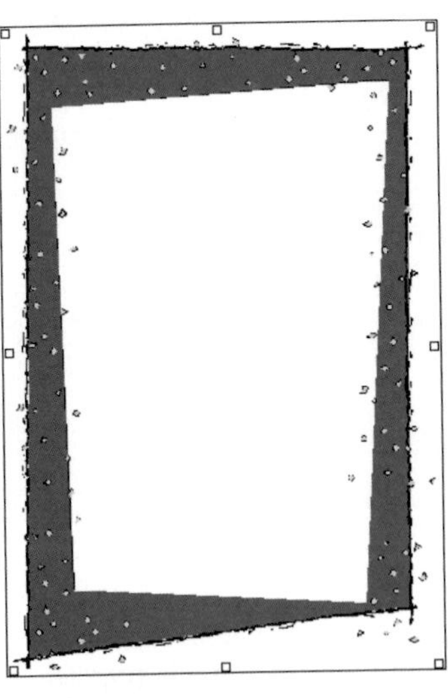

1 Cliquez au milieu de l'image : huit poignées apparaissent autour de l'image.

2 Si vous déplacez la souris sur l'une des quatre poignées d'angle, le pointeur se transforme en une double flèche en diagonale.

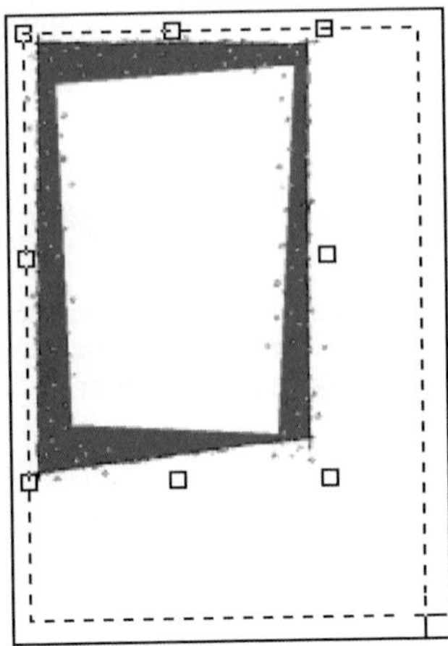

3 En maintenant le bouton gauche de la souris enfoncé, vous pouvez maintenant intervenir sur la taille de l'image. Notez qu'avec les poignées d'angle, le même facteur d'agrandissement, ou de réduction, est appliqué à tous les objets de l'image, tant dans le sens de la hauteur que de la largeur. Tant que le bouton de la souris est maintenu enfoncé, Word vous signale la taille de l'objet à l'aide d'un cadre en pointillé. Dès que vous relâchez le bouton, l'image adopte la taille ainsi définie.

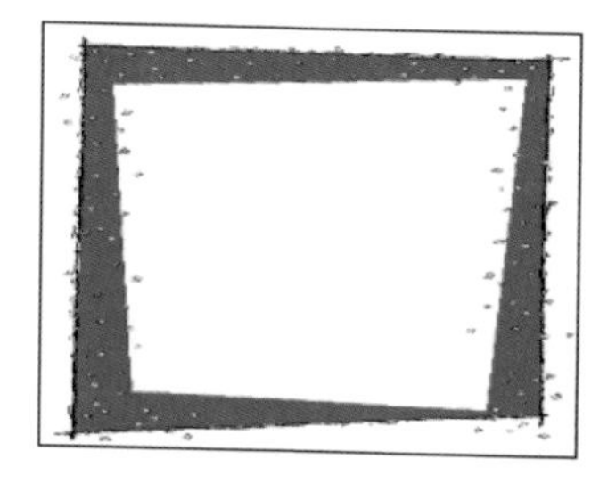

Lorsque vous placez le pointeur de la souris sur l'une des quatre autres poignées, le pointeur se transforme en une double flèche. Si vous modifiez le cadre en tirant cette flèche au moyen de la souris, vous remarquez qu'il se transforme, selon le cas, à la verticale ou à l'horizontale seulement. Cette modification provoque une déformation non harmonieuse de l'image, effet que vous ne souhaitez peut-être pas.

Ajuster l'image : possibilités d'édition supplémentaires

Word met à votre disposition une barre d'outils spéciale pour modifier les images importées (des bitmaps, par exemple) de même que les images clipart. Pour activer cette barre d'outils, cliquez simplement sur une image ou appelez le menu contextuel de l'une d'elles et choisissez **Afficher la barre d'outils Image**.

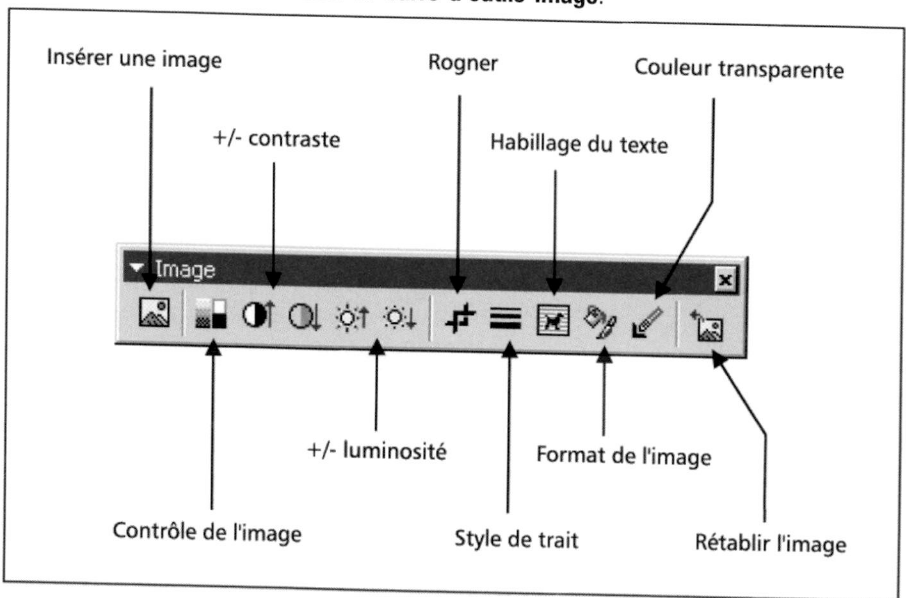

La manipulation de certains boutons de cette barre d'outils n'est pas toujours évidente dans Word. Par exemple, pour modifier le contraste et la luminosité, cliquez aussi longtemps que nécessaire sur le bouton correspondant, jusqu'à ce que vous obteniez un résultat satisfaisant. Il est également possible de paramétrer ces deux propriétés à l'aide des curseurs dans la boîte de dialogue **Format de l'image** (onglet **Image**).

Déplacer librement les images sur la page

Aimeriez-vous maintenant ajuster plus finement la position de la bordure sur la page ? À moins que vous n'ayez déjà inséré d'autres images ? Auquel cas vous devez les disposer correctement.

Tous les objets graphiques peuvent être déplacés sur la page à l'aide de la souris. Certains sont prédisposés à ce genre de manipulations (objets WordArt et formes automatiques), pour les autres c'est à vous d'en décider au moment de leur insertion (glisser-déplacer de clipart de la bibliothèque vers le document).

S'il vous arrive néanmoins de devoir déplacer un objet graphique ancré, vous disposer de deux solutions.

- Double-cliquez à côté de l'objet graphique (méthode du cliquer-taper), l'image est automatiquement insérée dans un cadre de positionnement.

- Pour bénéficier de possibilités plus étendues, sélectionnez l'image et cliquez sur le bouton **Habillage du texte** dans la barre d'outils *Image*. Parmi les options qui vous sont proposées, choisissez celle qui correspond le mieux à vos desseins (par exemple, *Devant le texte*).

Une fois que votre objet graphique peut être disposé librement, votre travail est nettement simplifié :

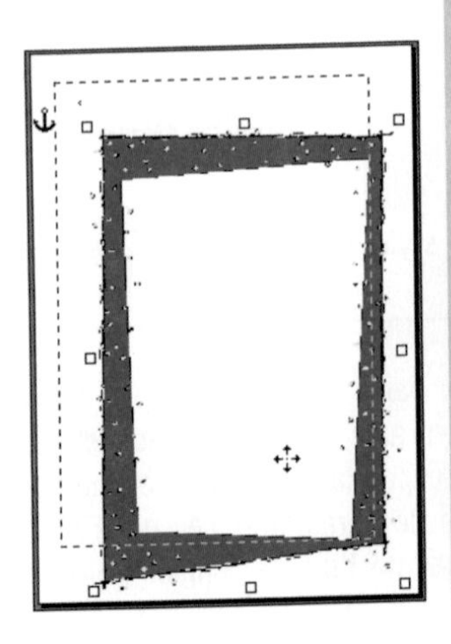

1 Placez la souris sur l'objet graphique. Le pointeur prend la forme d'une flèche à quatre pointes.

2 Appuyez sur le bouton gauche de la souris et maintenez-le ainsi pendant que vous placez l'objet à l'endroit souhaité.

3 Une fois la position atteinte, relâchez le bouton de la souris.

INFO

Ancrer une image

Si vous souhaitez qu'un objet graphique libre soit traité comme un caractère ancré au texte, utilisez la commande *Format/Image* et, dans la boîte de dialogue *Format de l'image*, choisissez l'option *Aligné sur le texte* sous l'onglet *Habillage*.

Agencer le texte en toute liberté

Si vous désirez manipuler en toute liberté objets graphiques et passages de textes, il faut apprendre à effectuer des saisies selon une toute nouvelle méthode. Vous savez déjà comment décaler un texte, vers le bas à l'aide de sauts de ligne et sur le côté à l'aide de tabulations et de retraits. Mais c'est bien trop contraignant pour réaliser toutes les dispositions complexes que vous souhaiterez concevoir.

L'idéal serait de pouvoir déplacer des petits morceaux de texte à l'aide de la souris comme pour des images : c'est précisément l'utilité des zones de texte.

Si vous voulez déplacer librement le texte sur la page, la solution la plus pratique consiste à créer une zone de texte (un objet de la barre d'outils *Dessin*).

La taille de cette zone de texte ne s'ajuste pas automatiquement en fonction de son contenu. Vous devrez donc l'adapter manuellement si nécessaire. Hormis cette limitation, le texte situé dans une telle zone de texte peut être mis en forme comme à l'ordinaire, avec tous les moyens déjà évoqués.

Comment disposer la zone de texte sur la page

Dans la barre d'outils *Dessin*, Word vous offre une collection complète d'outils pour la création et la mise en forme d'objets de dessin. Le bouton servant à créer une zone de texte s'y trouve également.

Le bouton **Dessin** se trouve dans la barre d'outils *Standard*. Lorsque vous cliquez dessus, la barre d'outils *Dessin* s'ouvre au-dessus de la barre d'état, sur le bord inférieur de l'écran. Word bascule alors automatiquement dans le mode d'affichage Page.

1 Dans la barre d'outils *Dessin*, cliquez sur le bouton **Zone de texte**.

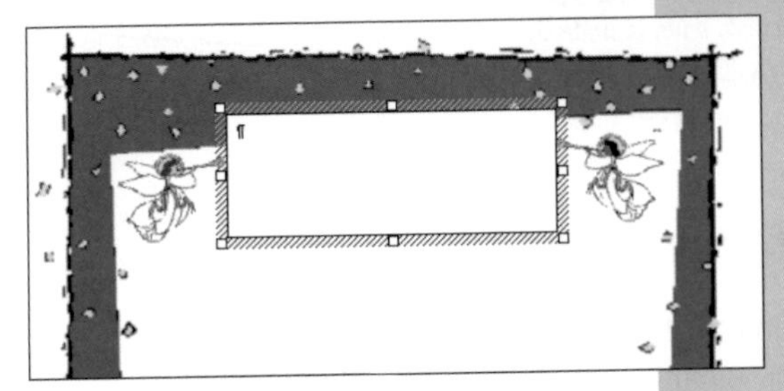

2 Dès que vous déplacez votre curseur dans la zone, il prend la forme d'une croix. En maintenant le bouton de la souris enfoncé, vous pouvez modifiez la taille de la zone comme vous le souhaitez. Le point d'insertion clignote déjà à l'emplacement où vous pouvez commencer votre saisie.

3 Si, comme dans l'exemple, le texte est encore trop petit, sélectionnez-le et appliquez-lui une taille de caractères plus grande (ici, 72 pt). Quant à la police, nous avons choisi Comic Sans MS.

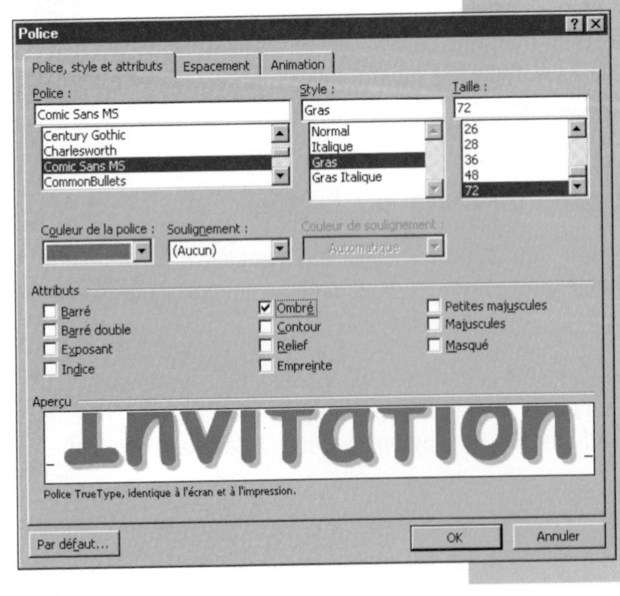

4 Pour agrémenter encore un peu l'ensemble, nous avons coloré de rouge la chaîne de caractères à l'aide de la boîte de dialogue **Format/Dessin** et nous l'avons dotée d'une ombre.

5 Vous risquez alors d'obtenir le même effet indésirable que sur la figure. En fait, le problème est simple : la zone de texte que vous avez tracée est trop petite pour afficher le texte agrandi. Pour corriger cet effet, il suffit d'élargir la zone de texte, de la même manière que pour les images. Par conséquent, faites glisser l'une des poignées du cadre à l'aide de la souris autant que nécessaire pour faire apparaître l'ensemble du texte.

6 Deux autres points liés aux zones de texte peuvent encore être sources de problèmes : d'une part, le cadre noir n'est peut-être pas à votre goût. D'autre part, la zone possède un fond blanc non transparent qui risque de masquer les objets situés en dessous. Pour corriger ces deux anomalies, cliquez sur la bordure extérieure de la zone de texte avec le bouton droit de la souris et choisissez la commande **Format de la zone de texte** dans le menu contextuel.

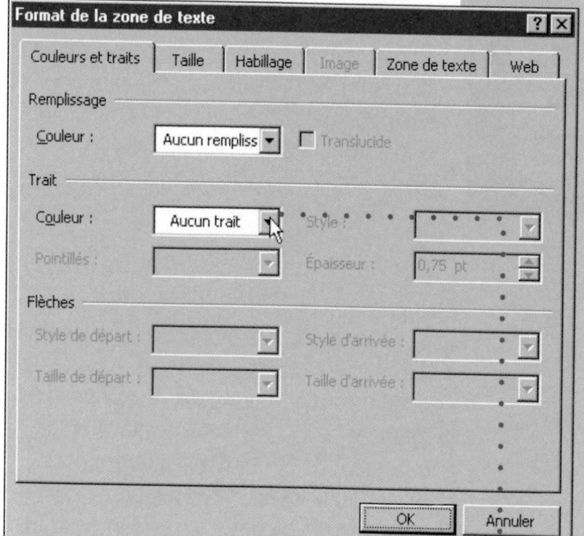

7 Activez l'onglet **Couleurs et traits**. Dans la liste déroulante *Couleur* de la rubrique *Remplissage*, choisissez l'option *Aucun remplissage*, et dans celle de la rubrique *Trait*, l'option *Aucun trait*. Une fois que vous aurez cliqué sur OK, la chaîne de caractères correspondra davantage à ce que vous souhaitiez.

Si vos zones de texte ont un grand nombre de caractéristiques communes (par exemple, sans cadre, sans remplissage, avec une police particulière, etc.), vous gagnerez beaucoup de temps en appliquant l'astuce suivante : prenez une zone de texte déjà existante pour modèle et copiez-la. Il ne vous restera alors qu'à remplacer chaque fois l'ancien texte par le nouveau. Il est préférable de copier par glisser-déplacer : sélectionnez la zone de texte modèle et, en maintenant la touche **Ctrl** enfoncée, glissez-en une copie vers un autre endroit, en pointant sur sa bordure extérieure.
Comme vous le voyez sur cette illustration, où toutes les zones de texte sont sélectionnées, une zone de texte a été créée pour chaque bloc de texte.

8 Si nécessaire, déplacez la zone de texte jusqu'à ce qu'elle atteigne la position finale. Pour cela, placez le pointeur de la souris sur la bordure de la zone. En effet, si vous cliquez au centre de celle-ci, Word supposera que vous désirez modifier le texte et ne vous donnera donc pas la possibilité de déplacer la zone.

La bonne accroche : effets de style avec WordArt

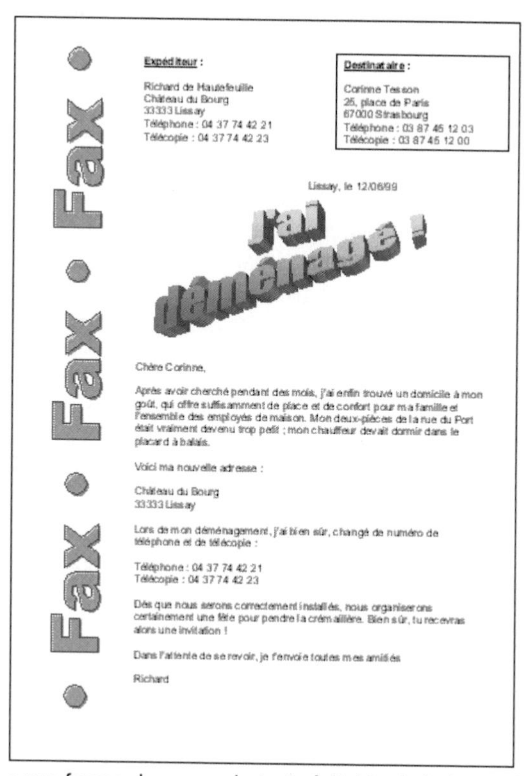

Fax • Fax • Fax

Expéditeur :

Richard de Hautefeuille
Château du Bourg
33333 Lissay
Téléphone : 04 37 74 42 21
Télécopie : 04 37 74 42 23

Destinataire :

Corinne Tesson
25, place de Paris
67000 Strasbourg
Téléphone : 03 87 45 12 03
Télécopie : 03 87 45 12 00

Lissay, le 12/06/99

J'ai déménagé !

Chère Corinne,

Après avoir cherché pendant des mois, j'ai enfin trouvé un domicile à mon goût, qui offre suffisamment de place et de confort pour ma famille et l'ensemble des employés de maison. Mon deux-pièces de la rue du Port était vraiment devenu trop petit ; mon chauffeur devait dormir dans le placard à balais.

Voici ma nouvelle adresse :

Château du Bourg
33333 Lissay

Lors de mon déménagement, j'ai bien sûr, changé de numéro de téléphone et de télécopie :

Téléphone : 04 37 74 42 21
Télécopie : 04 37 74 42 23

Dès que nous serons correctement installés, nous organiserons certainement une fête pour pendre la crémaillère. Bien sûr, tu recevras alors une invitation !

Dans l'attente de se revoir, je t'envoie toutes mes amitiés

Richard

WordArt vous permet de conférer à vos textes des effets visuels spectaculaires : vous pouvez définir des motifs de remplissage, affecter aux caractères une ombre portée, organiser le texte en forme d'arc, l'insérer en diagonale ou selon toutes les dispositions qu'il vous plaira de choisir.

Les chaînes de caractères WordArt sont aussi faciles à manipuler que des images. Vous pouvez ainsi les insérer dans votre document de manière fixe (comme un caractère de grande taille) ou les disposer librement sur la page.

La télécopie se prête à des mises en forme très souples. C'est pourquoi nous l'avons prise comme exemple pour créer des éléments individuels (blocs de l'expéditeur et du destinataire, message proprement dit), sous forme de zones de texte à l'aide de la barre d'outils *Dessin*. Nous avons choisi en l'occurrence une police Arial avec une taille de 12 pt. Pour toutes les zones de texte, à l'exception du bloc du destinataire, nous avons activé l'option *Aucun trait* dans la liste déroulante *Trait/Couleur* de la barre d'outils *Dessin*.

Insérer un objet WordArt dans votre document

1 Cliquez dans le paragraphe où l'objet WordArt doit être ancré.

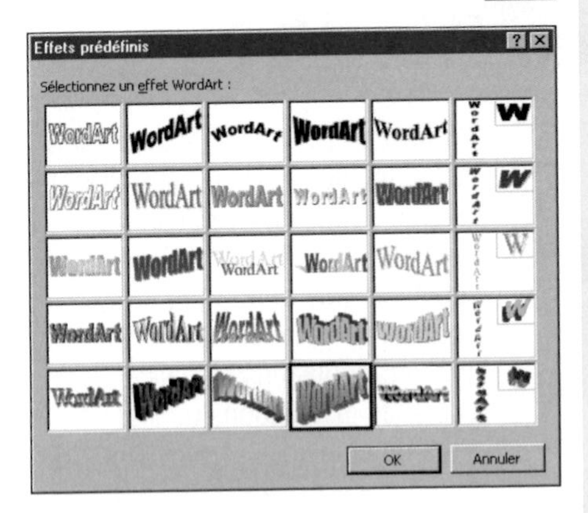

2 Cliquez sur le bouton **Insérer un objet WordArt** dans la barre d'outils *Dessin*. Si elle n'est pas affichée sur votre écran, vous pouvez également utiliser la commande **Insertion/Image** et choisir l'option **WordArt** dans le sous-menu.

3 La sélection des effets WordArt apparaît : choisissez parmi les trente effets bidimensionnels et tridimensionnels proposés. Dans l'exemple, le troisième effet à partir de la droite de la dernière rangée a été appliqué à la chaîne de caractères "J'ai déménagé".

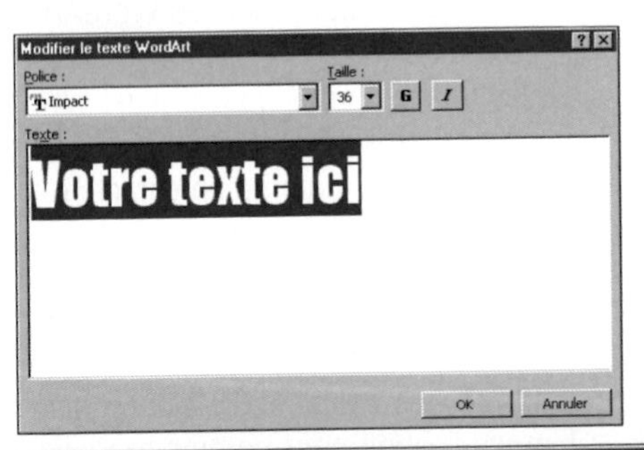

4 Une fois l'effet choisi, la boîte de dialogue **Modifier le texte WordArt** s'ouvre : écrasez simplement le texte qui s'affiche en tapant votre message par-dessus (ne cliquez pas, pour ne pas avoir à supprimer vous-même le texte !). Tapez `J'ai`, puis appuyez sur **Entrée** pour insérer un retour à la ligne.

5 Choisissez la police ainsi que le style (gras ou italique). Dans la zone de saisie de la boîte de dialogue, vous pouvez constater le résultat de vos paramétrages et les modifier au besoin. Dans l'exemple, nous avons gardé la police Impact, proposée par défaut par Word. Ne vous préoccupez pas de la taille de la police à ce stade : vous pourrez l'ajuster plus facilement à l'aide de la souris, une fois que vous aurez affiché la chaîne de caractères WordArt dans l'écran Word.

La liste déroulante *Police* de la boîte de dialogue **Modifier le texte WordArt** propose le même choix de polices que la boîte de dialogue **Police** (commande **Format/Police**). Les autres options, disponibles habituellement dans cette boîte de dialogue (l'échelle, la rotation, l'espacement et le crénage), se trouvent à un autre endroit dans WordArt, plus précisément dans la barre d'outils *Dessin*.

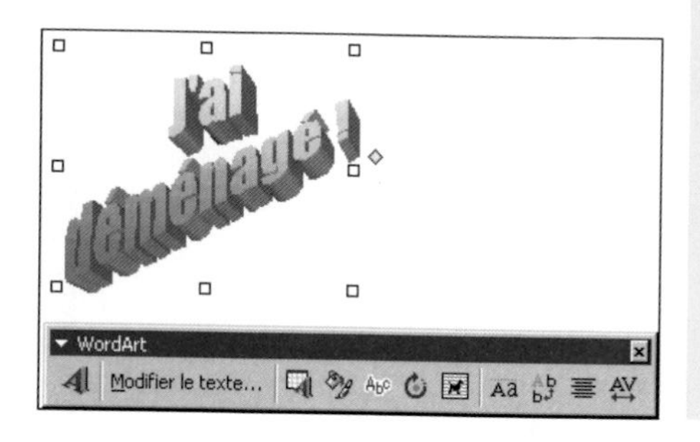

6 Confirmez par OK.

7 Vous pouvez maintenant apprécier le résultat provisoire de vos réglages. La barre d'outils *WordArt* s'affiche en même temps, pour vous permettre d'apporter en temps voulu les modifications que vous jugerez nécessaires.

Les boutons de la barre d'outils spéciale *WordArt* ont tous un point commun : les propriétés s'exercent toujours sur l'ensemble du texte WordArt ; il n'est pas possible de distinguer des parties du texte.

8 Pour fermer l'édition d'une chaîne de caractères WordArt, cliquez simplement à un endroit quelconque hors de l'objet. La barre d'outils *WordArt* disparaît alors automatiquement.

9 Pour activer de nouveau la barre d'outils d'édition, il suffit de cliquer sur la chaîne de caractères WordArt. Double-cliquez sur l'objet WordArt inséré pour rouvrir la boîte de dialogue **Modifier le texte WordArt** afin d'intervenir sur son contenu.

Placer l'objet WordArt au bon endroit et choisir une taille correcte

Une fois que vous avez dûment admiré votre objet WordArt, vous constatez que sa taille et sa position nécessitent certaines améliorations. Peut-être faudrait-il déplacer la chaîne de caractères vers la gauche ou l'agrandir sensiblement ?

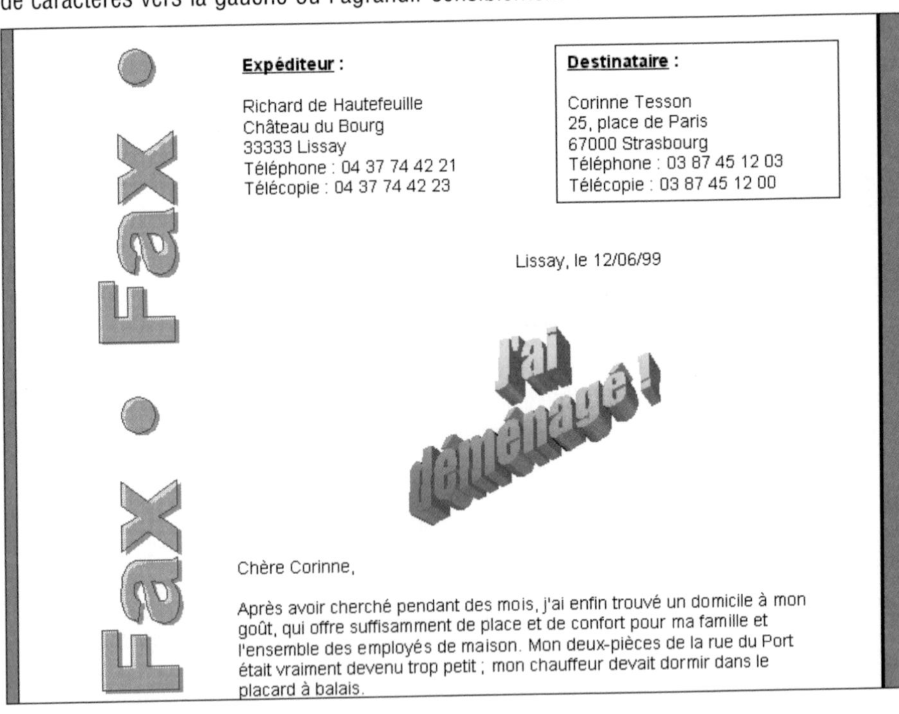

Fax • Fax •

Expéditeur :

Richard de Hautefeuille
Château du Bourg
33333 Lissay
Téléphone : 04 37 74 42 21
Télécopie : 04 37 74 42 23

Destinataire :

Corinne Tesson
25, place de Paris
67000 Strasbourg
Téléphone : 03 87 45 12 03
Télécopie : 03 87 45 12 00

Lissay, le 12/06/99

J'ai déménagé !

Chère Corinne,

Après avoir cherché pendant des mois, j'ai enfin trouvé un domicile à mon goût, qui offre suffisamment de place et de confort pour ma famille et l'ensemble des employés de maison. Mon deux-pièces de la rue du Port était vraiment devenu trop petit ; mon chauffeur devait dormir dans le placard à balais.

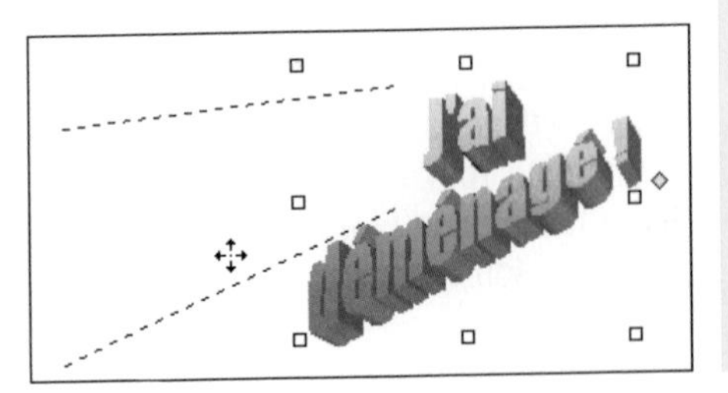

1 Les objets WordArt se déplacent exactement de la même manière que les images clipart. Pointez sur l'objet et, en maintenant le bouton gauche de la souris enfoncé, déplacez-le vers l'emplacement de votre choix.

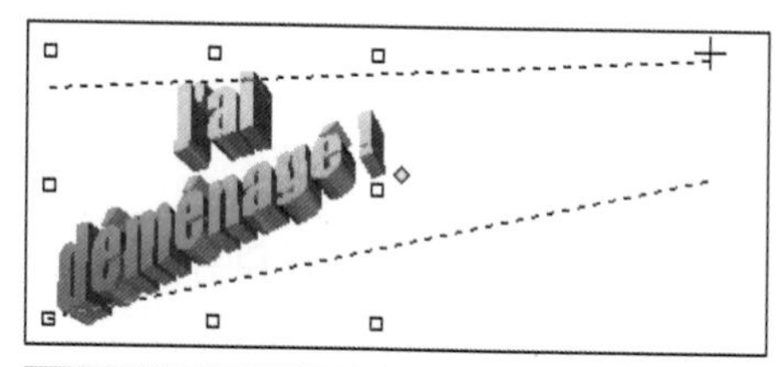

2 De même que les images clipart, les objets WordArt sélectionnés disposent de huit poignées. À l'aide de la souris, tirez sur l'une d'elles autant que nécessaire pour que la chaîne de caractères adopte la taille souhaitée. Attention ! Les proportions de l'objet WordArt peuvent se trouver altérées par cette modification.

INFO

Que pouvez-vous obtenir à l'aide du petit losange jaune ?

Avez-vous remarqué, à droite de l'objet lorsque celui-ci est sélectionné, la présence d'un petit losange jaune ? Lorsque vous faites glisser cette poignée à l'aide de la souris, la forme de l'objet change.

Variantes sans fin

À elles seules, les possibilités de mise en forme grâce aux effets WordArt, aux différents styles de polices et aux diverses tailles et proportions sont très nombreuses. Pourtant, ce n'est que le début : WordArt offre encore une multitude d'autres options !

Pour les télécopies : objets WordArt à la verticale

Tout d'abord, voyons comment procéder pour placer le texte "· Fax · Fax · Fax ·" à la verticale, sur le bord gauche du document.

1 Dans notre exemple, nous avons choisi le troisième effet de la deuxième rangée à partir du haut. Les gros points ne sont pas faciles à obtenir dans cette courte chaîne de caractères. Si vous voulez les disposer plus facilement, le mieux est d'en insérer un quelque part

dans le texte à l'aide de la commande **Insertion/Caractères spéciaux**. Copiez-le ensuite dans le Presse-papiers à l'aide de la combinaison **Ctrl+C** et collez-le aux emplacements appropriés dans la fenêtre WordArt en appuyant quatre fois sur **Ctrl+V**.

2 Vient ensuite la rotation de la chaîne de caractères. Même si le bouton **Rotation libre** de la barre d'outils *WordArt* vous paraît une bonne solution, sachez que cela vous oblige à effectuer la rotation de façon approximative. Vous aurez bien moins de problèmes en cliquant sur le bouton **Format WordArt**.

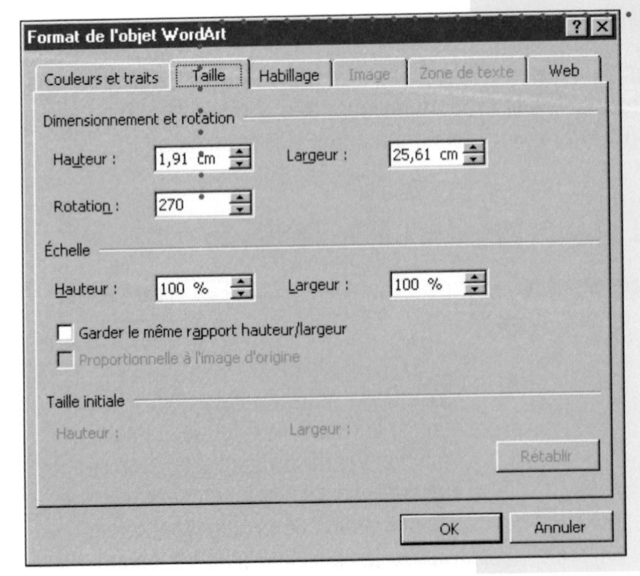

3 Activez l'onglet **Taille** et tapez le nombre 270 dans la zone de saisie *Rotation*. L'objet pivote sur lui-même dès que vous cliquez sur OK.

4 Vous pouvez maintenant fixer avec précision la taille et la position de la chaîne de caractères que vous venez de faire pivoter.

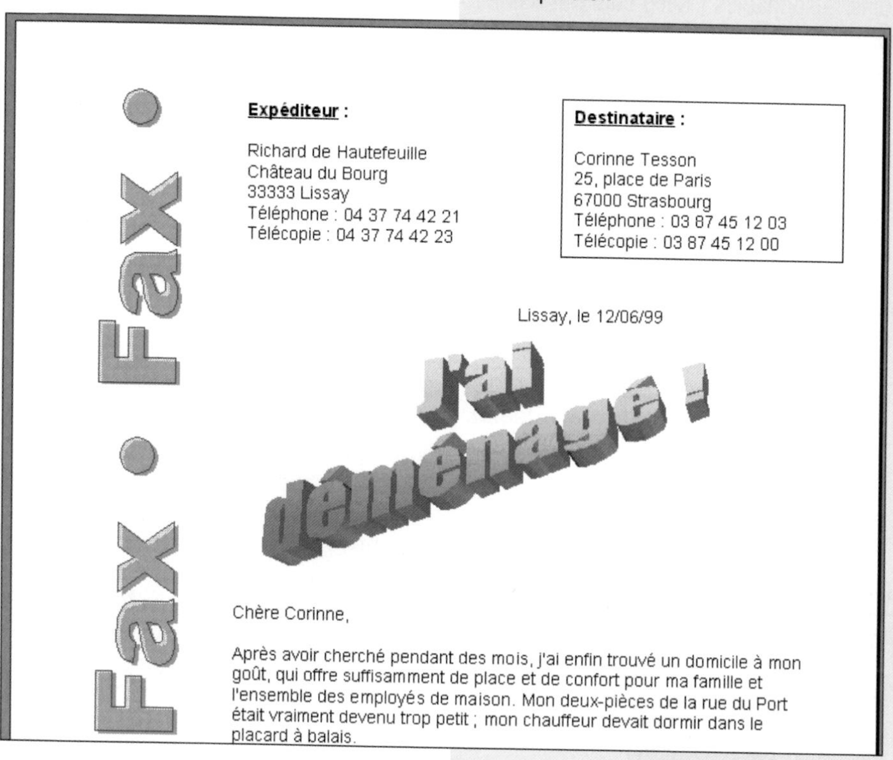

INFO

La plupart des effets WordArt peuvent être combinés

Il est tout à fait possible d'appliquer une ombre portée à un texte en forme de bouton ou de modifier la taille d'un texte déjà placé à la verticale.

Comme le montrent les objets de dessin présentés ci-dessous, il est possible d'appliquer des effets 3D, des ombres portées et des motifs de remplissage à des objets WordArt. Bien sûr, il faut veiller à ce que la mise en forme reste en harmonie avec le style de l'effet WordArt choisi auparavant. Pour créer ces effets, utilisez les boutons de la barre d'outils *Dessin* ou la boîte de dialogue **Format WordArt**.

Un objet WordArt sur un t-shirt

Un simple t-shirt blanc peut également devenir un support d'information polyvalent. Des déclarations loufoques ("Attention je mords", "Maman chérie"), des messages plus ou moins raisonnables ("Keep cool") et des informations d'importance capitale ("Devant" ou "Derrière"), voilà tout ce que vous pouvez imprimer sur votre t-shirt, sans trop d'investissements.

Seule condition préalable : il vous faut une feuille thermocollante spéciale pour les besoins de l'impression. Dix feuilles A4 coûtent environ 120 francs, dans les magasins spécialisés. Notez par ailleurs que l'objet WordArt doit être retourné pour le repassage : il doit donc apparaître à l'envers sur votre écran. Pour cela, suivez la procédure ci-dessous.

1 Dans la barre d'outils *Dessin*, cliquez sur le bouton **Insérer un objet WordArt** et choisissez parmi les effets WordArt proposés. Pour notre exemple, nous avons opté pour le deuxième effet de la deuxième rangée à partir du haut.

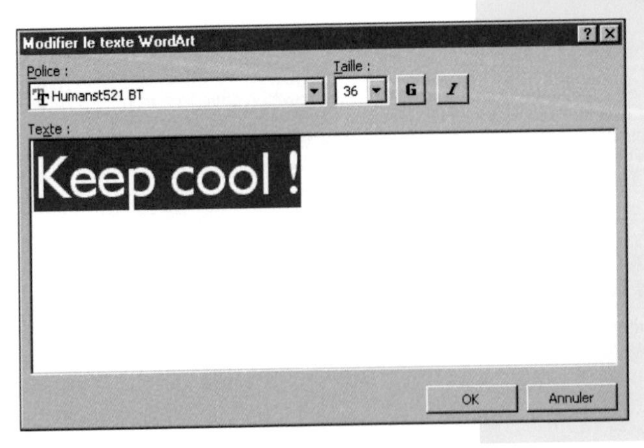

2 Tapez votre texte et définissez la police comme d'habitude.

Il est possible de choisir ultérieurement un autre effet de mise en forme en appelant à tout moment la sélection des effets WordArt.

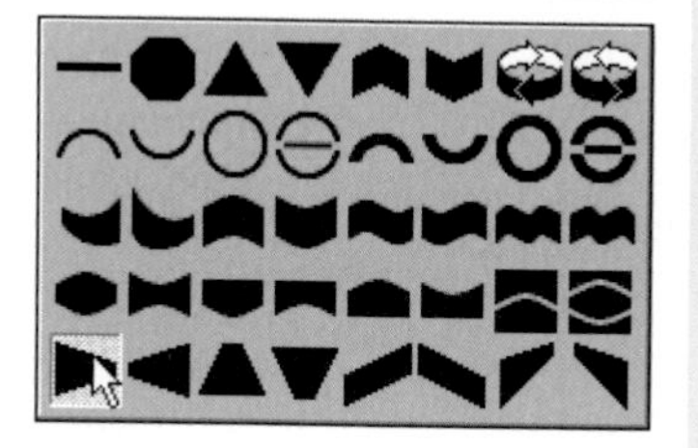

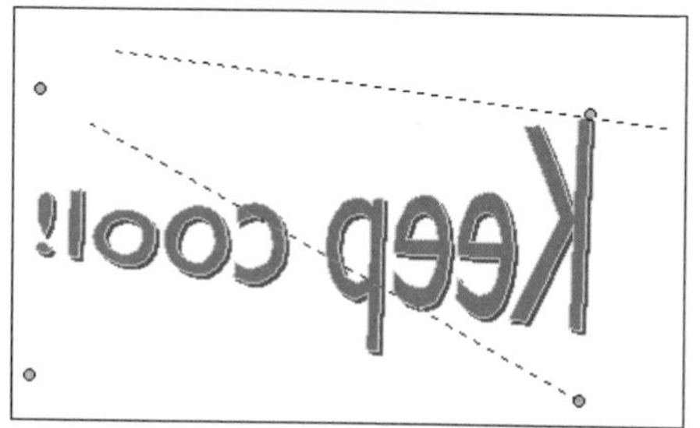

3 Si vous désirez modifier l'effet que vous venez de choisir, il suffit de cliquer sur le bouton **Forme WordArt**. Vous pouvez ainsi disposer votre texte en courbe, en diagonale ou le faire pivoter à votre guise. Les effets sont symbolisés par la forme générale adoptée par le texte lorsque vous cliquez sur la case de sélection correspondante.

4 Pour la chaîne de caractères "Keep cool", nous avons choisi l'option *Rétréci (droite)*. Si vous le souhaitez, vous pouvez encore en modifier la taille et les proportions à l'aide des huit poignées normales et du petit losange jaune.

5 Il reste encore à retourner la chaîne de caractères pour son impression sur le t-shirt. Faites glisser la poignée centrale droite vers l'extérieur gauche (au-delà de la limite gauche initiale). Corrigez ensuite la taille et les proportions, si nécessaire.

6 Pour terminer, vous pouvez peut-être basculer encore légèrement l'objet. Pour en contrôler directement le résultat, utilisez le bouton **Rotation libre** plutôt que la boîte de dialogue. Lorsque vous cliquez sur ce bouton, l'objet est pourvu de quatre poignées vertes. Placez le pointeur de la souris (dont la forme a changé) sur l'une de ces poignées et faites pivoter l'objet.

Dessiner un plan

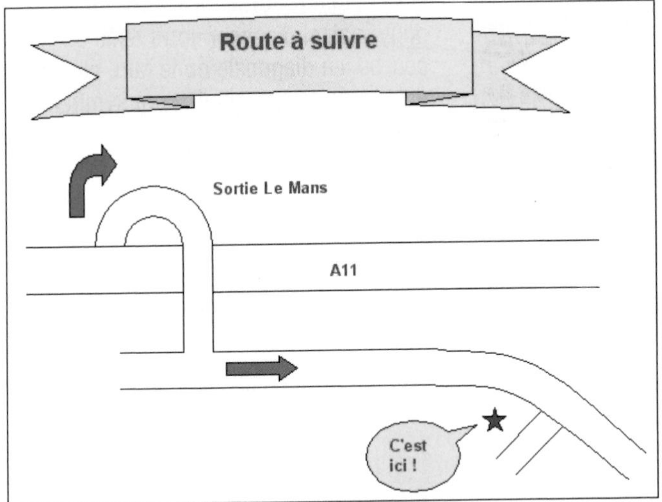

Parmi les capacités graphiques de Word, la possibilité de réaliser ses propres dessins est en quelque sorte "la cerise sur le gâteau". À l'aide d'une barre d'outils spéciale, vous pouvez concevoir des objets graphiques divers au moyen de rectangles, de lignes, de polygones et de zones de texte, puis les incorporer dans votre document. L'éventail des choix mis à votre disposition est très large. Il s'étend des simples lignes décoratives aux graphismes et aux organigrammes les plus complexes. Vous pouvez opter pour des motifs de remplissage aussi élémentaires que des diagonales ou pour des images bitmap d'arrière-plan, en passant par les effets 3D et les ombres portées les plus diverses.

Accéder aux outils de dessin

Vous trouverez tout ce dont vous avez besoin pour concevoir vos objets graphiques dans la barre d'outils *Dessin*.

Voici encore un bref rappel : pour activer cette barre d'outils, la méthode la plus rapide consiste à cliquer sur le bouton **Dessin** dans la barre d'outils *Standard*.

Mais quelle que soit la solution choisie pour créer votre objet de dessin (par exemple, la commande **Insertion/Image/Formes automatiques**), cela se traduit toujours par l'affichage de cette barre d'outils.

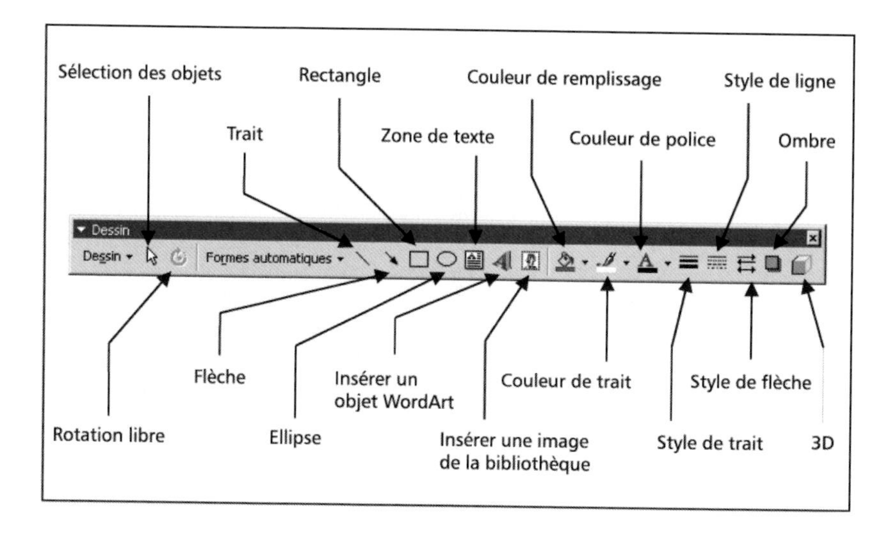

Dessiner...

1 Dans la barre d'outils *Dessin*, cliquez sur le bouton de l'objet graphique que vous désirez créer. Pour tracer l'itinéraire proposé dans l'exemple, commencez plutôt par un trait. Le pointeur de la souris se transforme alors en croix.

2 Par un clic de souris, placez le point de départ de l'objet de dessin.

3 En maintenant le bouton gauche de la souris enfoncé, faites glisser le pointeur jusqu'à ce que l'objet atteigne la forme et la taille voulues, puis relâchez le bouton.

- Si vous maintenez la touche **Maj** enfoncée pendant que vous dessinez un rectangle, un ovale ou une courbe, vous obtenez automatiquement un carré, un cercle ou un demi-cercle. Cette même astuce vous permet de réaliser des traits parfaitement droits, à l'horizontale ou à la verticale.

- Les flèches sont dessinées de la même manière que les traits. La flèche est orientée dans la direction vers laquelle vous avez pointé lors de sa création, à l'aide de la souris.

- Si vous vous ravisez après avoir cliqué sur un bouton de dessin particulier, il suffit d'appuyer sur la touche **Échap** pour rétablir le mode texte normal.

Déplacer les objets et modifier leur taille

Dans Word, la procédure est toujours la même : pour éditer un objet, vous devez d'abord le sélectionner.

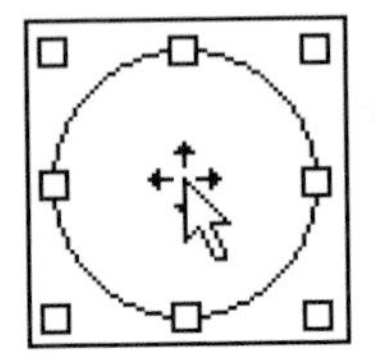

1 Dès que vous pointez sur un objet, Word modifie le pointeur : celui-ci prend la forme d'une flèche à quatre pointes. Appuyez alors sur le bouton gauche de la souris pour sélectionner l'objet. Un objet est sélectionné lorsqu'il est pourvu de huit poignées, de même que les graphismes importés d'une autre application.

2 Il est par ailleurs possible de sélectionner plusieurs objets. Pour cela, maintenez la touche **Maj** enfoncée pendant que vous cliquez sur chacun des objets. Chaque clic inverse l'état de l'objet : un objet non sélectionné le devient alors qu'un objet préalablement sélectionné ne l'est plus.

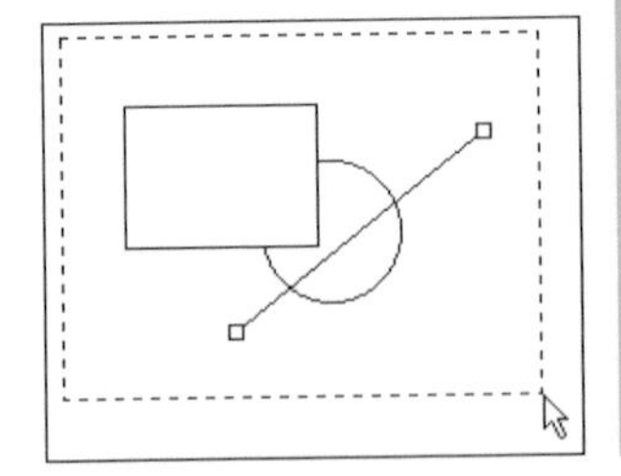

3 En outre, vous pouvez tracer un cadre de sélection autour d'un nombre quelconque d'objets pour les sélectionner d'un seul coup. Bien sûr, vous devez d'abord activer le bouton **Sélection des objets** dans la barre d'outils *Dessin*.

La sélection de plusieurs objets peut être pratique lorsque vous désirez replacer tout l'ensemble en une seule fois ou modifier l'épaisseur du trait de façon globale.

Déplacer les objets de dessin

1 Placez le pointeur de la souris sur l'objet jusqu'à ce qu'il se transforme en une flèche à quatre pointes.

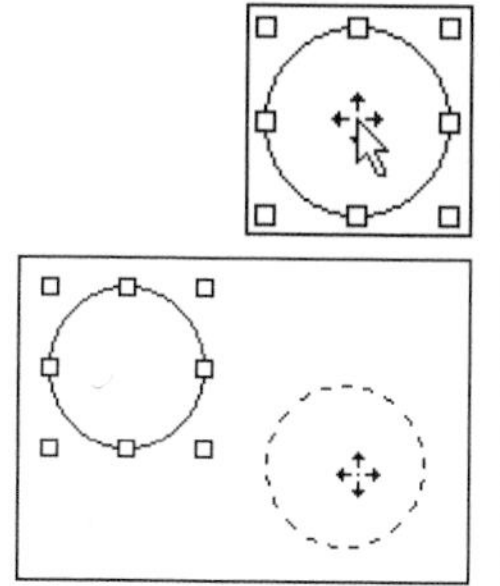

2 Appuyez sur le bouton gauche de la souris et déplacez le dessin vers l'emplacement désiré. La zone du dessin où le pointeur change de forme varie selon les objets : pour les objets pleins, il suffit de pointer en un endroit quelconque de l'objet, mais pour les traits, les objets ouverts, les zones de texte, les bulles et les légendes, il faut pointer sur une ligne de contour.

3 Lorsque vous déplacez un objet, il apparaît avec un contour en pointillé. Vous pouvez disposer ce dernier à votre guise. Le véritable graphisme s'affiche à la place de ce cadre lorsque vous relâchez le bouton de la souris, à l'emplacement de destination. Si vous remarquez que l'objet avance par petits sauts, cela signifie que la fonction **Grille** est activée. Si vous préférez déplacer les objets sans restriction, maintenez la touche **Alt** enfoncée lors du déplacement.

Agrandir ou rétrécir la taille des objets

À l'instar des images issues d'autres applications, vous pouvez ajuster à votre guise la taille des objets de dessin.

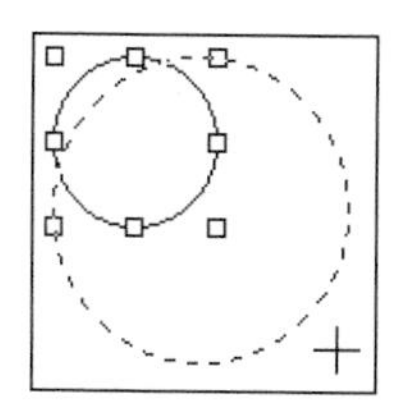

1 Sélectionnez l'objet en question.

2 Cliquez sur l'une des huit poignées et maintenez le bouton de la souris enfoncé. Le curseur prend la forme d'une double flèche : vous pouvez alors modifier la taille de l'objet en tirant la poignée au moyen de la souris. Si vous avez choisi une poignée située au milieu d'une ligne, vous ne pourrez intervenir que sur la largeur ou sur la hauteur, selon le cas. En revanche, avec l'une des poignées d'angle, vous pouvez effectuer une modification dans toutes les directions.

3 Tant que vous gardez le bouton de la souris enfoncé, Word vous donne un aperçu en pointillé de la taille de l'objet après son redimensionnement. Le graphisme s'affiche dans sa nouvelle dimension dès que vous relâchez le bouton de la souris.

Qu'est-ce qu'une forme automatique ?

Word offre un grand nombre de dessins déjà prêts à l'emploi, qui se prêtent toutefois à toutes les manipulations : il s'agit des formes automatiques.

Au premier abord, les objets de dessin semblent se scinder en deux grandes catégories : d'une part, les objets comme les traits, les rectangles et les zones de texte, que vous pouvez créer directement par un clic sur le bouton correspondant dans la barre d'outils *Dessin* ; d'autre part, les formes automatiques, que Word met à votre disposition dans un sous-menu spécial.

Si vous les examinez attentivement, vous remarquerez qu'il n'existe en réalité aucune différence entre elles. Les objets qu'il est possible de créer à l'aide de la barre d'outils figurent également parmi les formes automatiques. La zone de texte est la seule exception, même si certaines variantes en font également partie.

Des bulles comme dans les BD

Vous avez accès à une grande quantité de formes prédéfinies par l'intermédiaire du menu que vous ouvrez en cliquant sur le bouton **Formes automatiques**. Avantage : si, pour un travail particulier, vous pensez faire souvent appel à l'une des catégories des formes automatiques, déposez-la sur votre écran en tant que fenêtre à part entière, en pointant sur sa barre de titre.

Comme les rectangles, les courbes et les ovales, les formes automatiques peuvent être insérées dans leur forme et leur taille standard (par un clic de souris), ou avec une taille et une forme différentes (en les étirant à l'aide de la souris).

L'offre en formes prédéfinies est très étendue. Pour les besoins de notre exemple, vous trouverez certainement quelques objets intéressants parmi les listes proposées.

1 Ouvrez le menu **Formes automatiques** dans la barre d'outils *Dessin*.

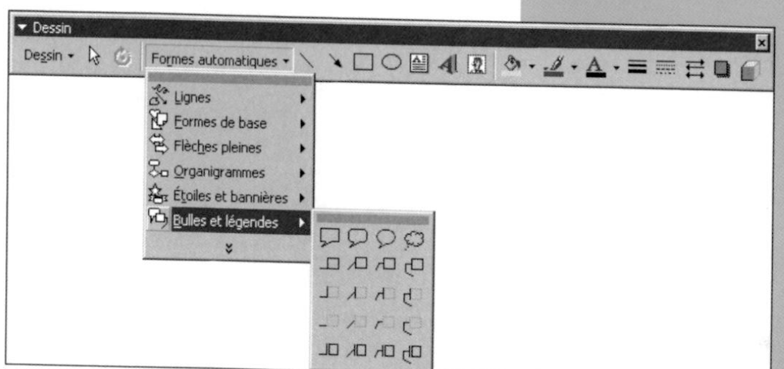

2 Choisissez la catégorie *Bulles et légendes*.

3 Cliquez sur la forme de légende souhaitée et placez le pointeur à l'endroit d'insertion. Il se transforme en une flèche à quatre pointes.

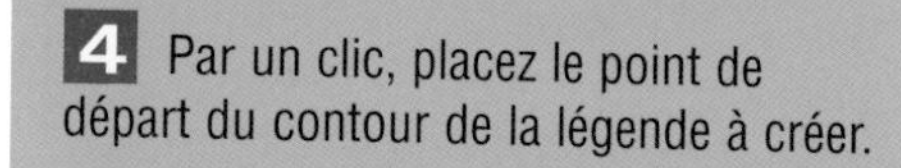

4 Par un clic, placez le point de départ du contour de la légende à créer.

5 En maintenant le bouton gauche de la souris enfoncé, faites glisser la souris jusqu'à ce que la légende adopte la forme souhaitée, puis relâchez le bouton. Tapez votre texte et mettez-le en forme comme dans une zone de texte normale.

INFO

Déplacer le point de départ et le point final du trait de contour

Un clic sur le trait de contour fait apparaître un petit losange jaune. En déplaçant ce dernier au moyen de la souris, vous pouvez modifier son tracé. De cette manière, vous pouvez réorienter la bulle du bas vers le haut ou selon tout autre choix.

Tournez à droite après le virage en épingle à cheveux

En général, vous ferez appel à l'outil **Courbe** lorsque vous n'aurez pas trouvé l'objet voulu parmi les formes automatiques et que l'utilisation de lignes droites ne peut rien vous proposer d'utile. Nous allons examiner l'exemple typique de la description d'une route à suivre.

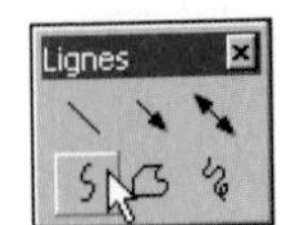

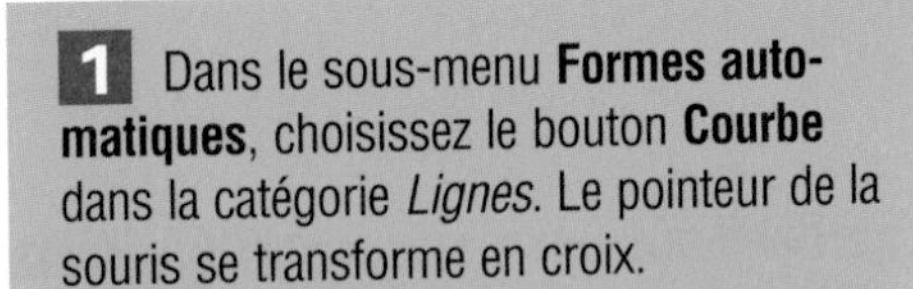

1 Dans le sous-menu **Formes automatiques**, choisissez le bouton **Courbe** dans la catégorie *Lignes*. Le pointeur de la souris se transforme en croix.

2 D'un clic, fixez le point de départ de la courbe à tracer.

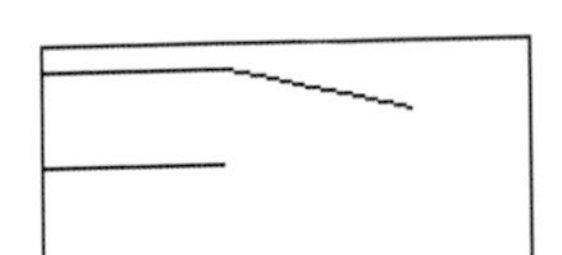

3 Faites glisser la souris jusqu'au point où la ligne doit amorcer une courbe pour la première fois et cliquez une fois à cet endroit.

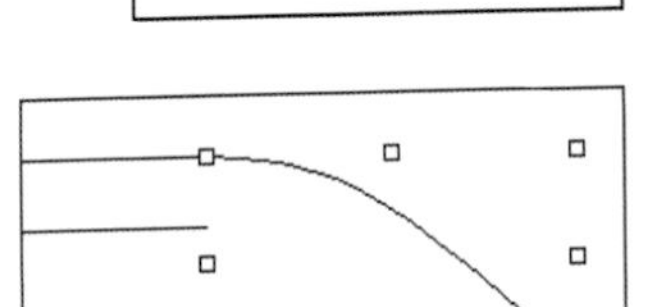

4 Si vous continuez à déplacer la souris (sans appuyer sur une autre touche), Word relie automatiquement les points extrêmes par une courbe, que vous pourrez, bien sûr, encore modifier par la suite. Terminez le tracé par un double clic.

Autres objets pour l'exemple

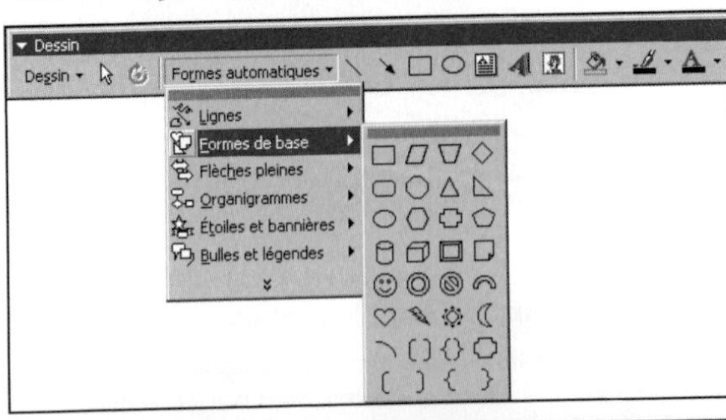

Pour dessiner la courbe du départ dans la description du chemin, l'objet *Arc plein*, de la catégorie *Formes de base*, est particulièrement approprié.

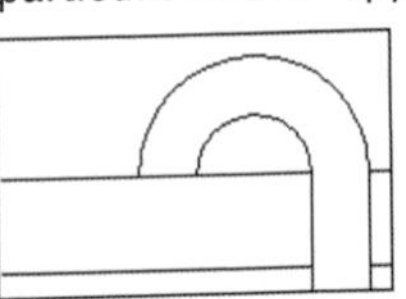

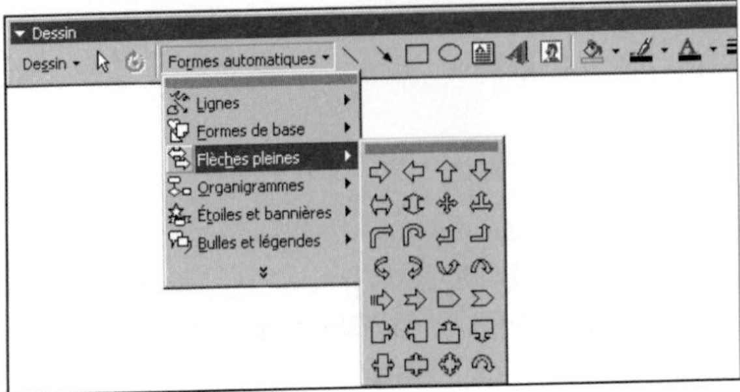

Vous trouverez la flèche courbée dans la catégorie *Flèches pleines*.

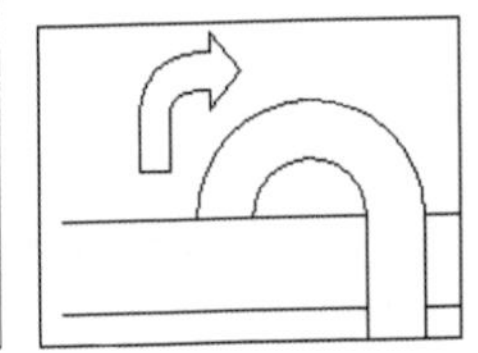

INFO

Supprimer les lignes superflues

Si les lignes continues horizontales vous dérangent, placez simplement des petits traits blancs aux endroits où vous voulez masquer les lignes superflues.

Modifier les objets

Pour tous les objets de dessin, il est possible de modifier différentes propriétés, comme le motif de remplissage, l'épaisseur ou la couleur du contour. Bien sûr, la seule condition préalable est de sélectionner l'objet.

Autres motifs de remplissage

L'éventail des possibilités portant sur les motifs de remplissage d'objets pleins (c'est-à-dire presque tous les éléments à l'exception des lignes) est très riche : des mélanges de couleurs personnalisés aux dégradés (du style coucher de soleil) et aux bitmaps, vous trouverez tout ce que vous pouvez souhaiter.

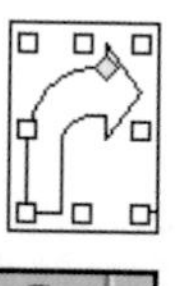

1 Sélectionnez l'objet à remplir, par exemple, l'une des flèches.

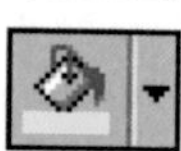

2 Cliquez sur le bouton **Couleur de remplissage** dans la barre d'outils *Dessin* pour ouvrir la Palette de couleurs.

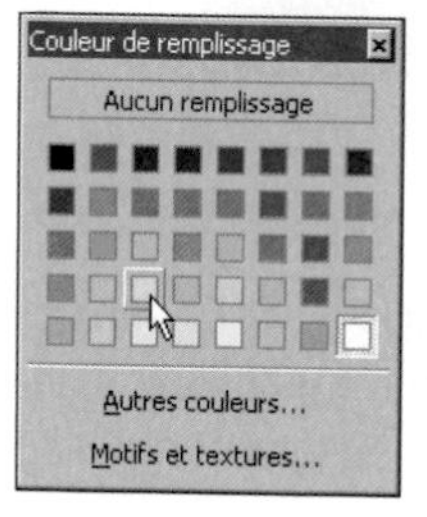

3 La solution la plus simple pour colorer l'objet est de cliquer sur l'une des couleurs de la Palette.

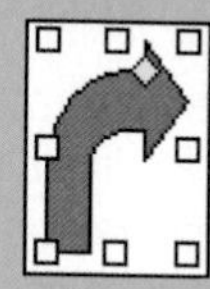

Attention ! Si vous cliquez sur *Aucun remplissage*, l'arrière-plan appliqué disparaît aussitôt.

Vous obtiendrez encore davantage de variantes de couleurs en cliquant sur le bouton **Autres couleurs...**. Cependant, le plus intéressant se cache derrière l'option **Motifs et textures...** : dégradés, textures et graphismes à n'en plus finir. Nous nous intéresserons plus en détail à quelques-unes de ces variantes au chapitre suivant.

Modifier les propriétés du contour

La barre d'outils *Dessin* met également à votre disposition plusieurs outils de mise en forme des lignes. Sélectionnez la ligne sur laquelle vous souhaitez intervenir et choisissez parmi les outils présentés ci-dessous.

Bouton **Couleur de trait**.

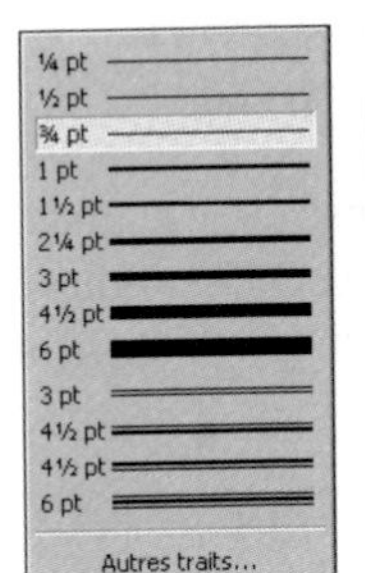

Bouton **Style de trait**

Vous pouvez même choisir un motif pour les lignes. Un clic sur **Autres traits...** fait apparaître une grande variété de possibilités. La procédure est identique à celle décrite plus haut pour le remplissage des surfaces.

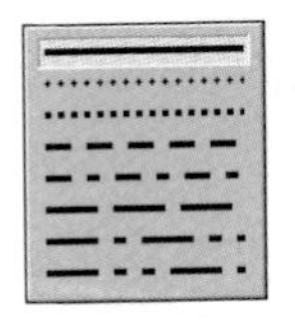

Bouton **Style de ligne**.

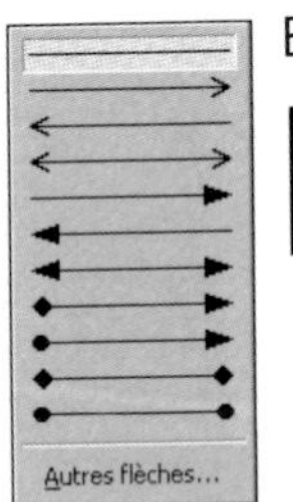

Bouton **Style de flèche**.

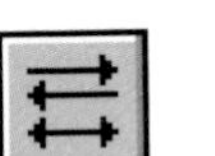

Agrémenter les objets d'ombres portées

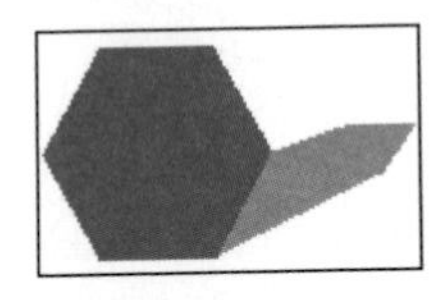

Pour la mise en forme plastique des objets graphiques, Word offre des outils très divers pour donner aux objets un effet de perspective. Vingt ombres portées peuvent être appliquées dans toutes les directions et avec des nuances de couleur différentes.

1 Sélectionnez l'objet de dessin.

2 Cliquez sur le bouton **Ombre** dans la barre d'outils *Dessin*.

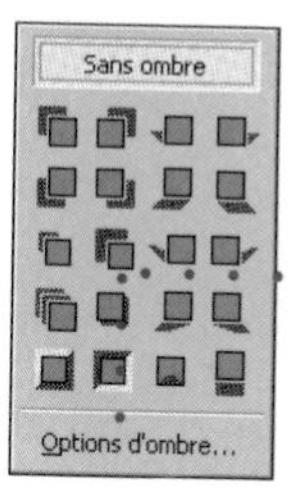

3 Dans la Palette qui s'ouvre, choisissez l'ombre portée qui vous convient.

4 Si vous désirez modifier l'alignement ou la couleur, cliquez une nouvelle fois sur le bouton **Ombre** et choisissez alors **Options d'ombre...**.

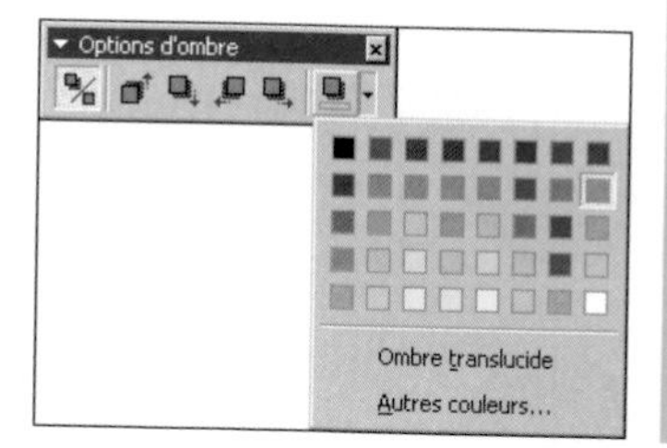

5 Une barre d'outils flottante s'affiche : vous pouvez afficher ou masquer l'ombre portée ou lui appliquer une autre orientation, de même qu'une couleur de votre choix.

Des dessins en trois dimensions

Le dernier bouton de la barre d'outils *Dessin* permet d'appliquer aux objets de dessin et aux objets WordArt un effet tridimensionnel. Là encore, vous disposez de nombreuses variantes qui conféreront à vos documents un caractère plus professionnel.

1 Sélectionnez l'objet de dessin ou l'objet WordArt.

2 Cliquez sur le bouton **3D** dans la barre d'outils *Dessin*.

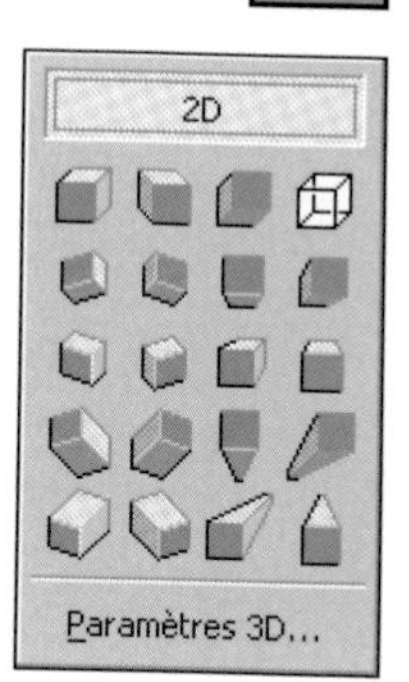

3 Dans la Palette qui s'ouvre, choisissez le style 3D qui vous convient.

4 Si vous désirez modifier le pivotement, la profondeur et l'orientation, l'éclairage et la couleur, cliquez une nouvelle fois sur le bouton **3D** et choisissez **Paramètres 3D...**.

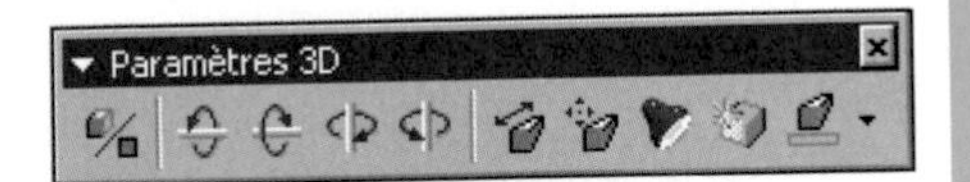

5 La barre d'outils flottante *Paramètres 3D* s'affiche alors à l'écran pour vous permettre d'effectuer les paramétrages de votre choix.

Voici quelques exemples de styles 3D.

Éclairage du côté droit.

Orientation modifiée.

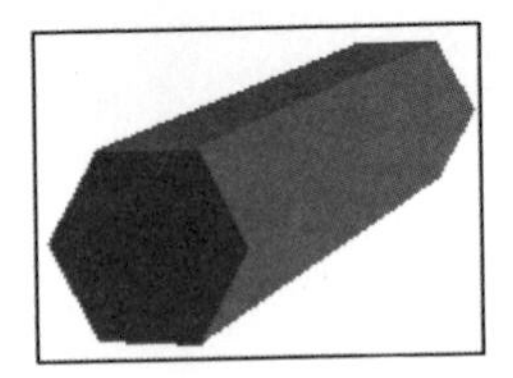

Profondeur accentuée.

Pivotement vers le bas.

Modèles de lettre : mise en page et pieds de page

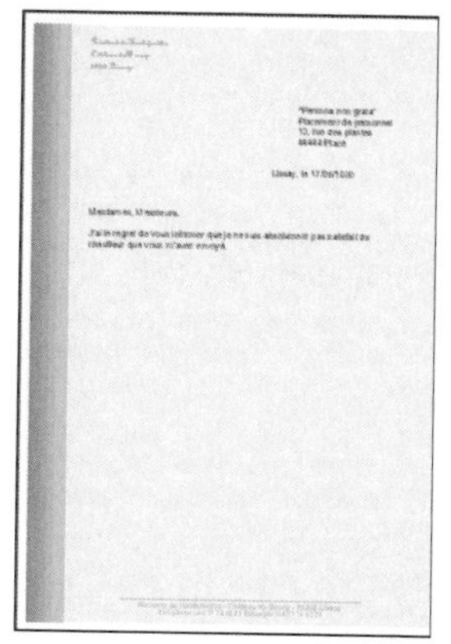

Grâce à Word, vous auriez désormais tort d'engager des frais pour la conception de votre papier à lettres ! Vous pouvez le créer vous-même, et cela ne vous coûtera ni effort ni dépense.

L'élaboration du papier à lettres met en œuvre plusieurs domaines de compétence, de la manipulation des graphiques à l'insertion d'objets de couleur sur la page. Elle concerne également l'agencement général de la page et fait intervenir des paramètres qui s'appliquent non pas à un mot (style gras, italique, etc.) ou à un paragraphe (alignement justifié, centré, etc.), mais à toutes les pages du document. Il s'agit surtout de fixer l'espace libre laissé autour du texte (les marges) et de choisir les éléments qui doivent apparaître dans l'en-tête et le pied de page de chaque page (la numérotation, la date, etc.).

Créer votre propre papier à lettres

L'arrière-plan qui reproduit un parchemin et la barre avec un dégradé de couleurs sont des objets de dessin : ils ont été réalisés au moyen de rectangles auxquels ont été appliqués les remplissages correspondants.

Commençons par mettre au point une page. Si vous désirez concevoir un papier à lettres pour des courriers de plusieurs pages, il vous faudra introduire quelques modifications à l'aide de la commande **En-tête et pied de page** (cette commande est abordée dans une section particulière).

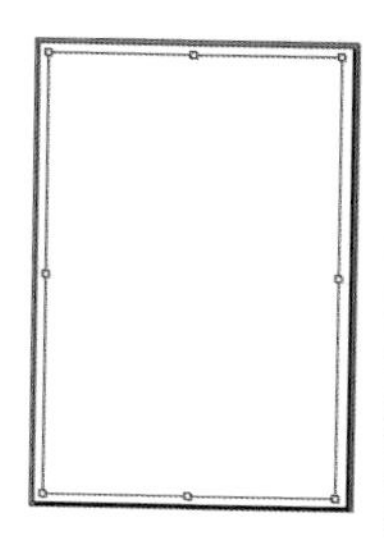

1 Activez l'outil **Rectangle** de la barre d'outils *Dessin* et tracez un rectangle de dimension légèrement inférieure à celle de la page. Il est inutile de recouvrir entièrement la page, car votre imprimante ne pourrait pas imprimer les zones situées près des rebords.

2 Choisissez le bouton **Couleur de remplissage**, puis **Motifs et textures**...

3 Dans la boîte de dialogue **Motifs et textures**, activez l'onglet **Texture**.

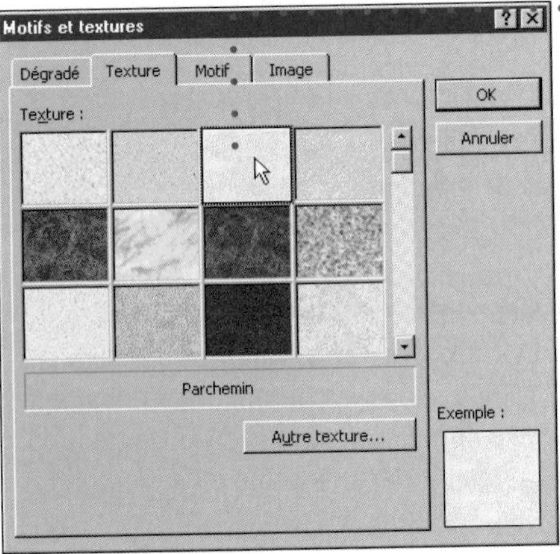

4 Cliquez sur la texture de votre choix dans la Palette de textures. Dans l'exemple, nous avons choisi la troisième à partir de la gauche dans la rangée supérieure (*Parchemin*).

5 Votre rectangle est maintenant plein. Pour supprimer la bordure noire, cliquez sur **Couleur du contour** dans la barre d'outils *Dessin* (ouvrez la liste) et choisissez l'option *Aucun trait*.

Procédez de la même manière pour créer la barre et la placer à gauche.

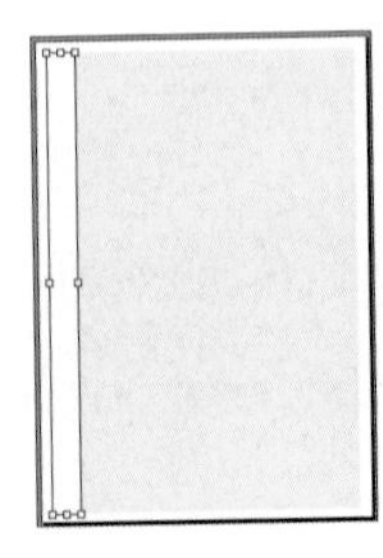

1 Tracez sur le côté gauche un rectangle de taille adéquate.

2 Dans la boîte de dialogue **Motifs et textures**, activez l'onglet **Dégradé**.

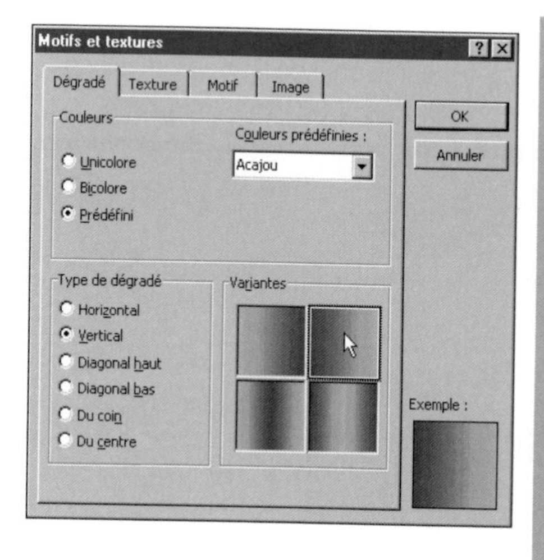

3 Pour notre exemple, nous avons d'abord activé l'option *Prédéfini*. La liste *Couleurs prédéfinies* propose quelques combinaisons de couleurs prêtes à l'emploi : choisissez *Acajou*. Bien sûr, vous pouvez parfaitement créer votre propre dégradé à l'aide des options *Unicolore* et *Bicolore*.

4 Cliquez sur l'option *Vertical*, sous la rubrique *Type de dégradé*, puis sur la variante qui convient parmi les quatre proposées.

5 Cliquez sur OK pour valider l'arrière-plan ainsi choisi.

INFO

Utiliser des images comme motifs

Outre les possibilités précédemment citées, les images peuvent parfaitement convenir comme motifs de remplissage. L'image choisie s'adapte alors aux contours de la forme automatique. Pour cela, activez l'onglet *Image* dans la boîte de dialogue *Motifs et textures*. Cliquez sur le bouton *Image* et, dans la boîte de dialogue qui s'affiche, ouvrez l'image de votre choix.

Où est donc passé le texte ?

Parvenu à ce stade, vous souhaiteriez sans doute commencer à taper votre lettre. Hélas, la manière dont la page a été préparée rend l'opération difficile.

En effet, chaque fois que vous essayez de cliquer à l'endroit où vous voulez introduire votre texte, c'est l'image d'arrière-plan qui est sélectionnée, et cela vous empêche d'effectuer la moindre saisie.

La solution consiste à cliquer hors du cadre de l'arrière-plan. Le curseur clignotant devrait alors apparaître, et vous pouvez commencer à taper.

Mais vous n'êtes pas au bout de vos peines, car tout ce que vous voyez maintenant, c'est le point d'insertion qui se déplace au fur et à mesure de votre frappe, le texte demeurant invisible !

La raison de ce comportement est que le texte se trouve masqué par l'objet de dessin. Pour y remédier, cliquez sur le rectangle plein avec le bouton droit de la souris et choisissez **Ordre** dans le menu contextuel. Dans le sous-menu, cliquez sur **Texte au-dessus**.

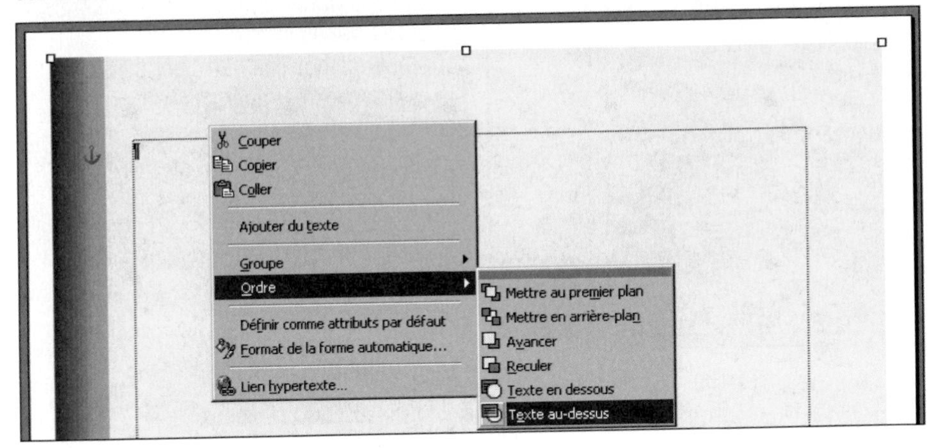

Modifier la taille des marges

Les marges définissent l'espace laissé entre le texte et les bords de la page. Il n'est pas toujours indispensable de les modifier, mais le cas pouvant se présenter, mieux vaut s'y préparer.

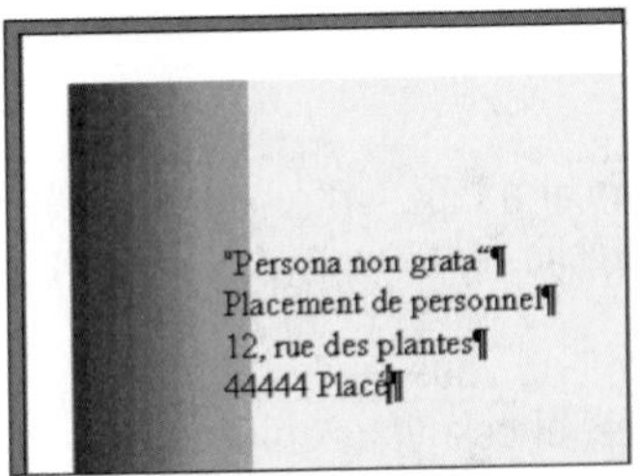

Dans notre exemple, une partie du texte se trouve dans la barre sombre. Elle est donc difficile à lire. D'ailleurs même si vous rédigez une lettre normale avec une police relativement petite (10 pt), le résultat n'aura pas un aspect très esthétique si les marges sont réduites (2 cm ou 2,5 cm à droite et à gauche). La ligne paraît trop dense et n'invite pas beaucoup à la lecture.

Voici donc comment modifier les marges :

1 L'emplacement du point d'insertion dans le texte n'a pas d'importance.

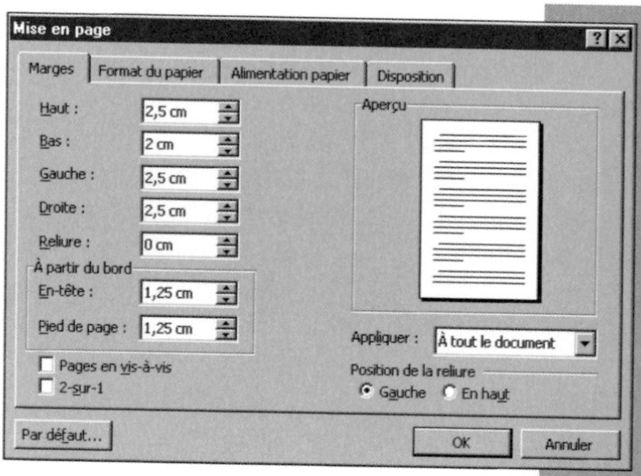

2 Cliquez sur la commande **Mise en page** dans le menu **Fichier** et, si nécessaire, activez l'onglet **Marges**.

3 Certaines valeurs standard sont déjà affectées par Word et calculées de manière à ne jamais dépasser les bords de la feuille. Par ailleurs, la plupart des imprimantes ne sont pas en mesure d'imprimer les zones proches (moins de 0,5 cm) de ce bord. Indiquez les nouveaux réglages dans les zones de saisie *Haut*, *Bas*, *Gauche*, *Droite*. Vous pouvez taper directement les valeurs numériques ou les fixer à l'aide des boutons toupies. Dans la fenêtre *Aperçu*, vous pouvez visualiser les répercussions des modifications du format de la page sur votre document.

4 Pour notre exemple, nous avons choisi d'agrandir la marge gauche à 3,5 cm. Après avoir confirmé la modification, demandez un aperçu de la page entière à l'aide de la commande **Fichier/ Aperçu avant impression** ou un zoom de la *Page entière*.

INFO

Les paramètres de l'onglet Format du papier

À l'aide de l'onglet *Format du papier* de la boîte de dialogue *Mise en page*, précisez la taille de la page que Word doit définir. Normalement, il s'agit de l'option *A4* dans la liste déroulante *Format du papier*. Dans les zones situées à droite, à côté de *Largeur* et *Hauteur*, les valeurs affichées correspondent au format du papier ainsi sélectionné. À l'aide de l'option *Orientation*, vous pouvez basculer de *Portrait* à *Paysage*. La fenêtre d'exemple sur le côté droit vous présente un aperçu de votre document pour l'option choisie.

Les éléments récurrents : l'en-tête et le pied de page

Si certains éléments (numéros de page en continu, image, etc.) doivent apparaître sur chaque page de votre document, au-dessus ou au-dessous du texte, mieux vaut les intégrer au moyen de l'en-tête et du pied de page.

Cette fonction est également utile pour notre exemple.

- Il est vivement conseillé de placer les informations de bas de page (nom, adresse et numéro de téléphone) dans le pied de page.
- Si vous souhaitez que l'image d'arrière-plan apparaisse sur toutes les pages, sans avoir à l'inclure manuellement chaque fois, insérez les deux objets de dessin dans l'en-tête.
- Dans notre cas (et c'est souvent ainsi dans la pratique), l'utilisation d'un en-tête différent sur la première page s'impose. Par exemple, sur la première page, vous souhaitez placer l'en-tête avec le nom et l'adresse et, sur les autres pages, la numérotation continue seule.

1 Pour créer un en-tête ou un pied de page, le mode d'affichage peut être Normal ou Page, indifféremment. Mais lorsque vous commencez, le mode d'affichage Page s'active en toute circonstance.

2 Dans le menu **Affichage**, cliquez sur la commande **En-tête et pied de page**. L'écran apparaît tel qu'illustré par la figure.

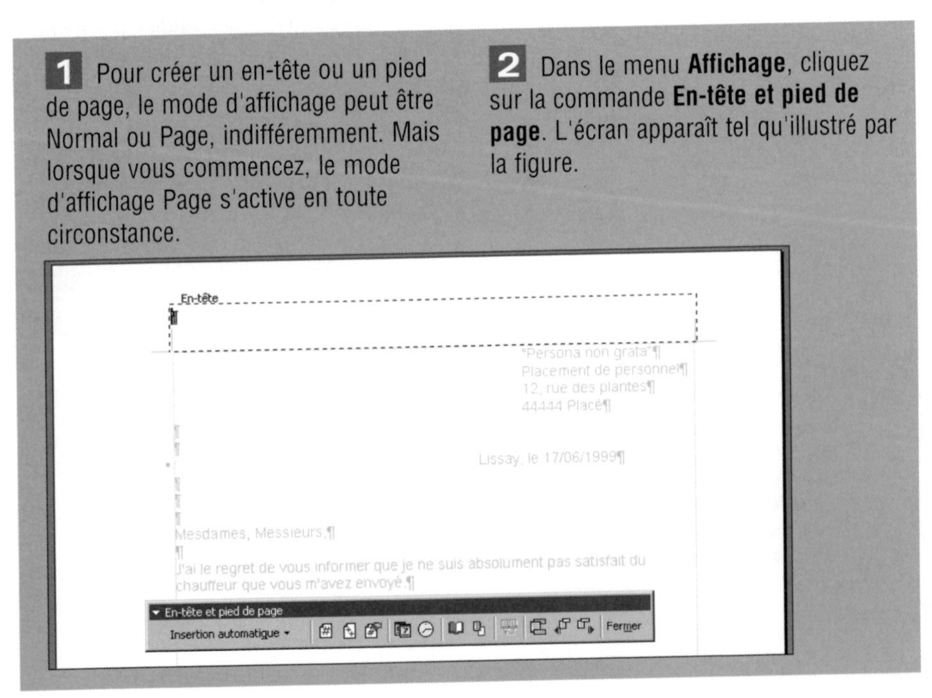

Word bascule automatiquement en mode Page, présente l'en-tête et le pied de page sous forme de cadres en pointillé et affiche le texte normal en grisé pour vous empêcher provisoirement de l'éditer. Il met par ailleurs à votre disposition une barre d'outils spéciale pour vous permettre de travailler avec l'en-tête et le pied de page. Ces deux zones adoptent toujours la même largeur que le format défini pour la page, même en cas de modification ultérieure.

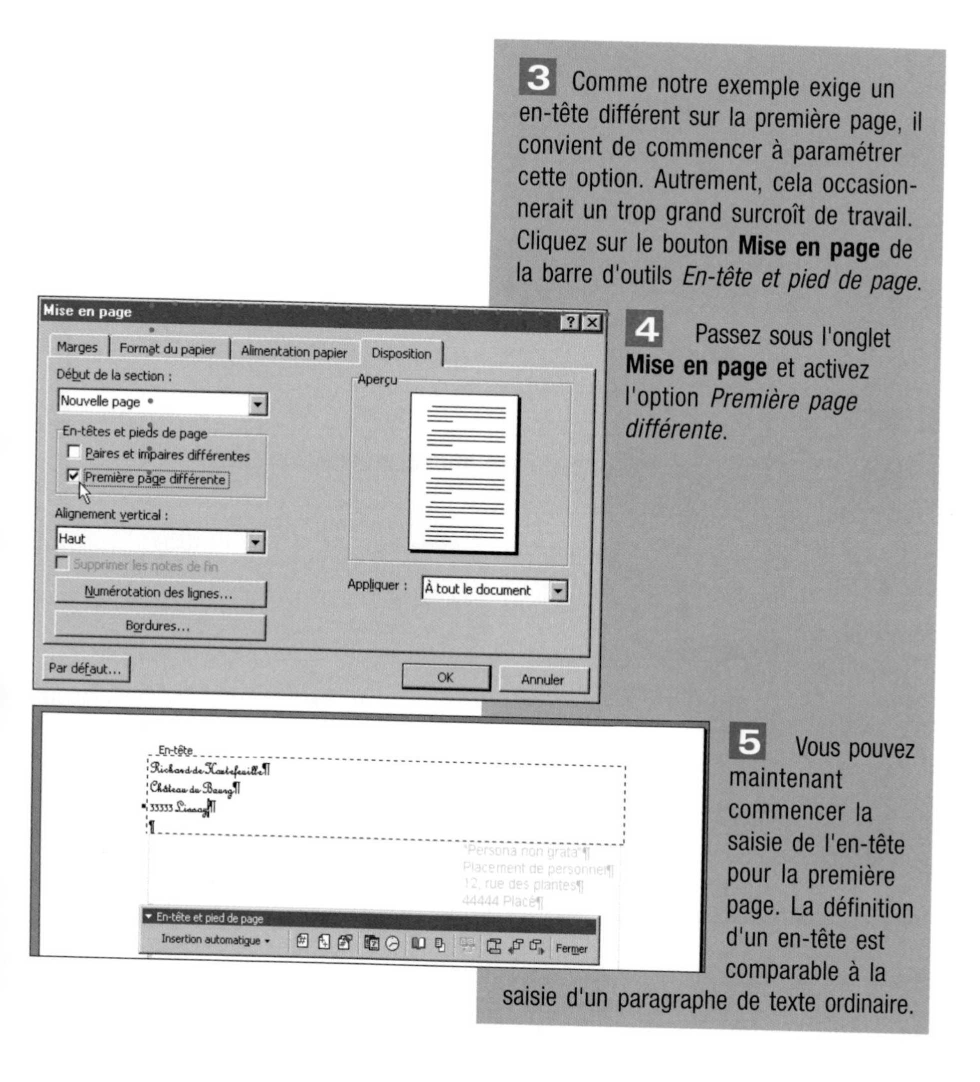

3 Comme notre exemple exige un en-tête différent sur la première page, il convient de commencer à paramétrer cette option. Autrement, cela occasionnerait un trop grand surcroît de travail. Cliquez sur le bouton **Mise en page** de la barre d'outils *En-tête et pied de page.*

4 Passez sous l'onglet **Mise en page** et activez l'option *Première page différente.*

5 Vous pouvez maintenant commencer la saisie de l'en-tête pour la première page. La définition d'un en-tête est comparable à la saisie d'un paragraphe de texte ordinaire.

6 À cette occasion, vous pouvez insérer des objets graphiques dans l'en-tête. Pour cela, revenez au mode d'affichage normal du texte (le plus simple est de double-cliquer dans le texte) et coupez les deux objets de dessin à l'aide de la combinaison **Ctrl+X** pour les placer dans le Presse-papiers.

7 Revenez à l'en-tête et insérez l'arrière-plan graphique à l'aide de la combinaison **Ctrl+V**.

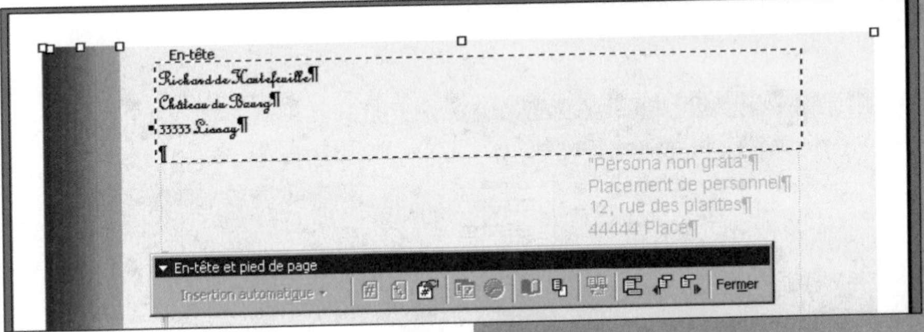

8 Pour basculer vers le pied de page, il est préférable de cliquer sur le bouton **Basculer en-tête/pied de page** dans la barre d'outils *En-tête et pied de page*. Pour l'exemple, tapez le nom, l'adresse, les numéros de téléphone et de télécopie.

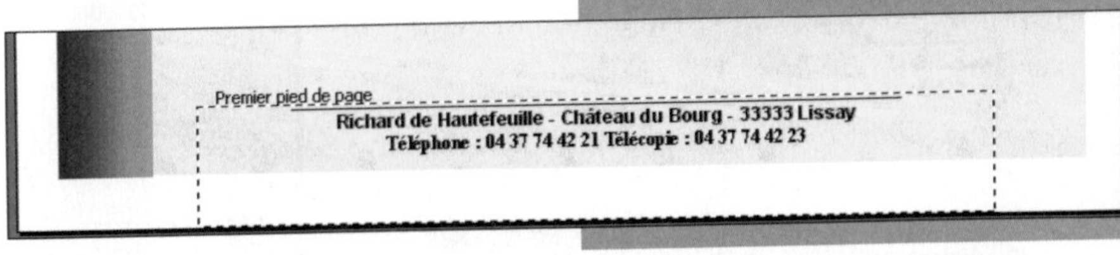

La saisie de l'en-tête et du pied de page de la première page est maintenant terminée. À ce stade, vous pourriez songer à définir les en-têtes et les pieds de pages pour le reste du document. Ce n'est malheureusement pas possible directement, car votre document est constitué pour le moment d'une page unique. Par conséquent, placez-vous d'abord sur le texte.

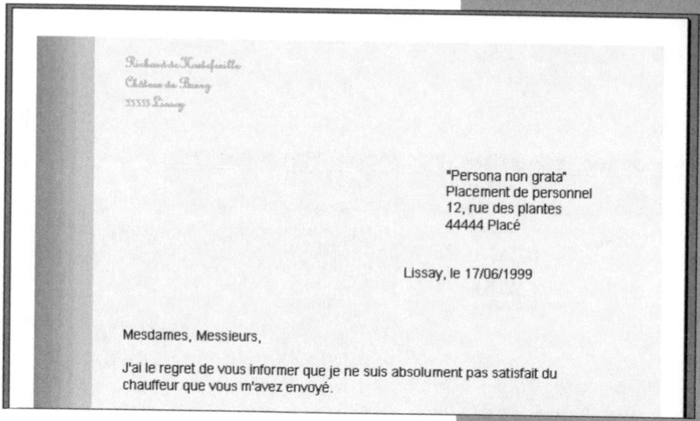

"Persona non grata"
Placement de personnel
12, rue des plantes
44444 Placé

Lissay, le 17/06/1999

Mesdames, Messieurs,

J'ai le regret de vous informer que je ne suis absolument pas satisfait du chauffeur que vous m'avez envoyé.

9 Le plus rapide est de double-cliquer sur le texte normal, affiché en grisé. L'autre solution est de cliquer sur le bouton **Fermer**. Vous rétablissez alors le mode d'affichage qui était activé avant la création de l'en-tête et du pied de page. S'il s'agit du mode Normal, aucun des éléments nouvellement introduits n'est visible ; en revanche, dans le mode Page, l'en-tête et le pied de page apparaissent bien aux endroits définis. Ils s'affichent en grisé et ne peuvent donc pas être affichés immédiatement. Pour les activer et les modifier, il faut d'abord double-cliquer dessus.

Les autres pages : date et numéros de page automatiques

En raison de sa complexité (copie des objets entre les différents en-têtes et pieds de page), le processus décrit ici ne doit être entrepris que lorsque la définition de la première page est différente des suivantes. Si les éléments de l'en-tête et du pied de page s'appliquent à l'intégralité du document, la procédure est bien plus simple.

1 Insérez une page supplémentaire afin de pouvoir configurer l'en-tête et le pied de page pour tout le document. Pour cela, créez un saut de ligne à la fin du texte existant (en appuyant sur **Entrée**). Créez un saut de page à l'aide de **Ctrl+Entrée**.

2 Vous pouvez revenir à l'en-tête de la première page par un double clic. Sélectionnez les deux objets graphiques et copiez-les dans le Presse-papiers à l'aide de **Ctrl+C**. Cliquez alors sur le bouton **Afficher en-tête/pied de page suivant** dans la barre d'outils *En-tête et pied de page*.

3 Vous vous trouvez maintenant dans la zone d'en-tête des autres pages. Collez les graphismes depuis le Presse-papiers.

4 À présent, spécifiez son contenu. Dans l'exemple, il s'agit des numéros de pages en continu. Cliquez sur le bouton **Insérer un numéro de page** dans la barre d'outils *En-tête et pied de page*. Vous pouvez ensuite mettre en forme à votre guise le paragraphe de l'en-tête contenant le numéro.

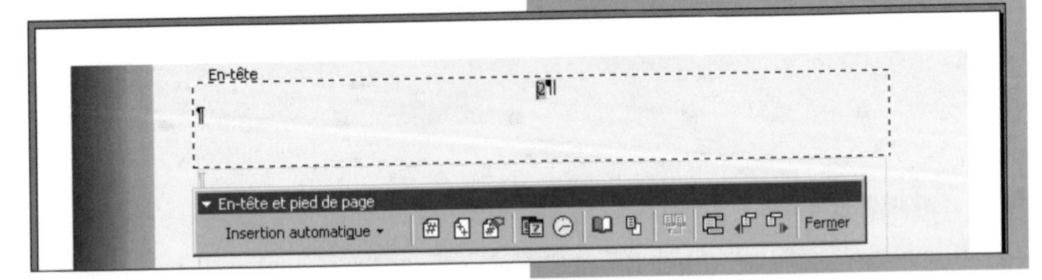

INFO

La numérotation de page comme champ

Word crée la numérotation de page (ainsi que l'insertion de la date, mise à jour automatiquement) à l'aide d'un champ. Il existe deux manières de visualiser un champ : au moyen de son intitulé, il s'agit ici des mots "Date" ou "Page" placés entre accolades, ou de son contenu (en l'occurrence, la date courante ou le numéro de page). Pour basculer d'un mode de visualisation à l'autre, cliquez avec le bouton droit de la souris sur le champ pour ouvrir son menu contextuel. La commande *Afficher les fonctions de champ* permet de basculer entre les deux modes d'affichage. La commande *Mettre à jour le champ* actualise le résultat. Par ailleurs, il est uniquement possible de supprimer les champs à condition de les sélectionner entièrement au préalable.

5 Il reste une dernière tâche à accomplir. À l'aide du bouton adéquat, basculez vers le pied de page : vous constatez qu'il est vide. Une solution rapide consiste à revenir au pied de page de la première page à l'aide du bouton **Afficher en-tête/ pied de page précédent**. Copiez-le dans le Presse-papiers, basculez vers la deuxième page (**Afficher en-tête/pied de page suivant**) et collez-le.

Par ailleurs, à l'aide de la boîte de dialogue **Mise en page**, vous pouvez modifier la position verticale de l'en-tête et du pied de page. Les options correspondantes se trouvent dans la partie inférieure gauche de l'onglet **Marges**.

Une solution élégante : les modèles de document

Une fois que vous avez créé une lettre dont la mise en forme vous convient parfaitement, vous souhaiterez en profiter plus souvent. En d'autres termes, vous voudriez que les lettres suivantes adoptent la même apparence, exception faite du contenu du message qui doit être saisi chaque fois.

La solution la plus simple consiste à ouvrir l'ancienne lettre, à supprimer le texte et à taper le nouveau. Enregistrez ensuite le tout sous un nouveau nom. Il est toutefois plus élégant de créer un modèle de document à partir de la lettre préparée.

Un modèle de document ressemble à un document texte normal, sauf qu'il sert de "moule" pour élaborer vos travaux futurs. Certains de ces modèles sont livrés avec Word (comme les Assistants que vous connaissez).

1 Supprimez le texte superflu dans la lettre prête à l'emploi. En effet, vous ne voulez enregistrer que la structure du document.

2 Enregistrez la lettre comme modèle de document. La procédure est identique à l'enregistrement de documents ordinaires, avec la commande **Fichier/Enregistrer sous**. Il est recommandé de stocker vos propres modèles dans le dossier Modèles ou dans l'un des sous-dossiers qu'il contient (en fonction de la catégorie à laquelle il appartient).

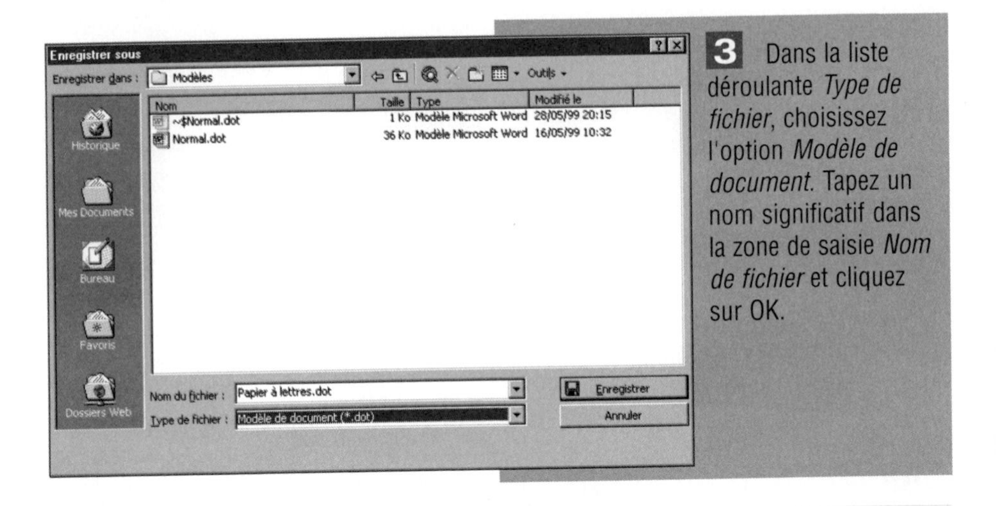

3 Dans la liste déroulante *Type de fichier*, choisissez l'option *Modèle de document*. Tapez un nom significatif dans la zone de saisie *Nom de fichier* et cliquez sur OK.

INFO

Que peuvent contenir les modèles de document ?

Un modèle de document peut contenir tout élément de mise en forme, en plus du texte, de l'en-tête et du pied de page. Il peut s'agir, par exemple, des styles et des insertions automatiques.

4 Pour utiliser ce modèle de document comme document de base pour votre prochaine lettre, procédez de la manière suivante : choisissez la commande **Fichier/Nouveau**.

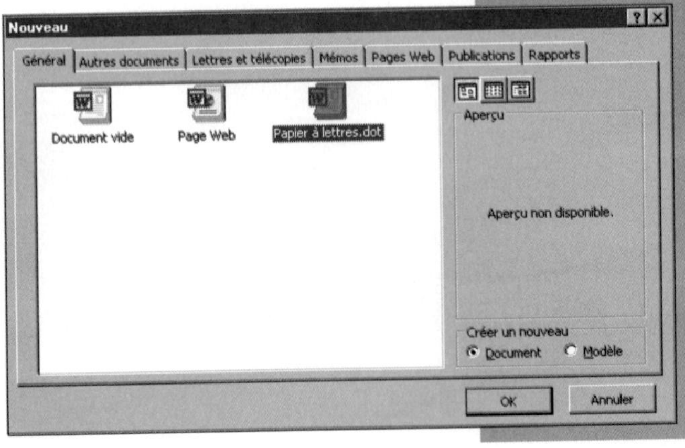

5 Activez l'onglet qui correspond au dossier dans lequel vous avez enregistré le modèle, par exemple, **Lettres et télécopies**.

6 Il ne vous reste plus qu'à sélectionner votre modèle et à cliquer sur OK.

Publipostage : envoyer le même texte à plusieurs destinataires

À quoi sert le publipostage ?

Supposons que vous désiriez envoyer des invitations à vos anciens camarades de classe pour une fête annuelle de retrouvailles. Il est évident que le texte de l'invitation est le même pour tous. Seule la partie réservée au destinataire dans l'en-tête nécessite d'être personnalisée.

Peut-être voulez-vous néanmoins conférer à la lettre un caractère familier, en la dotant ici et là de formules d'appel personnalisées ("je serais ravi, cher Jean, si tu pouvais venir..."). À moins que, parmi la liste des anciens élèves, vous ne souhaitiez inviter que ceux qui s'étaient présentés à la dernière fête. Vous n'avez alors pas besoin d'écrire des dizaines de lettres différentes : il suffit d'en rédiger une et de confier la responsabilité de l'adressage à la fonction de publipostage de Word.

Comment fonctionne le publipostage ?

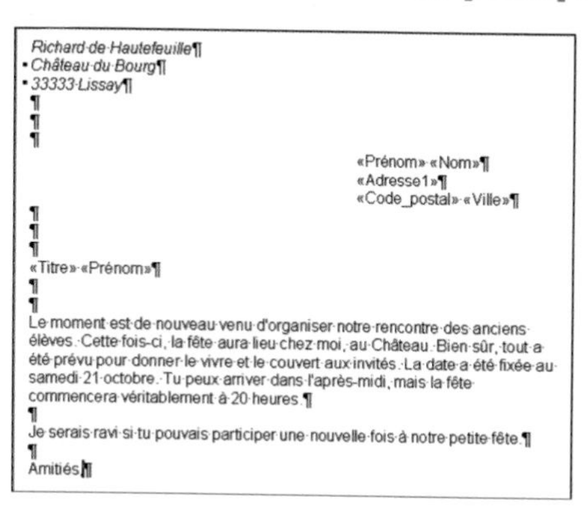
Richard de Hautefeuille
Château du Bourg
33333 Lissay

«Prénom» «Nom»
«Adresse1»
«Code_postal» «Ville»

«Titre» «Prénom»

Le moment est de nouveau venu d'organiser notre rencontre des anciens élèves. Cette fois-ci, la fête aura lieu chez moi, au Château. Bien sûr, tout a été prévu pour donner le vivre et le couvert aux invités. La date a été fixée au samedi 21 octobre. Tu peux arriver dans l'après-midi, mais la fête commencera véritablement à 20 heures.

Je serais ravi si tu pouvais participer une nouvelle fois à notre petite fête.

Amitiés

Le publipostage consiste à créer dans un premier temps deux types de documents, puis à les fusionner en un seul.

De quels types de documents s'agit-il ? D'abord du document principal, qui contient le texte et les éléments communs à tous les destinataires. En outre, il faut prévoir des espaces réservés où les informations provenant de la source de données seront automatiquement insérées en temps voulu (à savoir, pour chaque correspondant, le nom, le code postal, etc.).

Il faut ensuite une source de données, où sont entreposés tous les renseignements concernant les destinataires.

Titre	Prénom	Nom	Adresse1	Code_postal	Ville	Participation_98
Cher	Jean	Bretin	47, rue du Tertre	48266	Hain	Oui
Cher	Frédéric	Guillaumin	457, rue du Départ	76000	Rouen	Oui
Chère	Lucie	Delbar	103, rue Caroline	14000	Caen	Non
Chère	Corinne	Tesson	25, place de Paris	67000	Strasbourg	Oui
Cher	Kevin	Cluzel-Gilbert	78, avenue du Général Leclerc	12650	Argessac s/Olt	Oui

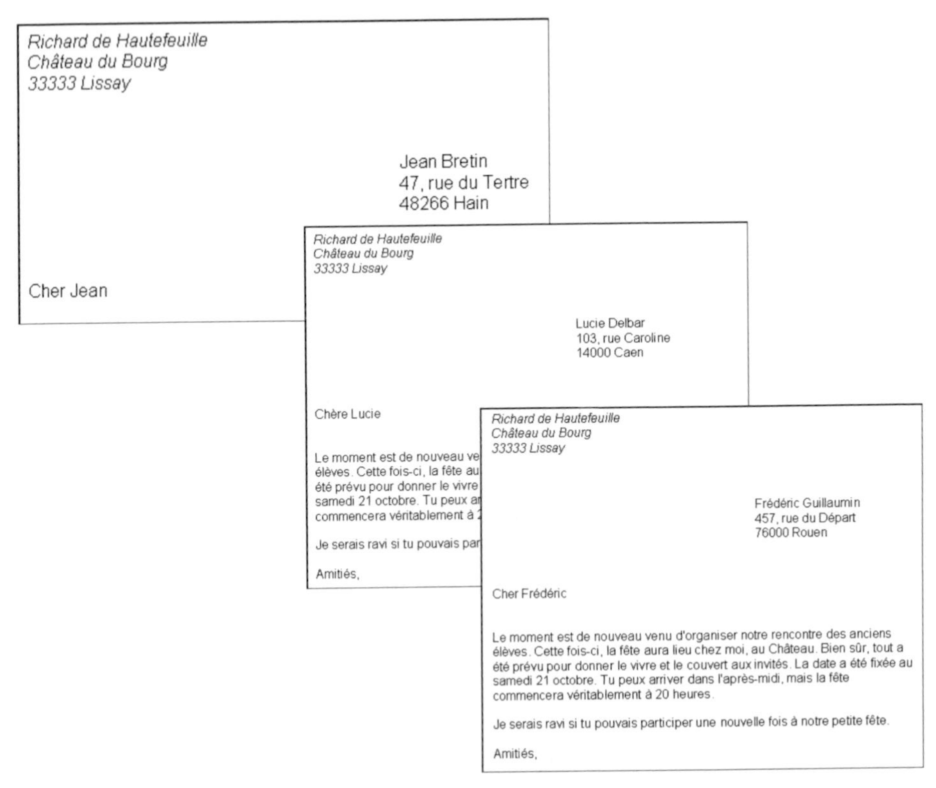
Richard de Hautefeuille
Château du Bourg
33333 Lissay

Jean Bretin
47, rue du Tertre
48266 Hain

Cher Jean

Richard de Hautefeuille
Château du Bourg
33333 Lissay

Lucie Delbar
103, rue Caroline
14000 Caen

Chère Lucie

Richard de Hautefeuille
Château du Bourg
33333 Lissay

Frédéric Guillaumin
457, rue du Départ
76000 Rouen

Cher Frédéric

Le moment est de nouveau venu d'organiser notre rencontre des anciens élèves. Cette fois-ci, la fête aura lieu chez moi, au Château. Bien sûr, tout a été prévu pour donner le vivre et le couvert aux invités. La date a été fixée au samedi 21 octobre. Tu peux arriver dans l'après-midi, mais la fête commencera véritablement à 20 heures.

Je serais ravi si tu pouvais participer une nouvelle fois à notre petite fête.

Amitiés,

Vient ensuite le moment où le document principal et les informations provenant de la source de données sont fusionnés. Les espaces réservés sont remplacés par les données personnelles relatives aux différents correspondants. Word imprime alors vos dizaines de lettres, avec les indications personnalisées adéquates pour chacune. Une autre solution existe : le programme propose l'ouverture d'un nouveau fichier où une lettre est créée dans une section séparée pour chaque enregistrement.

C'est ainsi que tout commence...

Le processus de création d'une lettre type peut se faire en deux phases : rédigez d'abord le document commun à tous les destinataires, puis informez Word que vous désirez vous en servir pour élaborer une lettre type. Inversement, vous pouvez aviser en premier lieu Word de votre souhait de créer une lettre type, et rédiger votre texte seulement après. Cette seconde variante est décrite ci-dessous :

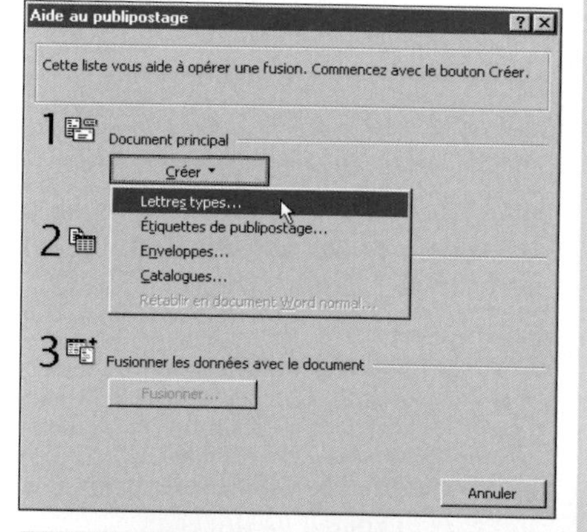

1 Vérifiez qu'un document vierge est affiché à l'écran. Si nécessaire, cliquez sur le bouton **Nouveau**.

2 Cliquez sur la commande **Outils/ Publipostage** pour accéder à l'Aide au publipostage.

3 Cliquez sur le bouton **Créer** sous la rubrique *Document principal*. Un choix de documents vous est proposé. Sachant que vous vous intéressez principalement aux lettres types, cliquez sur l'option appropriée.

4 Vous devez décider entre adopter la fenêtre active comme document principal (c'est le cas si vous avez déjà écrit le texte standard) ou créer un tout nouveau document. Supposons que vous ne disposiez pour l'instant d'aucun texte, cliquez sur **Nouveau document principal**.

5 Word revient à la boîte de dialogue **Aide au publipostage**, dont l'apparence a légèrement changé. Vous pourriez choisir d'éditer le document principal à ce stade, mais il est préférable de différer l'opération. Certaines options importantes ne sont en effet pas encore disponibles à ce stade.

Vous devez ensuite saisir le nom et l'adresse des destinataires ; ces données doivent être déjà entreposées quelque part, si ce n'est dans le texte commun à tous. En raison de la relative complexité du sujet, nous lui avons consacré une section entière.

La source des données : enregistrez les adresses

Voici maintenant successivement les premières actions à effectuer pour créer la source de données. Il s'agit du fichier qui doit contenir les adresses et les données individuelles de chaque destinataire potentiel de votre lettre type. Elles se trouvent dans l'Aide au publipostage.

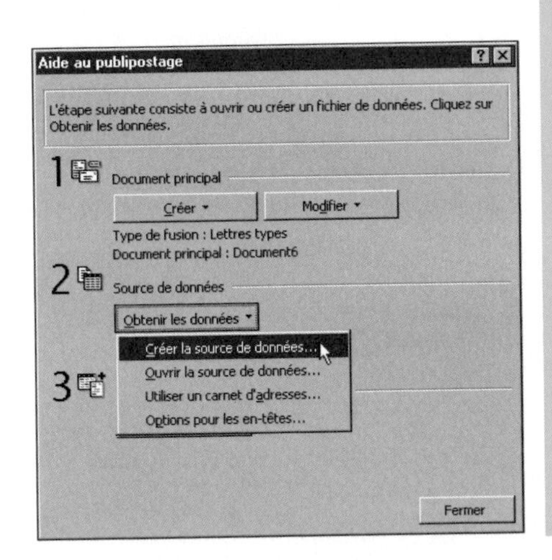

1 Cliquez sur **Obtenir les données**.

2 De nouveau, un choix de plusieurs options s'offre à vous. En y regardant de près, la décision n'est pas vraiment difficile à prendre. Disposez-vous déjà d'une liste d'adresses ? Si tel est le cas, vous pouvez cliquer sur **Ouvrir la source de données...**. Dans la boîte de dialogue, qui ressemble à celle de **Ouvrir** (un fichier), indiquez alors le nom et l'emplacement du fichier d'adresses. Si vous ne disposez d'aucune source de données, cliquez sur **Créer la source de données...**.

Ne vous laissez pas impressionner par tous ces termes, même s'ils ne vous sont pas familiers. Sachez d'ores et déjà que la source de données est composée de deux parties : la première est la ligne d'en-tête, composée des intitulés des différentes catégories (les noms des champs de fusion), auxquels seront ultérieurement affectées les véritables données, comme "Prénom", "Nom", etc. Ces données représentent la seconde partie de la source de données, c'est-à-dire les enregistrements. Dans la partie droite de la boîte de dialogue, vous trouverez la liste des noms de champ prédéfinis, regroupant tous ceux qui sont susceptibles de vous être utiles. Ces noms de champ peuvent être classés dans l'ordre qui vous convient ou supprimés le cas échéant. Vous pouvez par ailleurs attribuer le nom de votre choix à un champ dans la zone de saisie *Nom de champ* située à gauche (Chiffre d'affaires, par exemple), l'enregistrer dans la liste à l'aide du bouton **Ajouter** et procéder ensuite de la même manière que pour les champs prédéfinis.

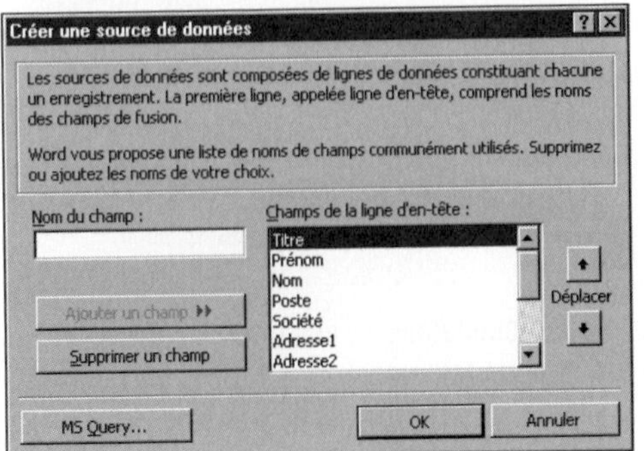

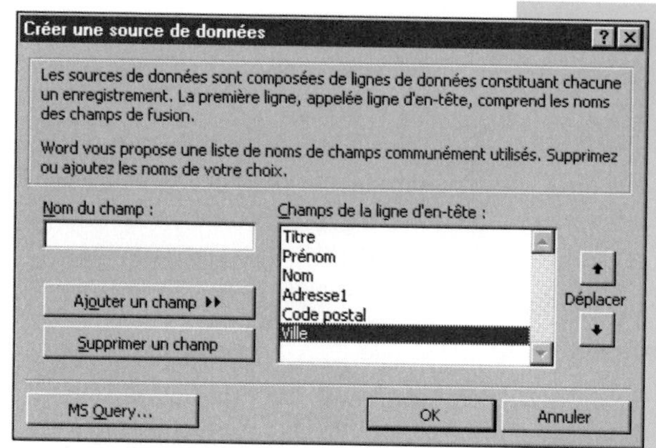

3 La boîte de dialogue suivante vous permet de définir les noms des champs destinés à intégrer la ligne d'en-tête. Réfléchissez aux renseignements dont vous avez besoin pour votre lettre type : par exemple *Titre*, *Nom*, *Prénom*, *Adresse1* (pour le nom de rue), *Code postal* et *Ville*. Il s'agit bien souvent des indications qui composent la partie réservée à l'expéditeur dans une lettre. Supprimez de la liste tous les champs dont vous n'avez pas besoin. Pour cela, sélectionnez les noms à l'aide le la souris, puis cliquez sur le bouton **Supprimer un champ**.

4 Lorsque la liste ne contient plus que les champs utiles, cliquez sur OK.

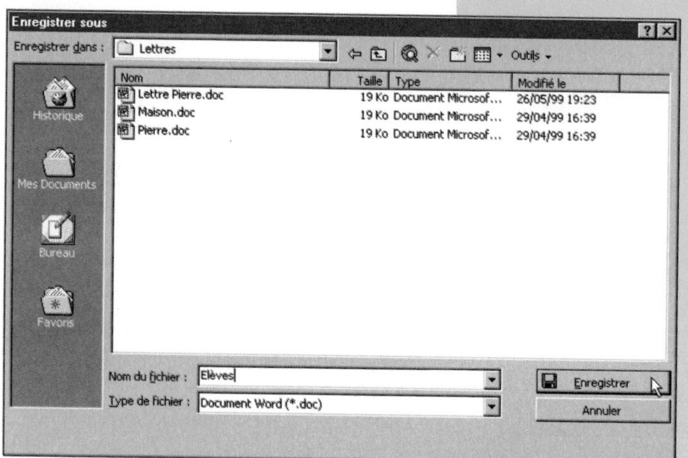

5 Dans la boîte de dialogue qui s'ouvre, enregistrez la source de données comme un fichier individuel. Procédez exactement de la même manière que pour l'enregistrement normal d'un fichier : choisissez le dossier dans lequel il sera stocké et attribuez-lui un nom significatif dans la zone de saisie *Nom de fichier* (par exemple, Elèves.doc).

Si vous ne vous souvenez plus exactement de la signification des termes "nom de fichier" et "dossier", reportez-vous au premier chapitre.

6 Après l'enregistrement, un message vous indique que la source de données ne contient pas de données. Vous avez alors le choix entre poursuivre avec le document principal (vous pourriez dès lors insérer les champs aux emplacements appropriés) ou alimenter la source de données. Choisissez cette dernière solution en cliquant sur **Modifier la source de données**.

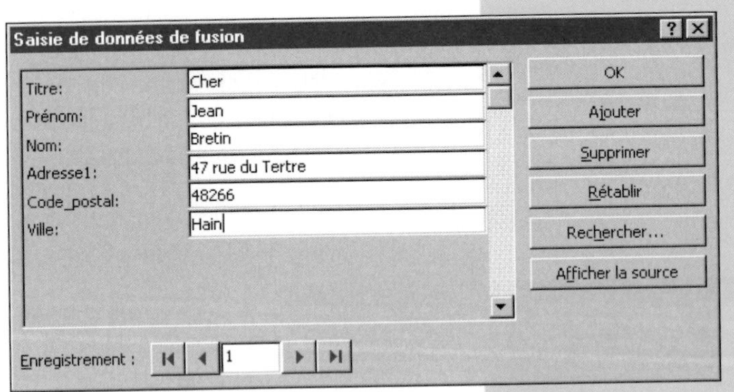

7 La boîte de dialogue **Saisie de données de fusion** s'affiche alors. À gauche apparaissent les champs que vous avez sélectionnés ou ajoutés précédemment. Dans les zones de saisie situées à côté, vous pouvez maintenant enregistrer les données concernant le premier destinataire. Lors de la saisie, la méthode la plus rapide pour passer d'une zone à la suivante consiste à appuyer sur la touche **Tab**. La souris vous permettra en tout temps d'atteindre n'importe quel emplacement de ce masque de saisie. Au sein d'une zone, déplacez le point d'insertion à l'aide des touches de direction. La correction du contenu s'effectue quant à elle selon les mêmes règles que pour un texte ordinaire.

8 Une fois que vous avez terminé de taper la première adresse, cliquez sur **Ajouter**. Un nouveau masque vierge s'affiche, pour vous permettre d'introduire les données relatives au deuxième correspondant. Répétez ces étapes autant de fois que nécessaire, jusqu'à ce que tous les destinataires soient enregistrés.

9 Lorsque vous êtes satisfait, cliquez sur OK pour retrouver le document principal. Pour savoir comment procéder ensuite, lisez la section suivante.

Attention ! Les champs ne doivent pas nécessairement être tous complétés. Bien sûr, les données correspondantes seront absentes dans la lettre type.

Accéder à des enregistrements et les corriger

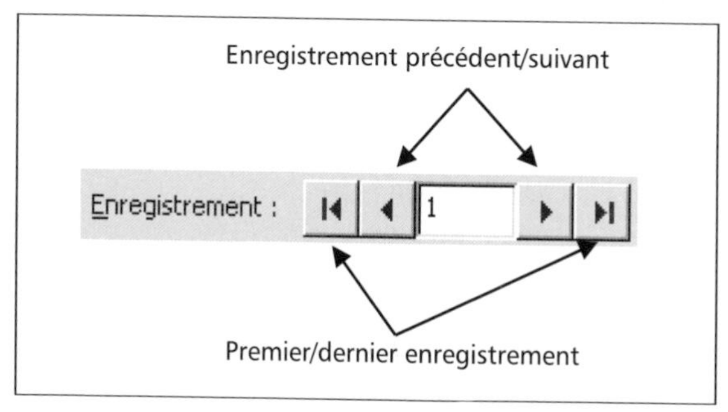

Lors de la saisie du quatrième enregistrement, vous constatez que vous vous êtes trompé dans les données relatives au premier. Les boutons situés dans la partie inférieure de la boîte de dialogue, à côté du nom *Enregistrement*, vous permettent de parcourir la liste des enregistrements vers l'arrière ou vers l'avant.

Attention ! En cliquant sur le bouton **Modifier la source de données**, vous pouvez afficher de nouveau la boîte de dialogue **Saisie de données de fusion**.

Si vous savez vous être trompé sur un enregistrement dont vous avez oublié le numéro, vous devez les parcourir intégralement. Cela risque de devenir fastidieux s'ils sont au nombre de 300. Dans ce cas, cliquez plutôt sur **Rechercher**.

INFO

Rechercher un enregistrement

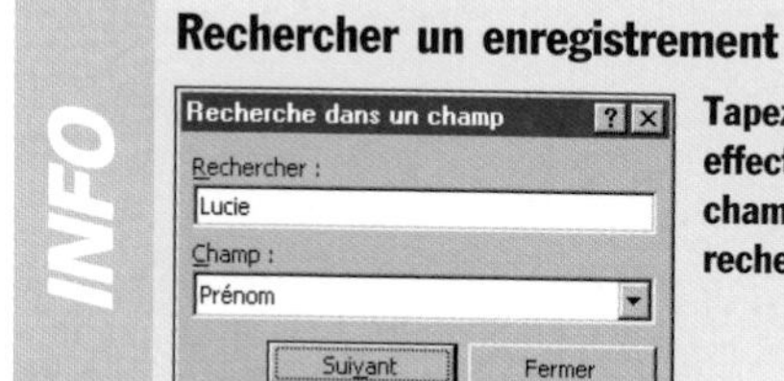

Tapez votre critère de recherche, par exemple `Lucie`, si vous effectuez une recherche sur le prénom. Indiquez ensuite le champ ou le critère sur lequel elle doit porter. Lancez enfin la recherche en cliquant sur le bouton *Suivant*.

Le document principal : le texte pour tous

Une fois que vous avez terminé la saisie des enregistrements, cliquez sur OK pour rejoindre automatiquement le document principal.

Ce document vierge a une apparence tout à fait ordinaire au premier abord. Mais en y regardant de plus près, vous vous apercevez que le document principal du publipostage dispose d'une barre d'outils spéciale et que le fichier ne se comporte pas comme un texte normal, mais se sait lié à une source de données.

1 Tapez le texte standard, celui commun à tous les destinataires, et appliquez-lui la mise en forme de votre choix.

2 Le document principal doit maintenant être préparé en vue de sa fusion avec la source de données ; vous devez donc préparer les espaces réservés aux emplacements adéquats. Cliquez, par exemple, dans le paragraphe vide qui doit recevoir le nom et le prénom.

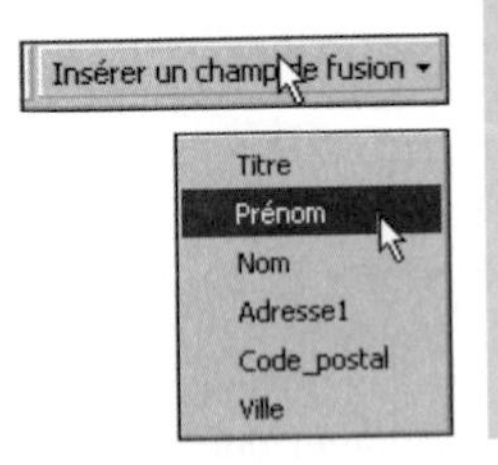

3 Cliquez ensuite sur **Insérer un champ de fusion** pour ouvrir la liste des noms de champs disponibles. Cliquez sur le premier champ que vous désirez insérer (par exemple, *Prénom*).

Le champ est inséré dans le texte entre des guillemets, qui sont la marque d'identification d'un champ.

INFO

Les champs peuvent avoir une autre apparence !

En lieu et place de l'entrée *Prénom* (comme sur la figure), vous voyez peut-être sur votre écran la mention *{CHAMPFUSION Prénom}*. Il s'agit ici d'un champ, qu'il est possible d'afficher aussi bien sous forme de résultat que sous forme de code (auquel cas vous le voyez tel quel). Pour visualiser le résultat, cliquez sur le champ avec le bouton droit de la souris et, dans le menu contextuel, choisissez la commande *Basculer les codes de champs*.

Richard·de·Hautefeuille¶
· *Château·du·Bourg*¶
· *33333·Lissay*¶
¶
¶
¶
«Prénom»·«Nom»¶
«Adresse1»¶
«Code_postal»·«Ville»¶
¶
¶
¶
¶
«Titre»·«Prénom»¶
¶

4 Déplacez-vous sur le premier champ : tapez un espace et cliquez sur le champ *Nom* dans la liste ; déplacez le curseur une ligne plus bas et insérez le champ *Adresse1*, etc.

Une fois que vous avez inséré les noms de champ aux endroits stratégiques du document, vous avez, en principe, terminé la conception de la lettre type. Enregistrez votre document (sous le nom Invitation.doc, par exemple) et lisez la section suivante pour connaître les points à considérer en vue de l'impression.

Attention ! Comme vous pouvez le constater dans l'exemple, les champs de fusion (dans ce cas, *Prénom*) peuvent être utilisés plusieurs fois dans un même document.

Imprimer les lettres types

Lorsque la source de données et la lettre type sont complètement terminées, vous pouvez commencer à imprimer. Toutefois, il serait préférable de vérifier préalablement le résultat à l'écran, pour éviter de gaspiller temps, papier et encre, en cas d'erreur.

Vous pouvez choisir l'envoi direct des lettres types vers l'imprimante. Mais vous pouvez également décider de créer un nouveau fichier par Word, qui aura pour contenu toutes les lettres types. En optant pour cette dernière solution, vous bénéficiez d'une possibilité supplémentaire de vérification avant l'impression, pour corriger d'éventuelles erreurs.

1 Dans la barre d'outils *Publipostage* du document principal, cliquez sur le bouton **Fusionner vers un nouveau document**. De cette manière, vous êtes sûr que les informations provenant de la source de données seront fusionnées avec le document principal morceau par morceau.

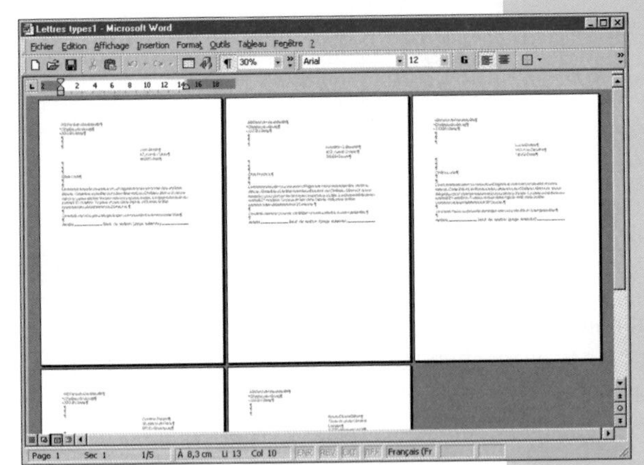

2 Un nouveau document, appelé Lettres types1, est alors créé : toutes les lettres y sont juxtaposées, séparées par des sauts de section. Le saut de section, représenté par un double trait en pointillés, ressemble à un saut de page élaboré. Vérifiez le fichier. S'il est conforme à ce que vous souhaitiez, imprimez-le de la même manière qu'un document ordinaire.

3 Vous pouvez être amené à constater un oubli quelconque, ou qu'une de vos commandes n'a pas donné le résultat escompté. Refermez simplement le fichier, sans l'enregistrer. Vous pouvez ainsi améliorer progressivement votre document principal et procéder à un nouvel essai.

INFO

Quelques astuces supplémentaires

Lorsqu'un document principal est ouvert, Word reconnaît le type de document : au lieu de l'ouvrir comme un texte normal, il le charge avec toutes ses propriétés spécifiques. Par conséquent, si vous devez modifier un jour votre lettre type, cela ne posera aucun problème.

Cliquez sur le bouton *Fusionner vers l'imprimante* pour imprimer directement les lettres types.

Commencer avec un document prêt à l'emploi

La procédure décrite précédemment, jusqu'à la lettre type terminée, se fonde sur le fait que la véritable lettre est rédigée et mise en forme au cours de la création des lettres types.

Si vous désirez commencer directement avec un document existant (déjà rédigé et mis en forme), la procédure est légèrement différente.

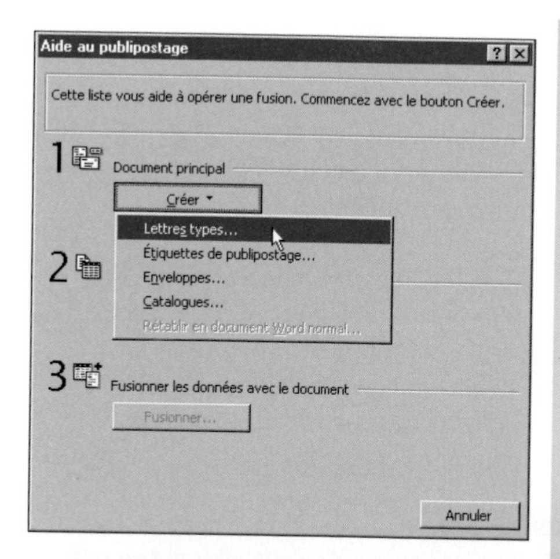

1 Ouvrez votre document finalisé.

2 Cliquez sur **Outils/Publipostage**, puis sur **Créer/Lettres types.**

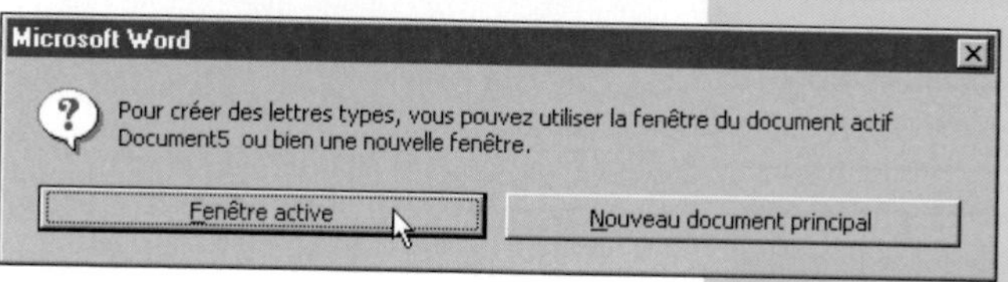

3 Dans la boîte de dialogue qui s'affiche, cliquez sur **Fenêtre active**.

4 Créez (ou obtenez) la source de données de la même façon que précédemment, pour un document non préparé.

5 Cliquez sur OK pour terminer votre travail sur la source de données. Vous arrivez alors au document préparé et vous pouvez commencer à insérer les champs.

6 À partir de là, procédez de la même manière que pour la première variante.

Modifier ultérieurement la source de données

Vous serez tôt ou tard amené à étendre votre liste d'adresses (donc la source de données) ou à modifier ces dernières pour tenir compte d'éventuels déménagements. Vous aimeriez peut-être également ajouter un nouveau nom de champ. Tout cela est fort heureusement possible !

Comment revenir à la source de données afin de l'agrandir ou de la modifier ?

1 Dans la barre d'outils *Publipostage* du document lié à la source de données, cliquez sur le bouton **Modifier la source de données**.

2 La boîte de dialogue **Saisie de données de fusion** s'ouvre. La saisie et la modification des enregistrements s'effectuent exactement de la même manière que lors de la création de la source de données.

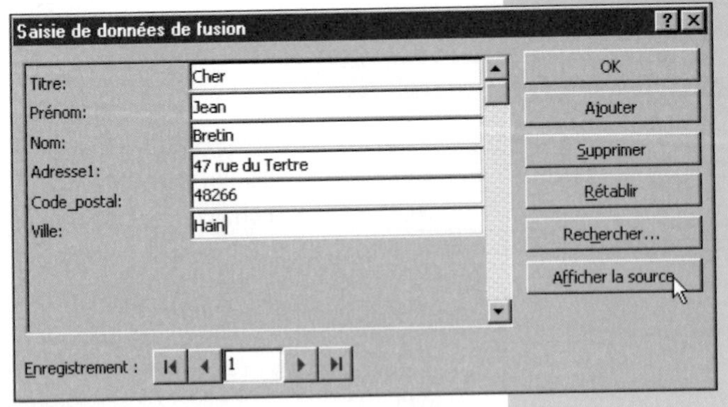

3 Supposez que vous ayez oublié une colonne *Oui/Non* pour indiquer si le destinataire a participé à la dernière rencontre des anciens élèves en 1998. Dans la boîte de dialogue qui s'affiche, cliquez sur le bouton **Afficher la source**.

Vous avez ainsi ouvert la source de données de base (ici, le fichier Elèves.doc).

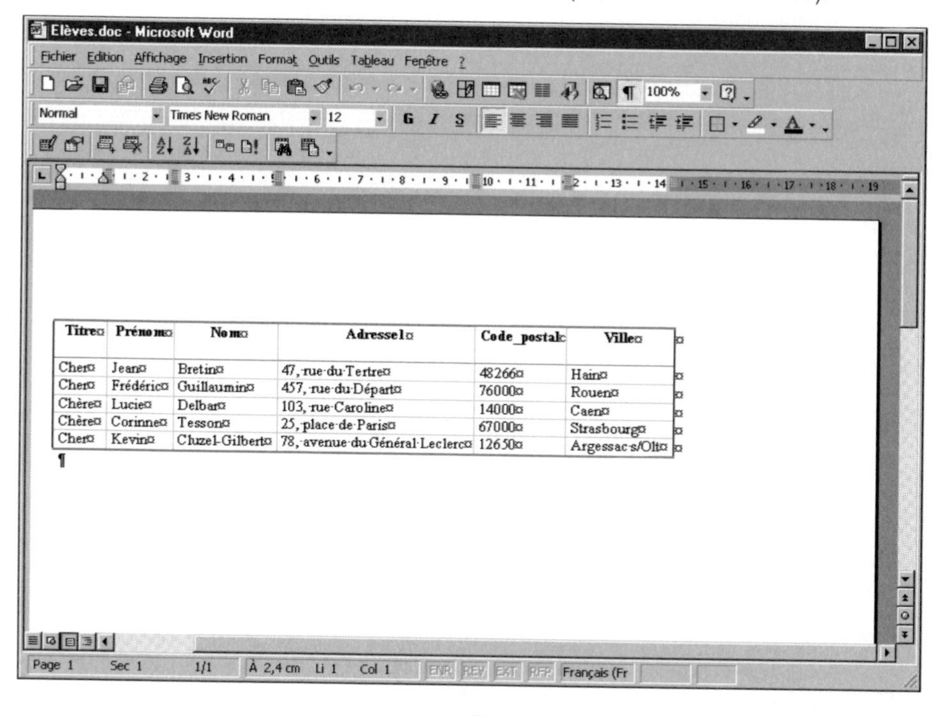

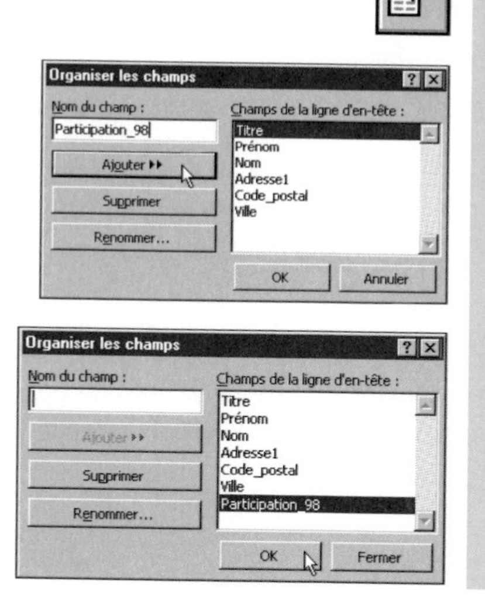

4 Cliquez sur le bouton **Organiser les champs**.

5 Tapez les noms des champs nécessaires (ici `Participation_1998`) dans la zone de saisie correspondante de la boîte de dialogue **Organiser les champs**, puis cliquez sur le bouton **Ajouter**.

6 Confirmez l'ajout du nouveau champ en cliquant sur OK.

Vous avez deux possibilités pour insérer les entrées correspondant aux différents enregistrements dans le nouveau champ (*Participation_1998*) :

- directement dans la source de données ;

Titre¤	Prénom¤	Nom¤	Adresse1¤	Code_postal¤	Ville¤	Participation_98¤
Cher¤	Jean¤	Bretin¤	47, rue du Tertre¤	48266¤	Hain¤	Oui¤
Cher¤	Frédéric¤	Guillaumin¤	457, rue du Départ¤	76000¤	Rouen¤	Oui¤
Chère¤	Lucie¤	Delbar¤	103, rue Caroline¤	14000¤	Caen¤	Non¤
Chère¤	Corinne¤	Tesson¤	25, place de Paris¤	67000¤	Strasbourg¤	Oui¤
Cher¤	Kevin¤	Cluzel-Gilbert¤	78, avenue du Général Leclerc¤	12650¤	Argessac s/Olt¤	Oui¤

- à l'aide du masque de saisie (voir la section intitulée *La source de données : enregistrez les adresses*).

INFO

L'outil indispensable pour la création de lettres types : l'Aide au publipostage

L'Aide au publipostage est un outil qui vous permet de modifier tous les éléments des lettres types. Vous l'avez utilisée dès la première étape de la création des lettres types, en appelant la commande *Outils/Publipostage*.

Un bouton spécial est à votre disposition pour appeler l'Aide au publipostage directement depuis un document principal.

L'utilisation de l'Aide au publipostage présente quelques avantages : elle regroupe toutes les fonctions afférentes (même la création finale du publipostage et les options de requête). Elle vous facilite ainsi la modification des sources de données et la fusion du document principal avec une autre source de données.

Un bon aperçu : imprimer la liste des adresses

La liste d'adresses (la source de données) est un fichier individuel (vous le savez déjà puisque vous l'avez enregistré comme tel). Dans ce fichier, les adresses sont gérées dans un tableau, que vous pouvez imprimer. Si vous le souhaitez, vous pouvez même y effectuer des modifications.

Vous pouvez ouvrir directement la source de données (par exemple avec **Fichier/Ouvrir**). Dans ce cas, ce fichier n'a aucun lien avec le document principal. Mais vous pouvez également atteindre le tableau à partir du document principal lié à la source de données.

1 Dans la barre d'outils *Publipostage* du document principal, cliquez sur le bouton **Modifier la source de données**.

2 Dans la boîte de dialogue qui s'affiche, cliquez sur le bouton **Afficher la source**.

3 Vous vous retrouvez dans un écran de texte presque normal, où les enregistrements saisis précédemment sont présentés sous la forme d'un tableau.

4 Cliquez sur le bouton **Imprimer** si vous souhaitez disposer d'une sortie papier de votre fichier d'adresses.

5 Pour revenir au document principal, cliquez sur le bouton situé à l'extrémité droite de la barre d'outils *Base de données*, propre à ce type de document.

Vous pouvez également modifier vos enregistrements ici. Manipulez le tableau comme d'habitude : vous pouvez modifier le texte, insérer des lignes (et donc, de nouveaux enregistrements) et ajouter ou supprimer tout élément de votre choix.

Dans l'écran de la source de données, vous disposez d'une barre d'outils spéciale. Certaines des fonctions qu'elle contient ne sont pas trop importantes, car les tâches pour lesquelles elles sont prévues peuvent être effectuées directement dans le tableau (insérer une ligne, par exemple). En revanche, d'autres fonctions n'existent qu'à cet endroit. Voici les plus importantes d'entre elles.

Ce bouton ouvre l'Aide au publipostage. Vous pouvez ajouter de nouveaux champs, en renommer ou en supprimer (voir la section précédente).

Ces deux boutons servent respectivement à trier les enregistrements dans l'ordre croissant et décroissant.

Certaines personnes ne doivent pas recevoir de lettre

Après tout, pourquoi ne pas faire l'économie des frais d'envoi pour les personnes qui n'étaient pas présentes à la dernière fête ?

Fusionner...

1 Depuis le document principal, cliquez sur le bouton **Fusionner**.

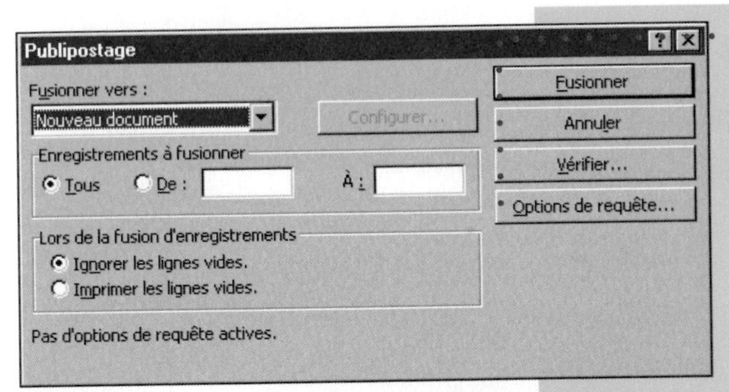

2 Dans la boîte de dialogue qui s'affiche, cliquez sur le bouton **Options de requête** et activez l'onglet **Filtrer les enregistrements**.

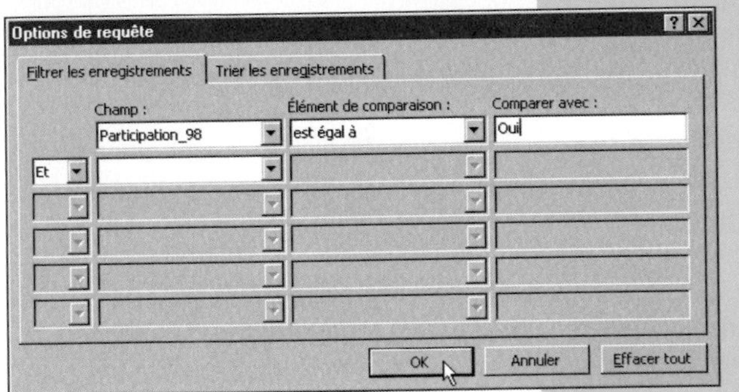

3 Dans la liste déroulante *Champ*, choisissez le critère à utiliser pour le filtrage (dans l'exemple, il s'agit de *Participation_1998*). Dans la liste *Élément de comparaison*, cliquez sur un opérateur logique (*est égal à* convient dans notre exemple précis). Enfin, tapez `Oui` dans la zone de saisie *Comparer à*. Ainsi, la lettre type ne sera envoyée qu'à vos camarades de classe qui étaient présents lors de la dernière rencontre.

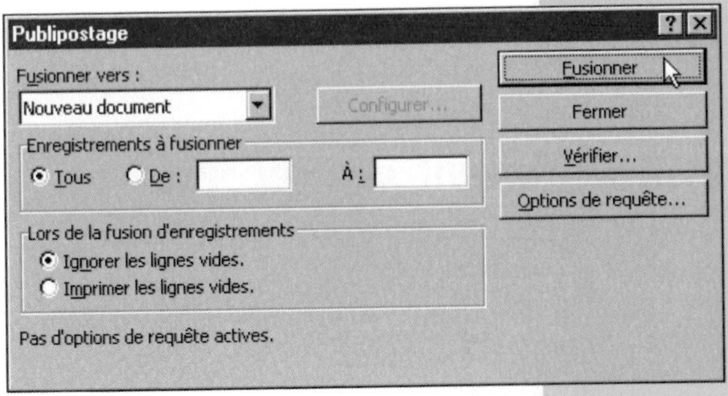

4 Cliquez sur OK pour revenir à la boîte de dialogue **Publipostage**. Si vous le souhaitez, vous pouvez cliquer directement sur **Fusionner** pour lancer le publipostage. Dans la liste déroulante *Fusionner vers*, précisez si vous désirez que l'impression soit envoyée vers l'imprimante ou vers un fichier.

INFO

Une multitude de variantes...

Bien sûr, le groupe de destinataires pourrait rassembler, au choix, des membres d'une même famille, des personnes qui fêtent leur anniversaire le même jour, des clients résidant dans le même département, etc.

Attention ! Il est parfaitement possible d'exploiter la source de données comme un carnet d'adresses. Vous pouvez ainsi y rechercher les coordonnées d'un destinataire particulier. Pour cela, procédez comme ci-dessus, mais en précisant les critères (par exemple, en indiquant le nom exact) de manière à ce que seule l'adresse voulue soit insérée dans votre lettre type.

Créer sa page Web : une carte de visite sur Internet

De plus en plus d'entreprises, mais aussi d'utilisateurs privés, attachent de l'importance à posséder une page Web personnelle, qui fait, en quelque sorte, office de carte de visite virtuelle. Pour répondre à ce souhait, Microsoft a intégré à Word un éditeur de pages HTML complet, fonctionnel et simple d'emploi. Une fois les pages composées, il suffit de les télécharger sur le Web.

Des résultats plutôt réussis grâce à l'Assistant Pages Web

Pour parvenir rapidement à un résultat concret, Word met à votre disposition l'Assistant Pages Web.

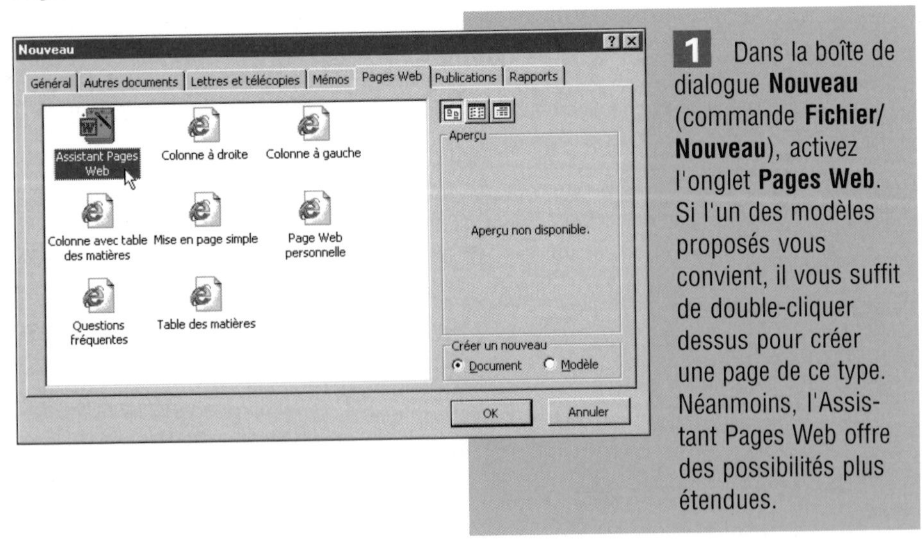

1 Dans la boîte de dialogue **Nouveau** (commande **Fichier/ Nouveau**), activez l'onglet **Pages Web**. Si l'un des modèles proposés vous convient, il vous suffit de double-cliquer dessus pour créer une page de ce type. Néanmoins, l'Assistant Pages Web offre des possibilités plus étendues.

Quel que soit le modèle choisi, Word part du principe que vous voulez créer un document HTML et passe automatiquement en mode d'affichage Web, qui vous permet de voir votre page dans Word, telle qu'elle apparaîtra sur Internet.

2 Double-cliquez sur l'icône correspondante pour lancer l'Assistant Pages Web. La première étape consiste à définir un titre et un emplacement pour votre page Web.

3 La seconde étape vous permet de diviser votre page en cadres. Le fonctionnement et l'utilisation des cadres sont expliqués plus loin dans ce chapitre. Si vous n'avez pas encore d'idée précise sur l'opportunité d'intégrer un cadre à votre page Web, passez à l'étape suivante. Vous pourrez aisément ajouter un cadre par la suite si cela se révèle nécessaire.

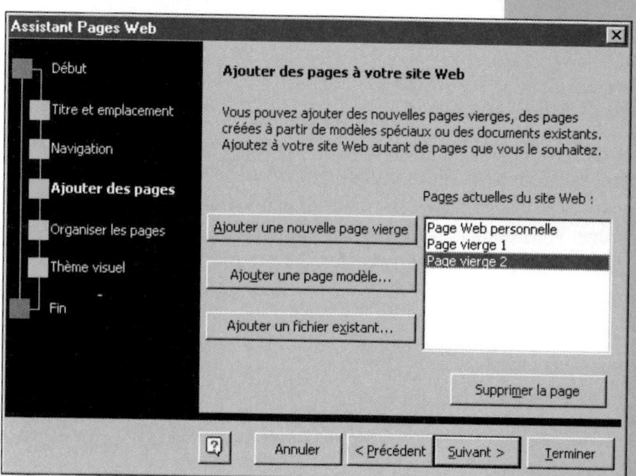

4 Indiquez ensuite à l'Assistant Pages Web le nombre de pages qui composeront votre site Internet. Si vous connaissez déjà la réponse à cette question, vous avez tout intérêt à créer immédiatement toutes les pages dont vous aurez besoin. En effet, vous avez ici la possibilité de définir, grâce au bouton **Ajouter une page modèle**, la structure que vous souhaitez adopter pour chacune des pages, ce qui représente une économie de travail considérable.

5 Autre fonctionnalité fort utile : l'Assistant Pages Web vous permet à ce niveau d'intégrer facilement un fichier Word ou une feuille de calcul Excel à votre page Web, grâce au bouton **Ajouter un fichier existant**.

6 La boîte de dialogue qui s'affiche vous donne un aperçu des différents thèmes proposés.Les styles les plus divers sont représentés, aussi trouverez-vous sans aucun doute un thème convenant à vos souhaits. C'est un gain de temps appréciable si vous n'avez pas envie de passer des heures à concevoir les graphismes de votre page Web. Si, au contraire, vous souhaitez créer votre page de toutes pièces, sans vous aider de l'un des thèmes proposés, choisissez l'option *Pas de thème visuel.*

INFO

Thèmes uniformes dans le monde Office

Les utilisateurs du pack Office seront particulièrement heureux de constater que les thèmes visuels proposés dans les différents composants du pack Office et dans FrontPage 2000 sont identiques. Il est par conséquent possible de concevoir des pages Web à l'aide de différents programmes, tout en conservant une apparence commune. Vous pouvez ainsi vous créer une réelle image de marque, d'autant plus que FrontPage permet de personnaliser chacun des thèmes proposés.

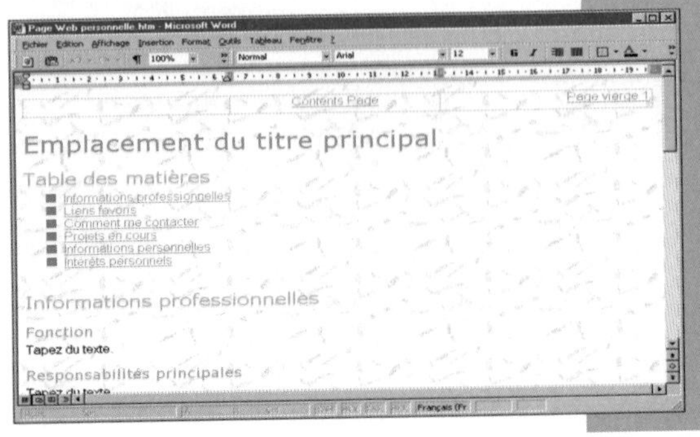

7 Cliquez sur **Terminer** pour afficher une page Web contenant des éléments de texte à remplacer par les contenus devant apparaître sur votre page Web personnelle.

Parmi ces éléments à remplacer, on trouve par exemple "Emplacement du titre principal", où vous devez taper le titre de votre page Web.

Les liens hypertextes sont soulignés et apparaissent dans une couleur dépendante du thème visuel choisi. Il peut s'agir de liens vers d'autres emplacements du même document ou vers d'autres pages Web. Les premiers sont prédéfinis tandis que la définition des seconds vous revient. Des emplacements sont néanmoins déjà prévus également pour ces derniers.

INFO

Vérifiez toujours l'agencement de votre page Web dans un navigateur

Prenez l'habitude de vérifier systématiquement l'apparence de vos pages Web dans un navigateur, même si le mode Web de Word est censé être WYSIWYG (what you see is what you get, "ce que vous voyez est ce que vous obtiendrez").

C'est d'ailleurs à cet effet que Microsoft a intégré la commande *Aperçu de la page Web* au menu *Fichier*. Un clic sur cette commande vous permet de visualiser la page en cours d'élaboration dans un navigateur Web sans enregistrement préalable. N'hésitez pas à recourir à cette fonction aussi souvent que nécessaire.

Revenons cependant à la mise en forme : le Web ne serait pas le Web s'il ne disposait pas de ces quelques éléments, qui le différencient fondamentalement d'un document Word ordinaire. C'est précisément à cela que nous allons nous intéresser dans la suite.

Un arrière-plan élégant pour vos pages

Un arrière-plan agréable sur une page Web peut contribuer à la mettre en valeur et même inciter les visiteurs à s'y attarder. Dans l'Éditeur de pages Web de Word, un seul arrière-plan peut être affecté à chaque page Web. Tout élément graphique possible et imaginable peut être utilisé comme arrière-plan : couleurs standard, couleurs personnalisées, motifs et textures prédéfinis, photographies personnelles, etc.

Notez cependant que les différents éléments ne peuvent pas être cumulés. En effet, si vous choisissez une texture, vous ne pourrez pas en modifier la couleur et inversement. Par conséquent, il vous faut choisir entre les deux ou bien créer vous-même une texture dans la couleur de votre choix.

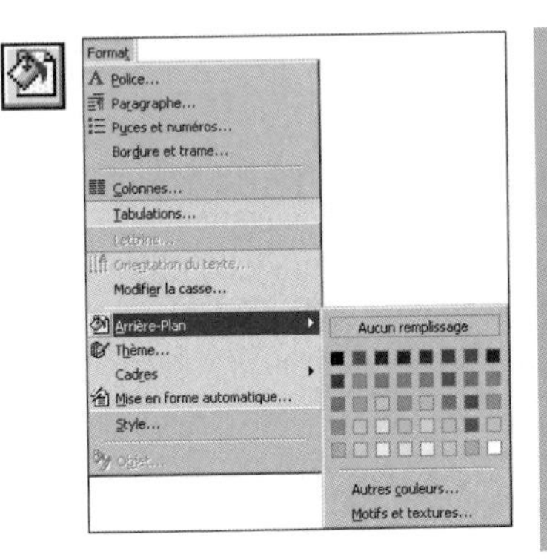

1 La commande **Format/Arrière-plan** vous permet d'accéder à un sous-menu comportant une Palette de couleurs, un bouton **Aucun remplissage** ainsi que les commandes **Autres couleurs** et **Motifs et textures**.

- La Palette de couleurs propose trente-cinq couleurs prédéfinies et cinq niveaux de gris.
- La commande **Autres couleurs** ouvre la boîte de dialogue **Couleurs** permettant d'accéder à un choix plus étendu de couleurs standard (onglet **Standard**) ou de définir des couleurs personnalisées (onglet **Personnalisées**).
- La commande **Motifs et textures** ouvre la boîte de dialogue **Motifs et textures** disposant de plusieurs onglets permettant de choisir parmi divers types d'effets. Si vous décidez d'utiliser une image personnelle, n'oubliez jamais de considérer le temps de chargement qu'elle risque de nécessiter.

2 Le bouton **Aucun remplissage** permet de supprimer l'arrière-plan actuellement affecté à la page.

Créer une texture d'arrière-plan

À utiliser avec précaution, la juxtaposition d'une petite image pour remplir l'arrière-plan de votre page peut produire un effet assez réussi. Veillez cependant à ce que les graphismes ne prennent pas plus d'importance que le texte au premier plan.

1 Cliquez sur **Format/Arrière plan** et choisissez **Motifs et textures**.

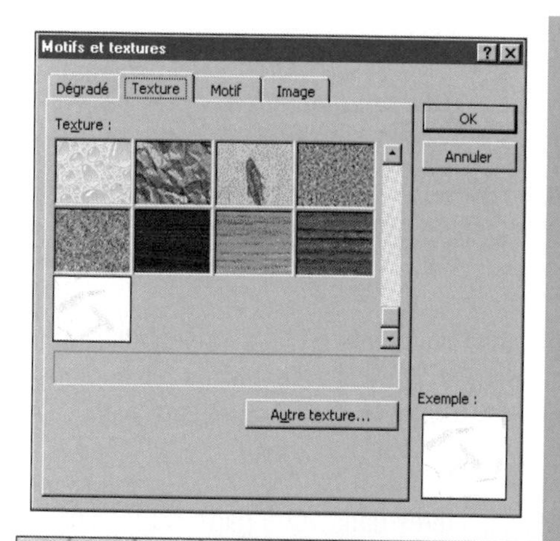

2 Choisissez une texture parmi celles qui sont proposées ou cliquez sur **Autre texture** si aucune d'elles ne vous convient. La boîte de dialogue **Sélectionner une texture** qui s'affiche vous permet de choisir une image parmi plusieurs formats graphiques à utiliser comme texture d'arrière-plan.

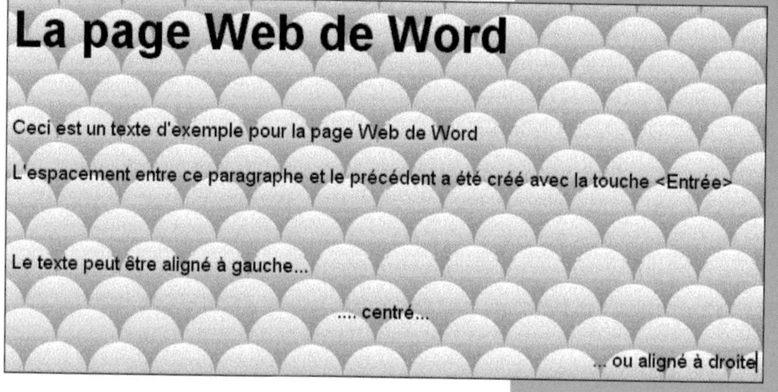

3 Confirmez votre choix en cliquant sur OK.

La texture sélectionnée est ensuite affichée autant de fois que nécessaire (le nombre varie selon la taille de l'image d'origine) pour couvrir l'arrière-plan de la page.

Taille des caractères

Si vous aviez l'habitude jusqu'à présent de définir la taille des polices par une valeur précise, sachez que le procédé est quelque peu différent pour les documents HTML. Ces derniers doivent être lisibles quel que soit le système d'exploitation ou le type de plate-forme utilisé. Le code source HTML est en fait interprété par le navigateur utilisé. La taille de la police est par conséquent, elle aussi, adaptée aux conditions générales de visualisation.

INFO

Taille des caractères dans les navigateurs

Netscape, par exemple, est capable d'interpréter sept tailles de caractères. Cela signifie que la police peut être affichée dans sept niveaux de taille par rapport à la taille initiale définie par l'utilisateur. Pour des valeurs échelonnées de 1 à 7, la valeur 3 correspond à la taille normale. Les valeurs supérieures à 3 permettent d'agrandir la taille des caractères, les valeurs inférieures, de la réduire. Internet Explorer, quant à lui, ne propose à l'heure actuelle que cinq niveaux de tailles.

Par conséquent, lorsque vous créez des documents HTML, vous définissez simplement une taille relative. Vous pouvez, par exemple, utiliser les boutons **Augmenter la taille de la police** et **Diminuer la taille de la police**, après les avoir activés, si nécessaire.

Attention ! Si vous utilisez diverses polices de caractères dans votre page Web, tenez compte du fait que les utilisateurs qui visiteront vos pages Web ne disposent pas forcément des même polices que vous. Sinon vous allez au devant de sérieux problèmes de mise en page. Certains navigateurs n'affichent d'ailleurs les textes que dans une police standard. Pour éviter ce problème, utilisez uniquement les polices les plus courantes, par exemple celles qui sont installées lors de l'installation par défaut de Windows.

Structurer les pages grâce aux lignes horizontales

Les documents en ligne sont plus faciles à lire, lorsque les informations qu'ils contiennent sont structurées. L'outil le plus courant permet d'insérer des lignes horizontales.

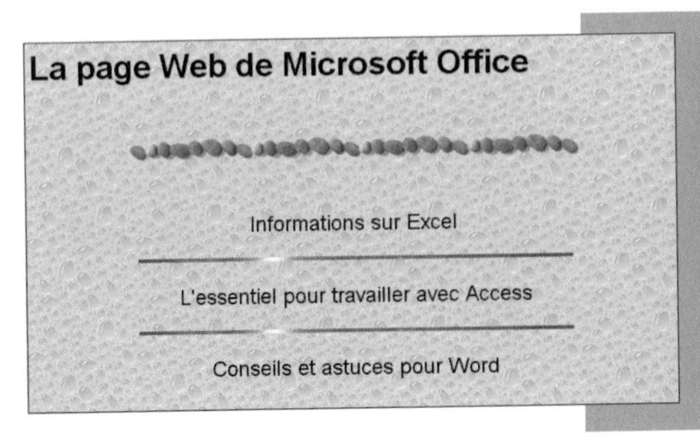

1 Cliquez sur **Format/ Bordure et trame**. Sous l'onglet **Bordures** de la boîte de dialogue qui s'affiche, cliquez sur le bouton **Ligne horizontale** qui ouvre la bibliothèque de cliparts offrant une sélection de lignes horizontales.

2 Choisissez l'une des lignes proposées et cliquez sur OK pour confirmer.

3 Ces lignes sont de simples fichiers graphiques et peuvent, par conséquent, être modifiées simplement en double-cliquant dessus.

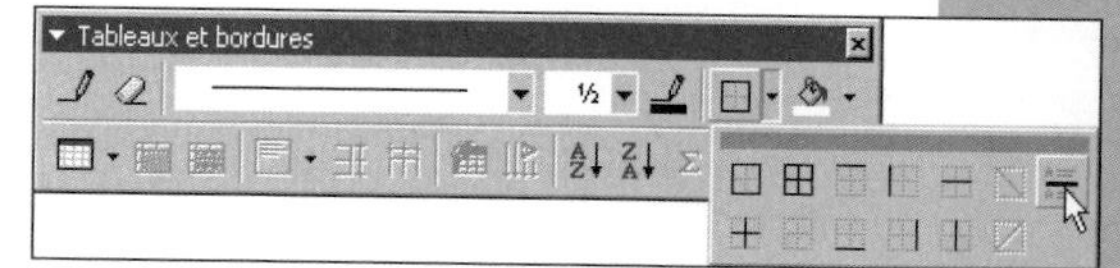

4 Pour insérer une ligne horizontale identique à celle utilisée précédemment dans le même document, cliquez sur le bouton **Ligne horizontale** de la barre d'outils *Tableaux et bordures*.

Insérer des images

Avec Word, l'insertion d'images dans une page Web s'effectue de la même manière que dans un document Word ordinaire.

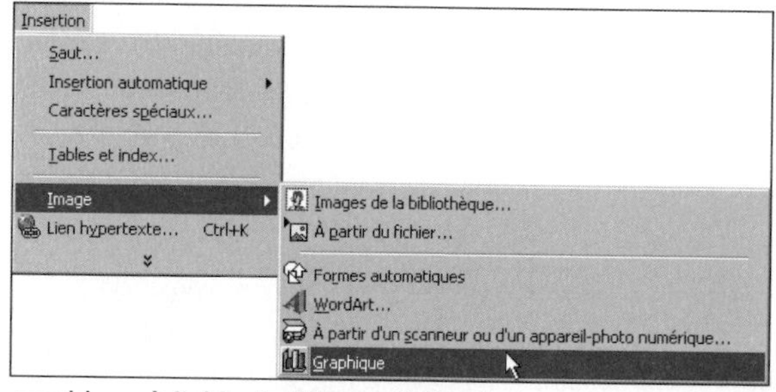

Utilisez **Insertion/Image** et choisissez une commande dans le sous-menu. Vous pouvez, par exemple, accéder à la bibliothèque de cliparts (commande **Images de la bibliothèque**), utiliser des images stockées sur votre disque dur (commande **À partir du fichier**) ou créer un graphique à l'aide de Microsoft Graph (commande **Graphique**).

Les fichiers utilisés sont automatiquement convertis au format GIF ou JPEG par Word et compressés pour être utilisés sur Internet.

Conseils et astuces pour Word

Avec Word, l'insertion d'images dans une page Web s'effectue de la même manière que dans un document Word ordinaire. Utilisez Insertion/Image et choisissez une commande dans le sous-menu.

Vous pouvez, par exemple, accéder à la bibliothèque de cliparts (commande Images de la bibliothèque), utiliser des images stockées sur votre disque dur (commande À partir du fichier) ou créer un graphique à l'aide de Microsoft Graph (commande Graphique).

Les fichiers utilisés sont automatiquement convertis aux formats GIF ou JPG par Word et compressés pour être utilisés sur Internet. Après la fermeture du document HTML, les objets individuels qu'il intègre (objets OLE) ne peuvent plus être modifiés car il sont transformés en images fixes.

Après la fermeture du document HTML, les objets individuels qu'il intègre (objets OLE) ne peuvent plus être modifiés, car ils sont transformés en images fixes.

Modifier l'alignement des images

Par défaut, les graphismes intégrés aux pages Web sont alignés sur le bord gauche de la page et repoussent le texte qui les suit. Pour modifier l'alignement et l'habillage de l'image, procédez comme suit :

1 Sélectionnez l'image par un clic de souris.

2 Cliquez sur la commande **Format/ Image** et activez l'onglet **Habillage**.

3 Sous la rubrique *Style d'habillage*, plusieurs variantes d'organisation de texte et d'image sont proposées. La rubrique *Alignement horizontal* vous permet de déterminer si l'image doit être affichée à droite ou à gauche de la page.

Conseils et astuces pour Word

Avec Word, l'insertion d'images dans une page Web s'effectue de la même manière que dans un document Word ordinaire. Utilisez Insertion/Image et choisissez une commande dans le sous-menu.

Vous pouvez, par exemple, accéder à la bibliothèque de cliparts (commande Images de la bibliothèque), utiliser des images stockées sur votre disque dur (commande À partir du fichier) ou créer un graphique à l'aide de Microsoft Graph (commande Graphique).

Les fichiers utilisés sont automatiquement convertis aux formats GIF ou JPG par Word et compressés pour être utilisés sur Internet. Après la fermeture du document HTML, les objets individuels qu'il intègre (objets OLE) ne peuvent plus être modifiés car il sont transformés en images fixes.

4 Pour accéder à des options élaborées de mise en page, cliquez sur **Avancé**. Vous pourrez alors définir par exemple la distance entre le texte et l'image. Le cas échéant, Word vous signale que certaines fonctions ne peuvent pas être utilisées, car elles ne sont pas prises en charge par les navigateurs plus anciens.

Il est vivement conseillé d'indiquer sous l'onglet **Web** un texte de remplacement pour l'image, car, pour des raisons de vitesse de chargement, de nombreux internautes désactivent le chargement automatique des images. Il convient donc de prévoir un petit texte à afficher à la place de l'image, informant du contenu de l'image, par exemple le logo de votre société.

Toutes les fonctions décrites ci-dessus sont directement accessibles dans la barre d'outils *Image*.

Des pages bien structurées grâce aux tableaux

Si votre page Web se limite à un titre, un peu de texte et éventuellement une image, vous n'avez pas besoin de vous inquiéter de l'agencement des divers éléments au sein de la page.

Si au contraire cinq boutons sont alignés sur la gauche, suivis de plusieurs petits blocs de texte, tandis que le centre de la page doit accueillir des images ainsi que le corps du texte agencé de manière aérée et agréable, la mise en page de l'ensemble mérite réflexion. Comment agencer les différents éléments de manière précise et rapide ?

Dans les pages Web, ce type de problème est généralement résolu à l'aide de tableaux. La fonction de création de tableaux de Word a été retravaillée en conséquence et propose diverses possibilités pour un agencement souple des pages Web.

Si vous avez l'intention de créer des pages complexes avec Word, nous vous recommandons de consulter le chapitre consacré aux tableaux.

Voici quelques-unes des possibilités qu'offre Word.

- Plusieurs tableaux peuvent être imbriqués les uns dans les autres, des cellules peuvent être divisées en cellules multiples, etc. Ce système de tableaux imbriqués confère une grande liberté de mise en page.

- Les cellules des tableaux peuvent être divisées très facilement grâce à un trait horizontal. La commande **Mettre en forme le trait horizontal** du menu contextuel vous permet de modifier ultérieurement les caractéristiques d'une ligne. Dans la boîte de dialogue correspondante vous pouvez régler la largeur, la hauteur, la couleur et l'alignement du trait.

- Les retraits entre les cellules d'un tableau (ainsi qu'entre leurs contenus) peuvent être modifiés rapidement.

Intégrer des animations vidéo à votre page Web

Vous pouvez mettre en valeur votre page en y plaçant une séquence vidéo. Il peut s'agir d'une courte animation, simplement destinée à attirer l'attention, ou d'un fichier vidéo plus long, expliquant un processus ou illustrant une situation.

La séquence vidéo est chargée à l'ouverture de la page. Vous pouvez définir le lancement de la vidéo dès le chargement ou seulement lorsque l'utilisateur pointe dessus avec la souris. Un texte, ou une image de remplacement, peut être affiché dans les navigateurs ne prenant pas en charge la lecture de séquences vidéo.

Dans la barre *Outils Web*, cliquez sur le bouton **Film**.

1 Sous la rubrique *Source* de la boîte de dialogue qui s'affiche, indiquez dans la liste déroulante *Vidéo* le chemin ou l'URL du fichier vidéo ou utilisez le bouton **Parcourir** pour le localiser.

2 Dans la liste déroulante *Image de remplacement*, indiquez le chemin ou l'URL d'un fichier image à afficher dans les navigateurs ne prenant pas en charge l'affichage des séquences vidéo ou lorsque celui-ci est désactivé.

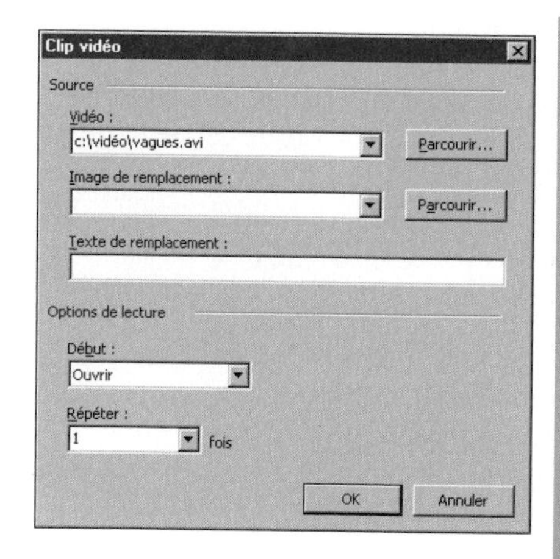

3 Dans la zone de saisie *Texte de remplacement*, saisissez un texte à afficher à la place de la vidéo ou de l'image de remplacement.

4 La rubrique *Options de lecture* vous permet de définir, dans la liste déroulante *Début*, à quel moment la séquence vidéo doit être lue : à l'ouverture de la page, au passage de la souris ou dans les deux cas.

5 La liste déroulante *Répéter* vous permet de déterminer le nombre de fois que la séquence doit être rejouée.

6 Cliquez sur OK pour confirmer.

INFO

Le téléchargement de fichiers vidéo peut prendre du temps

N'oubliez pas que les fichiers vidéo sont souvent de taille importante, ce qui peut conduire à des durées de téléchargement prolongées. Il est parfois plus sage de se contenter d'insérer un lien hypertexte vers le fichier vidéo, afin de laisser à l'utilisateur le soin de décider s'il souhaite télécharger la séquence ou non.

INFO

Du mouvement grâce aux images GIF animées

Si votre seul objectif est de donner vie à votre page Web, vous pouvez également utiliser des images GIF animées, bien plus rapides à afficher. Vous en trouverez quelques exemplaires dans le dossier Animgifs du CD-Rom Office.

Donnez du mouvement à votre texte

Le texte défilant constitue un bon moyen de mettre en valeur l'apparence d'une page Web. Il vous permet par exemple de mettre en évidence des nouveautés concernant votre page Web ou vos produits ou d'attirer l'attention sur une remarque importante.

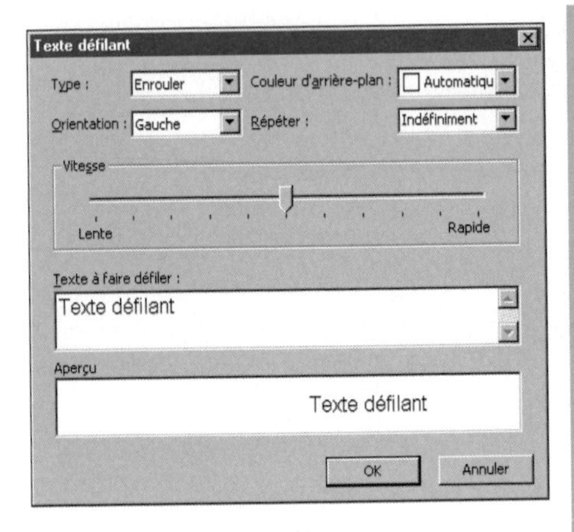

1 Dans la barre *Outils Web*, cliquez sur le bouton **Texte de défilement**. La boîte de dialogue **Texte défilant** s'affiche.

2 Par défaut, le curseur se trouve dans la zone de saisie *Texte à faire défiler*.

3 Saisissez le texte à faire défiler. La zone *Aperçu*, située immédiatement en dessous, vous donne une idée du résultat, tel qu'il apparaîtra sur la page Web.

4 Utilisez les listes déroulantes, *Type*, *Orientation*, *Couleur d'arrière-plan* et *Répéter* ainsi que le curseur *Vitesse* pour adapter le mode de défilement à vos souhaits.

5 Seule la liste déroulante *Type* nécessite quelques explications. L'option *Enrouler* fait apparaître le texte à un bout de l'écran et le fait défiler jusqu'à l'autre bout où il disparaît. Avec *Glisser*, le texte est affiché d'un côté de la fenêtre et se déplace pour atteindre l'autre côté. Arrivé au bout de la fenêtre, le texte reste en place. La troisième option, *Alterner*, fait défiler alternativement le texte d'un côté à l'autre de l'écran autant de fois que vous l'avez spécifié dans la liste déroulante *Répéter*.

6 Cliquez sur OK pour confirmer vos réglages.

INFO

Le texte défilant n'est pas pris en charge par tous les navigateurs

Seules les versions de Microsoft Internet Explorer postérieures à la version 1.0 prennent en charge le texte défilant. Certains navigateurs ne savent pas l'interpréter. Il est alors affiché sous forme de texte fixe. Par ailleurs, si vous utilisez l'option *Alterner*, veillez à ne pas régler une vitesse trop importante et évitez les textes trop longs, sinon votre effet se limitera à faire passer le texte de gauche à droite et inversement, sans réel défilement.

Pour modifier un texte de défilement, sélectionnez-le à l'aide de la souris et choisissez la commande **Propriétés** dans le menu contextuel. Vous pouvez également activer ou désactiver manuellement le défilement. Pour supprimer un texte défilant, sélectionnez-le et cliquez sur la commande **Couper** dans le menu contextuel.

Insertion d'un lien hypertexte

Les liens hypertextes peuvent apparaître dans votre document sous forme de texte en couleur souligné ou sous forme d'image. Un clic de souris sur un lien permet d'accéder à une autre page du World Wide Web ou de l'intranet de votre entreprise. De la même façon, ils peuvent mener à un fichier ou à un endroit précis d'un fichier de votre disque dur ou du réseau. Les liens hypertextes peuvent être insérés dans tous types de documents. Lorsque vous placez le pointeur de souris sur un lien hypertexte, l'adresse cible est affichée dans une info-bulle.

1 Sélectionnez la portion de texte ou l'objet graphique que vous souhaitez utiliser comme lien hypertexte. Cliquez ensuite sur la commande **Insertion/Lien hypertexte**.

2 Dans la partie gauche de la boîte de dialogue qui s'affiche, choisissez un type de cible. Divers types de fichiers et de pages Web vous sont proposés. Vous pouvez, par exemple, créer un lien vers la page Web d'un ami internaute ou permettre le téléchargement d'un fichier.

3 Indiquez l'adresse dans la zone *Taper le nom du fichier ou de la page Web* ou recherchez la cible dans la liste située en dessous, ou encore utilisez les boutons adjacents.

Vous pouvez également créer des liens vers des endroits précis du document en cours, à condition d'avoir défini des titres ou des signets. L'icône *Créer un document* vous permet de créer directement un nouveau fichier HTML, que vous pouvez éditer immédiatement ou ultérieurement.

4 Enfin, vous avez la possibilité d'insérer un lien vers une adresse de courrier électronique pour permettre aux visiteurs de votre page Web de vous contacter. Un simple clic sur un hyperlien de ce type ouvre directement la fenêtre de saisie d'un nouveau message e-mail.

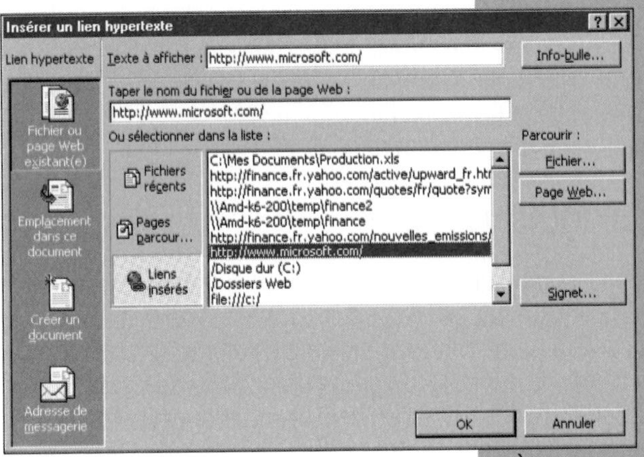

5 Bien que cette fonctionnalité soit actuellement uniquement prise en charge par Internet Explorer 4 ou ultérieur, il est recommandé de définir un texte d'info-bulle en cliquant sur le bouton correspondant. Celui-ci sera affiché lorsque le pointeur de souris s'arrête sur un hyperlien.
À l'utilisation, cette fonction se révèle à la fois pratique et utile.

Édition d'un lien hypertexte

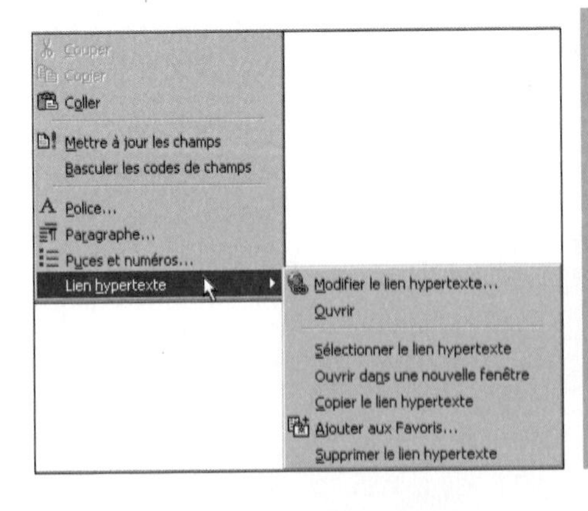

1 Cliquez sur un lien hypertexte existant avec le bouton droit de la souris et choisissez la commande **Lien hypertexte** dans le menu contextuel. Dans le sous-menu qui apparaît, vous pouvez, par exemple, définir l'affichage de la cible dans une nouvelle fenêtre.

2 De même, vous pouvez ajouter le lien à vos Favoris ou le modifier.

INFO

Mise en forme d'un hyperlien

Peut-être souhaitez-vous modifier l'apparence d'un lien hypertexte, par exemple pour changer sa couleur. Le moyen le plus rapide est sans doute le choix d'une nouvelle mise en forme via le menu *Format*, mais le chemin le plus court n'est pas toujours le meilleur. Une solution existe cependant : comme les liens hypertextes utilisent un style particulier, il vous suffit de modifier le style correspondant à l'aide de la commande *Style* du menu *Format*.

Enregistrer les pages Web et les placer sur Internet

Si votre site Web se compose d'un grand nombre de pages, de graphismes, de sons, etc., les différents dossiers et fichiers doivent toujours se trouver au bon emplacement, sinon les liens hypertextes ne trouveront plus leur cible, les images ne pourront pas être affichées, etc. Le tri de fichiers désordonnés peut se révéler un vrai travail de titan. Heureusement, Word 2000 propose une fonction grâce à laquelle vous pouvez vous épargner ce genre de souci.

1 Utilisez, pour l'enregistrement de vos documents HTML, la commande **Enregistrer en tant que page Web**. Word enregistre ainsi, outre la page, tous les graphismes, sons, etc., qu'elle contient dans un dossier séparé, sous-dossier du dossier où se trouve la page Web. Ainsi, les données ne risquent pas d'être perdues, et la page s'affiche toujours correctement.

2 Selon la configuration de votre accès réseau ou Internet, vous pouvez enregistrer directement vos pages Web dans un dossier Web ou sur un site FTP à partir de Word. Sélectionnez l'emplacement correspondant dans la liste déroulante *Enregistrer dans*. Pour vous éviter tout problème ou perte de temps inutile, renseignez-vous au préalable auprès de votre administrateur réseau sur d'éventuels détails techniques à considérer.

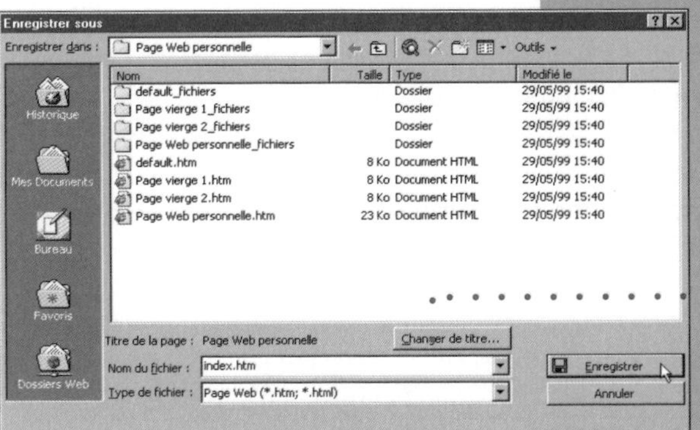

3 Le bouton **Changer de titre** est fort utile, puisqu'il vous permet de définir ou de modifier le titre de la page Web. Ce titre est très important, car c'est grâce à lui que les internautes peuvent trier leurs liens Internet.

INFO

Assistant de publication de sites Web

Un Assistant de publication de sites Web est fourni en standard avec le pack Office. Il vous guide pour la publication de vos pages, notamment en ce qui concerne les transferts FTP et le chargement de vos pages sous forme HTTP. Là aussi, il est recommandé de contacter auparavant votre fournisseur d'accès Internet afin de vous renseigner sur les conditions de publication de vos pages. L'Assistant de publication de sites Web est accessible par le menu *Démarrer* et la commande *Programmes/Accessoires/Outils Internet*. Si vous ne le trouvez pas à cet endroit, vous devez d'abord l'installer.

En cas de problème

Selon les conditions techniques de votre fournisseur d'accès, la publication de vos pages Web à l'aide des outils Microsoft (enregistrement direct sur le site FTP ou Assistant de publication de sites Web) peut poser un problème. En effet, lorsque vous tentez de télécharger vos fichiers sur le serveur de votre fournisseur d'accès, vous risquez dans certains cas de rencontrer un message d'erreur.

Si cela devait se produire, utilisez le programme de transfert de fichiers préconisé par votre fournisseur d'accès. Sachez également que le programme WS_FTP, que vous pouvez télécharger sur Internet à l'adresse `www.ipswitch.com`, fonctionne dans la grande majorité des cas.

La procédure à suivre avec ce type de programmes de transfert de fichiers via FTP est très simple : connectez-vous au serveur de votre fournisseur d'accès, lancez le programme FTP, sélectionnez le ou les dossiers ou fichiers à transférer et lancez le transfert.

Un problème particulier peut se poser aux utilisateurs de certains services en ligne. En effet, certains serveurs (par exemple CompuServe) exigent que tous les fichiers soient situés dans le même dossier. Pour cela, activez, dans la boîte de dialogue **Enregistrer sous**, la commande **Outils/Options Web**. Dans la boîte de dialogue qui s'affiche, passez sous l'onglet **Fichiers** et désactivez l'option *Regrouper les fichiers de prise en charge dans un dossier*. Dorénavant, tous les fichiers de votre site Internet, graphismes compris, seront placés dans le même dossier.

Enfin, il peut arriver que certains fournisseurs d'accès n'acceptent pas les noms de fichier longs. Là aussi, il convient de désactiver l'option correspondante dans les options Web pour garantir un téléchargement sans problèmes.

Économiser l'espace de stockage du site Internet

Une fois que vous avez créé votre site Web personnel, il ne vous reste plus qu'à le publier sur Internet.

Où stocker ses pages Web ?

Pour publier vos pages Web, par exemple votre page personnelle, sur Internet, vous devez les déposer sur un serveur WWW officiel.

Un serveur WWW "officiel" est un ordinateur disposant d'une adresse IP propre, le rendant accessible avec tout navigateur Web.

Vous pouvez utiliser votre propre ordinateur, où sont stockées vos pages Web, pour en faire un serveur Internet, mais cette solution est relativement coûteuse et représente beaucoup de travail. Des possibilités plus économiques existent :

- louer de l'espace disque auprès d'un fournisseur d'accès pour y stocker vos pages ;
- profiter de l'offre d'un prestataire Internet, qui met gratuitement à votre disposition un espace disque (limité).

Location d'un espace de stockage

Parmi les fournisseurs d'accès Internet, il convient de distinguer entre les accès à but commercial et ceux destinés aux utilisateurs privés. Si vos pages Web ont un caractère commercial, vous devrez choisir un prestataire correspondant. Naturellement, les fournisseurs d'accès commerciaux sont nettement plus chers. En contrepartie, ils offrent en général des vitesses de transfert plus élevées et un meilleur service que ceux proposés par les accès gratuits.

Tarifs des espaces Web

Les mensualités des sites commerciaux dépendent généralement de la quantité d'espace louée, par exemple 300 F pour 100 Mo, avec un supplément pour chaque méga-octet supplémentaire. Parfois, c'est le taux d'occupation des lignes, c'est-à-dire la quantité de données transférées qui est facturée, un coût qui peut rapidement devenir difficile à contrôler. Le marché n'en est qu'à ses balbutiements, et les prix sont en chute libre. On trouve même à présent des offres à des prix dérisoires, ou gratuites.

Pour les pages commerciales, un autre élément entre en ligne de compte : le nom de domaine, c'est-à-dire l'adresse à laquelle on peut vous trouver. Imaginez que vous souhaitiez vous informer sur le dernier modèle de Renault et que vous deviez saisir une adresse du type `www.gratuit.fr/entreprises/automobile/renault.htm`, peu de personnes prendraient la peine de s'y rendre. Une entreprise se doit de posséder une adresse facile à retenir et qui ne ressemble si possible pas à une offre promotionnelle. Posséder son propre nom de domaine a un coût, qui est souvent directement intégré aux frais d'adhésion auprès des prestataires commerciaux. À l'adresse `http://www.lerelaisinternet.com` vous pouvez vérifier si le nom de domaine que vous souhaitez utiliser est encore disponible, bien souvent ce n'est déjà plus le cas.

De l'espace gratuit

Si les données à proposer en ligne sont réduites et ont un usage avant tout privé, vous trouverez le meilleur rapport qualité-prix auprès de grands fournisseurs d'accès comme Wanadoo ou AOL. Ces prestataires offrent généralement à leurs abonnés une certaine quantité d'espace pour stocker leur site Web personnel (10 Mo chez AOL et 15 Mo chez Wanadoo). En fait, cet espace n'est pas totalement gratuit, puisqu'il vous est proposé en guise de complément à l'accès Internet qui, lui, est payant.

Si vous ne vous connectez pas à Internet par l'intermédiaire d'un fournisseur d'accès payant (par exemple via votre université ou un prestataire local), une dernière possibilité vous est offerte pour le stockage de vos pages Web : les hébergements gratuits, qui vous proposent site Internet et adresse de courrier électronique à votre nom. En contrepartie, les visiteurs de votre site Web verront s'afficher des bandeaux publicitaires pendant qu'ils consultent vos pages.

Les hébergements gratuits les plus connus sont :

- `www.geocities.com` (11 Mo) ;
- `www.chez.com` (10 Mo) ;
- `www.tripod.com` (11 Mo).

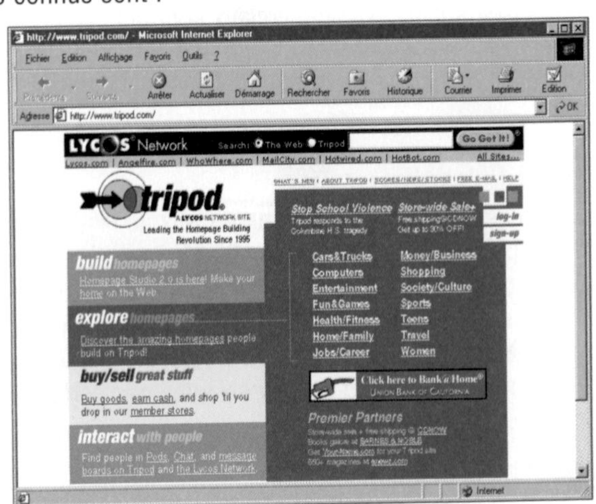

L'image ci-contre montre la page d'accueil de Tripod.

Trousse de dépannage

Vous avez besoin d'aide ? La liste de problèmes courants ci-dessous accompagnés de leur solution vous permettra peut-être d'apporter une première réponse à vos questions.

Une partie de votre document est invisible

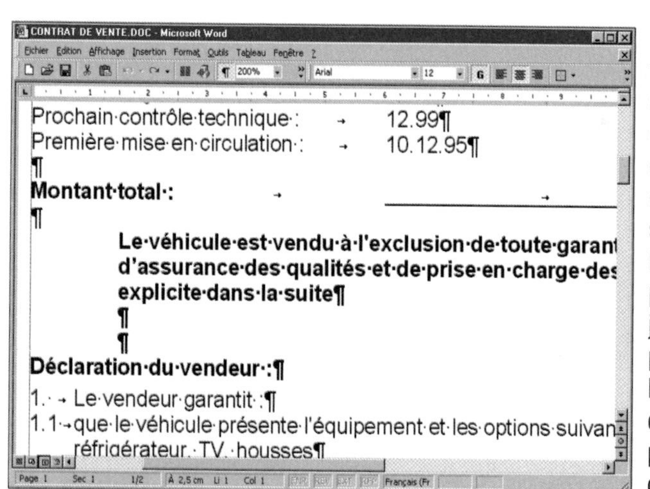

Lorsque les lignes de votre document dépassent la largeur de votre écran, il se produit des effets très étranges : dès que le curseur parvient sur le bord droit de l'écran, Word affiche la partie de la ligne qui était jusqu'ici invisible. Vous pouvez alors très bien lire le texte qui était masqué du côté droit, mais la partie gauche de la ligne disparaît aussitôt. Vous pouvez bien sûr revenir vers la gauche à l'aide de la barre de défilement inférieure, mais cela se fera à nouveau au détriment de la partie droite de la ligne. À la longue, ces manipulations deviennent agaçantes.

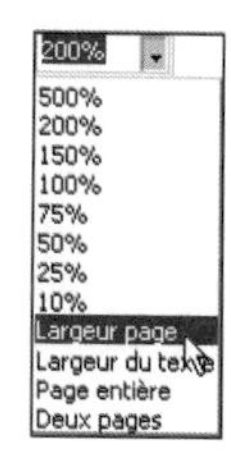

Solution : le problème vient de ce que le facteur d'agrandissement sélectionné pour représenter le document est trop important. Dans la barre d'outils *Standard*, cliquez sur la flèche de la liste déroulante *Zoom* et choisissez l'option *Largeur page* (le document s'ajuste alors dans tous les cas à la taille de l'écran).

Pour obtenir de plus amples informations sur les modes d'affichage, reportez-vous au chapitre *Pourqoui faire compliqué quand on peut faire simple?*.

Word a disparu !

Vous ne savez plus très bien quelle manipulation vous avez effectuée, mais elle a eu pour effet de faire disparaître la fenêtre Word.

Solution : vous avez très probablement cliqué dans la barre de titre, sur le troisième bouton à partir de la droite (**Réduire**). Par cette action, Word s'est transformé en bouton.

Les boutons des fenêtres réduites sont logés dans la barre des tâches de Windows 98, sur le bord inférieur de l'écran. Vous devriez y apercevoir un bouton assez semblable à celui-ci :

Cliquez sur ce bouton, et Word réapparaît.

Vous ne voyez plus rien ? l'écran est tout simplement trop petit

Si vous possédez un écran de petite taille (14 ou 15 pouces), vous serez fréquemment confronté à la situation suivante : après avoir activé plusieurs barres d'outils, vous désirez avoir une vue d'ensemble de la page d'un document dans le mode d'affichage Page. Malheureusement, vous n'en apercevez qu'un petit extrait.

Solution : la commande **Plein écran** permet de masquer tous les éléments périphériques de l'écran (les barres d'outils, les menus, la règle, etc.). Le document occupe alors l'écran en entier. Cette fonction est très pratique lorsque vous vous contentez de lire et de corriger votre document. Vous n'avez alors pas besoin des divers boutons et menus.

1 Dans le menu **Affichage**, cliquez sur la commande **Plein écran**.

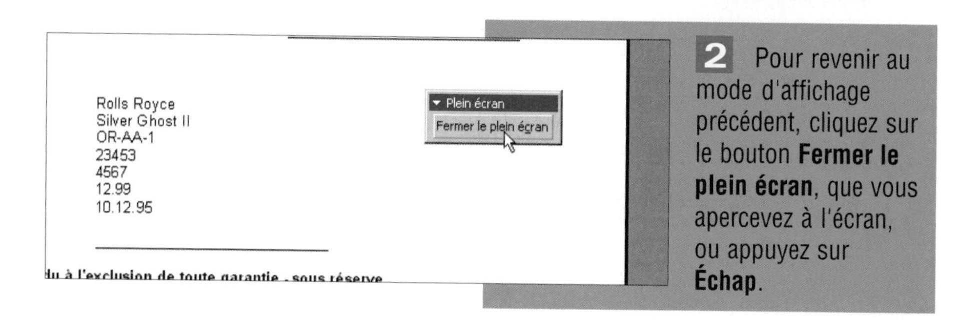

2 Pour revenir au mode d'affichage précédent, cliquez sur le bouton **Fermer le plein écran**, que vous apercevez à l'écran, ou appuyez sur **Échap**.

Des composants Word manquent à l'écran (ou ils sont trop nombreux)

Les barres d'outils, la règle ou la barre d'état ont disparu ? Ou l'écran est rempli de divers composants Word, si bien que l'espace disponible pour votre document est réduit au minimum ?

Solution : Word est d'une souplesse telle que vous pouvez activer et désactiver à volonté la plupart des composants de l'écran.

- Pour activer la règle horizontale, activez la commande du même nom dans le menu **Affichage**. La règle verticale est uniquement visible en mode Page. Pour l'afficher, activez l'option *Règle verticale* sous l'onglet **Affichage** de la boîte de dialogue **Options** (commande **Outils/Options**). Elle s'affichera alors en même temps et de la même manière que la règle horizontale.

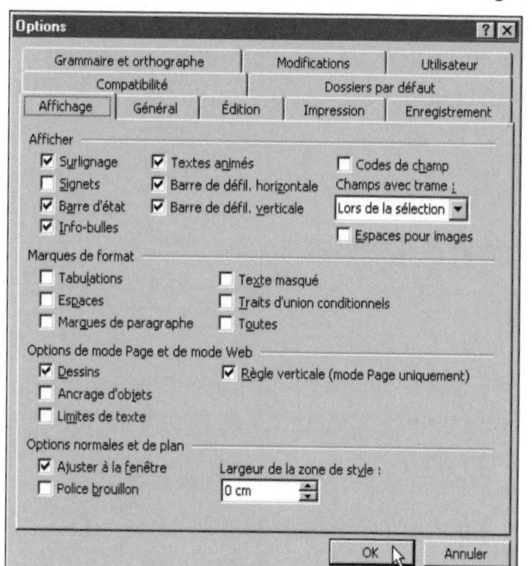

■ Pour activer les autres composants, comme la barre d'état, les barres de défilement et les caractères non imprimables, activez également la commande **Outils/Options**, puis l'onglet **Affichage** (voir ci-dessus).

■ Pour accéder à l'ensemble des barres d'outils, cliquez avec le bouton droit de la souris sur l'une de celles qui sont affichées ou choisissez la commande **Barres d'outils** dans le menu **Affichage**. Dans le menu contextuel ou le sous-menu ainsi affiché, les barres d'outils marquées d'une coche sont activées et les autres sont masquées. Pour basculer de l'état actif à l'état inactif, et vice versa, cliquez une fois sur le nom de la barre d'outils correspondante.

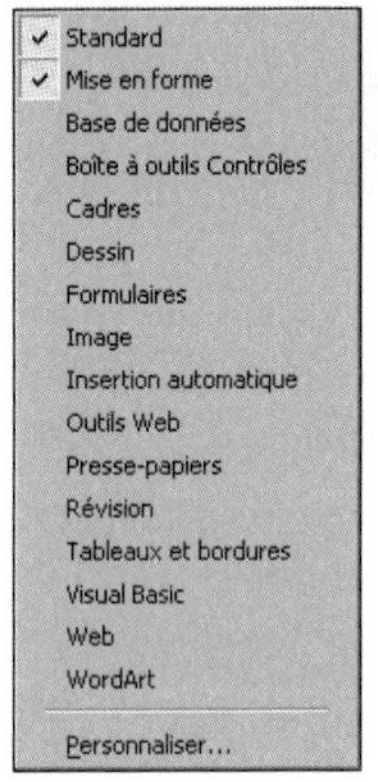

En cours de frappe, le texte disparaît

Vous insérez un complément de texte dans un document déjà écrit, au milieu d'un paragraphe par exemple. Vous constatez alors que chaque fois que vous tapez une lettre, celle qui la suit immédiatement est effacée. Phénomène d'autant plus fâcheux que vous vouliez conserver tel quel le texte existant.

Solution : vous avez activé le mode Insertion en appuyant par inadvertance sur la touche **Inser**. Pour corriger l'anomalie, appuyez une nouvelle fois sur cette touche pour désactiver le mode Insertion.

Vous vouliez insérer un saut de ligne et un paragraphe a disparu

Alors qu'une partie du document est sélectionnée, vous désirez saisir un nouveau texte, ou peut-être simplement un saut de ligne. Dès que vous appuyez sur la première touche, le texte sélectionné disparaît, quelle que soit sa longueur.

Solution : cliquez immédiatement sur le bouton **Annuler** pour retrouver le texte supprimé. Voici maintenant quelques explications sur ce qui vient de se produire.

Word met à votre disposition une fonction intitulée *La frappe remplace la sélection*. Elle peut être très pratique dans certains cas, par exemple pour remplacer un ancien texte par un nouveau. Dans notre situation, ce n'est évidemment pas l'effet désiré. Pour vous protéger contre de tels risques, il est préférable de désactiver cette fonction. Cliquez sur la commande **Options** dans le menu **Outils**. Activez l'onglet **Édition** et cliquez dans la case à cocher *La frappe remplace la sélection* pour mettre cette fonction hors service.

La correction automatique vous contrarie

Chaque fois que vous tapez un mot commençant par deux majuscules, Word transforme la seconde en minuscule, alors que vous souhaitez conserver ces majuscules (dans un sigle ou une abréviation, par exemple). Si la correction automatique rend des services appréciables, cet avantage peut parfois se transformer en désagrément, lorsque la correction s'effectue de façon indue.

Solution : lorsqu'un mot commence par deux majuscules, la fonction **Correction automatique** transforme la seconde en minuscule.

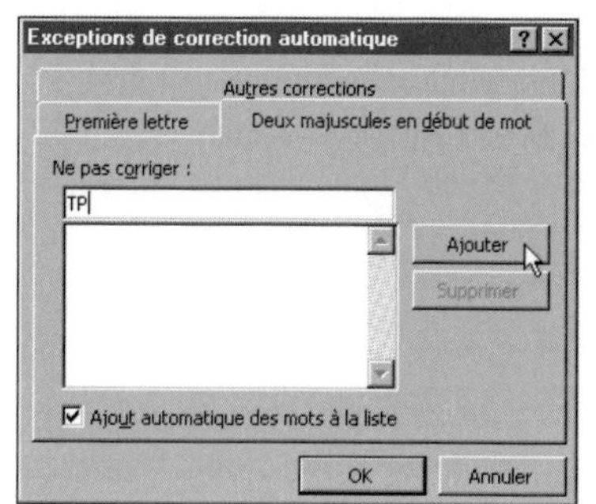

Si vous préférez supprimer cet automatisme, cliquez sur **Outils/Correction automatique**, puis dans la case à cocher *Supprimer la 2e majuscule d'un mot* pour effacer la coche. La fonction est ainsi désactivée.

Vous pouvez également laisser cette fonction activée et définir votre terme comme une exception. Pour cela, cliquez sur le bouton du même nom dans la boîte de dialogue **Correction automatique**.

Le début d'une ligne est décalé à gauche par rapport au texte

Le texte qui était correctement aligné sur le bord gauche de la page devient subitement irrégulier. Quelle en est la raison et comment y remédier ?

Solution : vous pouvez avoir touché, volontairement ou non, les petits triangles (les curseurs), du côté gauche de la règle. Il est en effet possible de déplacer la plupart des marques de frappe hors de la zone blanche de la règle (qui délimite normalement la largeur d'un document normal). Il suffit d'un peu d'inattention pour que cela se produise, et le résultat est souvent inélégant.

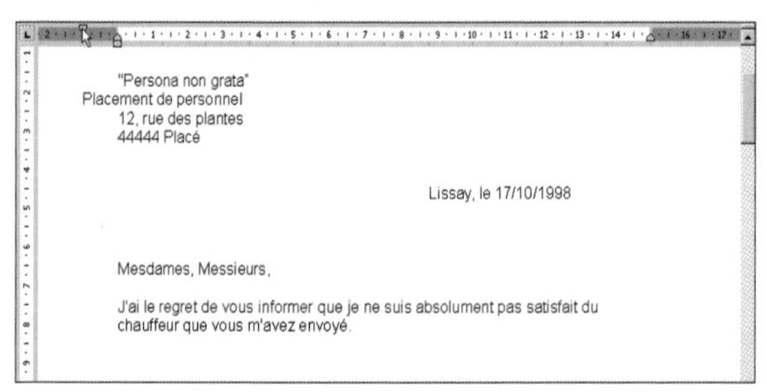

Pour y remédier, placez le point d'insertion dans le paragraphe concerné et partez à la recherche du triangle égaré. Replacez-le ensuite patiemment à l'aide de la souris à l'endroit approprié. Il peut être encore plus simple d'appliquer au paragraphe la mise en page par défaut à l'aide de la combinaison de touches **Ctrl+Maj+N**. De cette manière, toutes vos mises en forme particulières sont annulées.

Vous venez d'appliquer des retraits au texte et le résultat n'est pas probant

Les tabulations vous sont familières, alors que le véritable outil pour mettre en retrait un paragraphe vous est encore inconnu ? La tentation est alors forte de précéder tous les paragraphes d'une tabulation en lieu et place du retrait qui s'impose.

¶
→ **Le·véhicule·est·vendu**
→ **d'assurance·des·qual**
→ **explicite·dans·la·suite**
¶

Ce procédé n'est pas vraiment recommandé. En effet, cette variante implique un surcroit de travail (il faut taper chacun des caractères de tabulation individuellement). Par ailleurs, des modifications ultérieures (l'insertion de texte supplémentaire ou la modification de la taille de la police) risquent d'aboutir à des présentations aléatoires.

¶
→ **Le·véhicule·est·vendu**
réserve· → **d'assurance·d**
des·manière·→ explicite·dans·
¶

Solution : au lieu de la tabulation, utilisez les boutons **Augmenter le retrait** et **Diminuer le retrait** situés dans la barre d'outils *Mise en forme*, qui servent à augmenter ou à diminuer le retrait.

Vous pouvez également utiliser la règle. Pour en savoir plus, reportez-vous au chapitre *Espacements horizontaux et verticaux*.

Les mots ne veulent pas rester alignés

Vous désirez organiser une liste sous forme de tableau. Si vous créez les espacements horizontaux à l'aide de la barre d'espace, le résultat sera sûrement décevant. En effet, dès que vous procédez à un essai, vous constatez que les entrées des différentes lignes refusent de s'aligner les unes au-dessous des autres !

LÉGUMES·BIO	Richard·Rance	Tél.·:·04·47·78·65·66¶
	232,·rue·du·Chemin·vert	Fax·:·04·47·78·65·70¶
	73737·Emincé	e-mail·:·rrance@wanadoo.fr¶

Solution : pour créer des espacements horizontaux avec une police proportionnelle, l'utilisation d'espaces est à proscrire absolument !

La barre d'espace sert uniquement à séparer les mots les uns des autres. Chaque fois que vous voulez créer des espacements plus importants, il faut recourir à des tabulations. Si vous utilisez des espaces, le résultat à l'écran aura toujours un aspect difforme. Cette irrégularité s'accentue encore plus à l'impression.

Des informations détaillées sur l'utilisation des tabulations sont disponibles dans le chapitre *Espacements horizontaux et verticaux*.

Les tabulations n'obéissent pas

Je tiens à vous remercier pour la livraison rapide de vingt caisses de votre nouvelle variété de tomate "Quadratas". J'ai été absolument enthousiasmé aussi bien par le goût que par la forme et la couleur de ce nouveau produit. La forme en dés des tomates semble très bien accueillie par notre clientèle.

Malheureusement, nous avons dû constater que la capacité d'empilage de cette variété n'a pas pu être considérablement améliorée. Certes, cette tomate présente des caractéristiques de déroulement idéales, mais en cas de piles de grande dimension, les tomates placées dans les zones inférieures présentent des meurtrissures. J'attribue ceci essentiellement aux deux causes suivantes :

Vous désirez insérer un caractère de tabulation au début d'un paragraphe en appuyant sur la touche **Tab**. Mais au lieu du résultat prévu, la première ligne du paragraphe concerné est mise en retrait, et vous n'apercevez aucun caractère de tabulation.

Solution : dans ce cas, vous êtes l'une des nombreuses victimes de la fonction définie par défaut *TAB et RET.ARR. définissent les retraits à gauche*.

Effet de cette fonction : si le point d'insertion se trouve au début de la première ligne du paragraphe, un retrait de première ligne est inséré lorsque vous appuyez sur la touche **Tab**.

Je tiens à vous remercier pour la livraison rapide de vingt caisses de votre nouvelle variété de tomate "Quadratas". J'ai été absolument enthousiasmé aussi bien par le goût que par la forme et la couleur de ce nouveau produit. La forme en dés des tomates semble très bien accueillie par notre clientèle.

Malheureusement, nous avons dû constater que la capacité d'empilage de cette variété n'a pas pu être considérablement améliorée. Certes, cette tomate présente des caractéristiques de déroulement idéales, mais en cas de piles de grande dimension, les tomates placées dans les zones inférieures présentent des meurtrissures. J'attribue ceci essentiellement aux deux causes suivantes :

Si vous appuyez encore une fois sur la touche **Tab**, le paragraphe entier (y compris le retrait de première ligne) est déplacé vers la droite. La valeur du décalage est d'un taquet de tabulation par défaut.

Lorsque le point d'insertion est situé au début de la deuxième ligne ou d'une ligne située en dessous, le paragraphe entier est mis en retrait.

Attention ! La touche **Retour arrière** permet de supprimer les retraits ainsi insérés.

Contourner la fonction : lorsque cette fonction est activée, si vous désirez insérer un caractère de tabulation à la place d'un retrait, vous devez appuyer sur la combinaison de touches **Ctrl+Tab**.

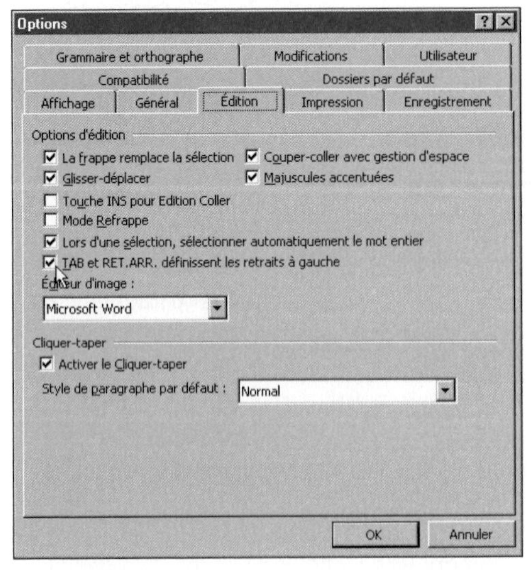

Pour activer ou désactiver cette fonction, cliquez dans la case à cocher *TAB et RET.ARR. définissent les retraits à gauche* située sous l'onglet **Édition** de la boîte de dialogue **Options** (commande **Outils/Options**).

Informations sur les propriétés du texte

Si vous avez appliqué un grand nombre de mises en forme à un paragraphe, vous risquez de ne plus vous y retrouver dans la longue liste des modifications.

Solution : suivez la procédure ci-dessous pour obtenir des informations détaillées.

1 Choisissez la commande **Qu'est-ce que c'est ?** ou appuyez sur la combinaison de touches **Maj+F1**.

2 Le pointeur de la souris est aussitôt doté d'un point d'interrogation. À l'aide de celui-ci, cliquez sur le paragraphe en question.

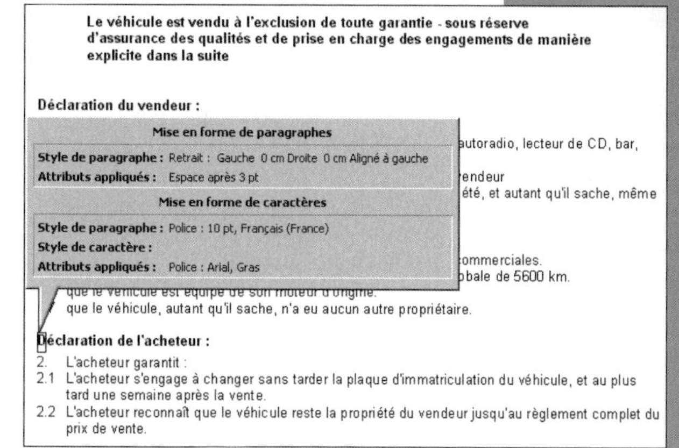

3 Une info-bulle affiche alors toutes les propriétés du paragraphe.

Les informations de l'info-bulle sont réparties en deux parties.

- Mise en forme de paragraphe : il s'agit des propriétés (telles que l'alignement justifié ou les retraits) ayant trait aux paragraphes. Outre les mises en forme appliquées directement à l'aide des boutons ou des commandes de menus, le nom du style en cours est également affiché.
- Mise en forme de caractères : il s'agit ici des propriétés telles la police, la taille, le style, etc., en somme toutes les mises en forme s'appliquant directement aux caractères. Outre les actions effectuées à l'aide des boutons de la barre d'outils *Mise en forme*, les propriétés découlant du style appliqué au paragraphe sont également affichées.

Comment supprimer les propriétés de mise en forme ?

Après vous être exercé à mettre en forme votre document, vous constatez que le résultat est un désordre inextricable. Comment rétablir rapidement, pour le document entier ou pour une partie spécifique seulement, une mise en forme par défaut ?

Solution : le tableau ci-dessous vous présente la manière de supprimer les mises en forme.

Comment supprimer une mise en forme ?	
Action	**Procédure**
Supprimer des mises de forme de caractères (par exemple, les styles gras, italique et souligné)	Sélectionnez le passage de texte et appuyez sur la combinaison de touches **Ctrl+Barre d'espace**
Supprimer simultanément des mises en forme de paragraphes (comme l'alignement ou les listes à puces) et des mises en forme de caractères	Sélectionnez le passage de texte et appuyez sur la combinaison de touches **Ctrl+Maj+N**
Comme pour toutes les actions que vous désirez annuler, vous pouvez également utiliser la fonction Annuler	Si l'action de mise en forme était la dernière effectuée, cliquez une fois sur le bouton **Annuler**

Rien ne va plus, car, emporté par la volonté d'apprendre, vous avez mis votre document sens dessus dessous depuis le dernier enregistrement. Vous ne savez plus, parmi les modifications effectuées, celles qu'il convient de conserver et celles qu'il faut annuler. Dans ce cas, il vous reste encore la possibilité de quitter votre document à l'aide de la commande **Fichier/Fermer**, sans enregistrer les modifications. De cette manière, toutes les modifications effectuées depuis le dernier enregistrement sont ignorées.

Si vous rouvrez aussitôt votre document, vous pourrez vous assurer que le désordre avait effectivement été provoqué après la dernière opération d'enregistrement.

Il est donc fortement recommandé de procéder à des enregistrements fréquents, afin de disposer en permanence d'une version relativement à jour (en particulier, avant d'essayer une nouvelle fonction que vous ne maîtrisez pas encore).

Index

A

B

C

D

E

T

V

W

Z

Achevé d'imprimer sur les presses de l'Imprimerie CHIRAT
42540 Saint-Just-la-Pendue
Dépôt légal Juillet 1999 N° 7618